Als het hart nog slaat

AINO TROSELL

Als het hart nog slaat

Uit het Zweeds vertaald
door Edith Sybesma

DE GEUS

28. 04. 2008

Oorspronkelijke titel *Om hjärtat ännu slår*, verschenen bij Pan
Oorspronkelijke tekst © Aino Trosell 2000
Nederlandse vertaling © Edith Sybesma en De Geus BV, Breda 2007
Omslagontwerp Mijke Wondergem
Omslagillustratie © Photonica/Iconica Images
Druk Koninklijke Wöhrmann BV, Zutphen
ISBN 978 90 445 0620 4
NUR 330

Als het hart nog slaat

Toen het eenmaal zover was ging het snel.

Ze hadden beiden allang gevoeld dat er iets gaande was, maar ze hadden het er niet meer over. Dat was nergens goed voor, ze wilden de angst niet groter maken. Hij probeerde tegenover haar net te doen alsof het hem niets deed.

Maar daarvoor kende ze hem te goed, ze had hem door.

Hoewel zij haar gevoelens hieromtrent ook niet aan hem toonde.

Ze vrijden heftig, iedere nacht. Ze klampten zich aan elkaar vast, alsof die nacht de laatste was; ze hielden elkaar hongerig en stevig vast, alsof ze er niet genoeg van konden krijgen.

Maar ze zeiden niets. Ze praatten er niet meer over. Hun lichamen ontmaskerden hen toch tegenover elkaar. Ze hijgden van inspanning en opwinding. En van iets anders.

Hun lichaam kende hun wanhoop. Hun lichaam huilde hun onmacht uit en hun lichaam ging door met praten zonder woorden.

Ze wisten dat niemand hen kon beschermen. En dat ze niet konden weglopen; ze moesten hun opdracht voltooien, ze moesten hun werk afmaken.

De diskettes en de pas gebrande cd-roms werden in een bankkluis bewaard. Maar voor hen was er geen kluis. Ze zochten tastend de weg als in een donker, verlaten bos. In de neonverlichting op de redactie en in het licht van de etalages op straat ontmoetten ze soms elkaars blik en daar was liefde.

En weemoed.

En een vluchtige blik opzij.

Het ging snel toen het zover was. Toen zij aan de beurt waren.

Het was een heldere ochtend, het was winter; een zonnige winterdag was het toen ze de voordeur uit stapten en hun tred lichter werd, ze glimlachten naar elkaar. Het had nog niet gesneeuwd, maar de ijskristallen glinsterden hun tegemoet vanuit de struiken en bomen in de hoofdstad van het land. Het was een gewone dag, ze zouden naar hun werk gaan, net als duizenden anderen. Een gepensioneerde man liet zijn langharige poedel uit. De hond had van alles te doen onder de bosjes tegen de muur van de flat.

Ze waren laat. Er stonden weinig auto's op de parkeerplaats. Ze versnelde haar pas en deed haar handtas open, waar de autosleutels in zaten.

De tijd hield in. De tijd hield in, maar ze merkte het niet.

Het was een soort voorgevoel, alsof er een vleugelslag van een of ander wezen langs zijn ogen gegaan was, en hij wilde haar tegenhouden. De angst sloeg in als een heipaal en deed hem verstijven. Hij riep haar naam – tegen het bandje op de rug van haar jas, hij wilde haar daar vastpakken en haar laten stoppen.

Ze vervolgde haar snelle wandeling, ze wilde er eerder zijn dan hij, zodat hij niet zou hoeven wachten. Maar ze hoorde hem roepen.

En ze draaide zich om, de glimlach nog om haar mond. Tegelijkertijd viste ze met haar hand de sleutelbos op.

Vervolgens pakte ze de handgreep van het portier vast.

Toen ontplofte de bom!

De ruiten op de onderste drie verdiepingen van het flatgebouw werden ingedrukt. Haar buik werd opengereten, de grote lichaamsslagader werd kapotgescheurd en ze was op slag dood.

Hij leefde nog toen de ambulance kwam. Hij stierf die avond pas.

In de krant kon iedereen lezen waar ze voor hadden betaald. Ja, wat het kostte.

Ze hadden geweten wat de prijs was. Ze hadden deze brute betaalwijze ingecalculeerd.

De inflatie was in volle gang.

Er waren er niet veel meer die bereid waren voor zo'n prijs in actie te komen.

Eerste deel

Toen vond ik hen alleen maar mooi – de bruiden en hun bruidegoms zoals ze daar op de familiepagina op de foto stonden. In die tijd dacht ik niet na, ik glimlachte gewoon terug naar die gelukkige mensen en ik vond het leuk om hun feestelijke kledij te bewonderen en een beetje over hen te fantaseren, wie ze waren en hoe uitgerekend zij tweeën elkaar gevonden hadden. En die andere twee. En dat stel. In het onderschrift kon je hun namen lezen en soms die van hun ouders. Af en toe stonden ook de namen van de bruidsjonkers erbij, soms wie er had gezongen tijdens de huwelijksplechtigheid; in een enkel geval zelfs de naam van de ceremoniemeester, waaruit je kon opmaken dat het een grote bruiloft was geweest.

Hoewel alle bruiloften natuurlijk hoogtepunten zijn in het leven.

In die tijd vond ik het ook leuk om verlovingsadvertenties te bestuderen, huwelijksaankondigingen, geboorte- en vooral rouwadvertenties, hoe raar dat misschien ook klinkt. Maar ik dacht er niet bij na. Ik las nooit een boek. Een rouwadvertentie daarentegen kon voor mij dezelfde functie vervullen als een hele roman. Je kwam te weten hoe oud de overledene was geworden, wie zijn nabestaanden waren, soms ook welke geloofsovertuiging hij was toegedaan en uit de tekst kon je ook opmaken wat voor soort persoonlijkheid hij was geweest en welke plaats hij ongeveer had ingenomen op de sociale ladder toen hij werd opgehaald – en nog geen hemd mee mocht nemen.

Zo is de finale van het leven, je kunt niets meenemen en zelden word je van tevoren gewaarschuwd. Op een dag is het gewoon tijd om te vertrekken.

Ik keek heel graag naar de huwelijksadvertenties. Ik dacht er niet bij na, ik nam het alleen maar in me op. De foto's, de namen, de naasten en de kennissen, de verwachtingsvolle blik, de glimlach op die foto's, die aan de hele wereld de hoop op een levenslange liefde en een onverbrekelijke band tussen families en generaties kenbaar maakte. Voor mij waren de mensen op de foto sterk en onoverwinnelijk, op het hoogtepunt van hun jeugd, gelukkig en optimistisch. Hun vreugde was overal tegen bestand.

Toen wist ik nog niets van de existentiële eenzaamheid van de mens en hoezeer hij op zichzelf is aangewezen. Hoe hij zich blootgeeft en hoopt en gelooft dat het met alles en iedereen wel goed zal komen.

En de geboorteadvertenties! Waar behalve de naam van de ouders soms ook de namen van broertjes en zusjes en die van de oudere generatie in stonden. Wat waren ze allemaal blij. Kleine Karl was geboren, slechts eenenvijftig centimeter lang, waarschijnlijk kerngezond en hij had al een grote zus, die Emma heette. Wat een gelukzaligheid!

Toen was ik onwetend. Verstrooid bladerde ik door het ochtendblad terwijl ik wachtte totdat de koffie doorgelopen was.

Jan vond het maar niks, hij vond dat ik de actualiteit moest volgen, dat vond hij zelfs mijn plicht. Maar 's ochtends vroeg lag hij meestal nog in bed, hij had immers een kantoorbaan, en daarom was ik alleen met de bruidsparen en kon ik mij ongestoord aan mijn eigen fantasieën overgeven.

Soms dacht ik aan onze eigen bruiloft vierentwintig jaar geleden. Hoe jong en dom ik toen was. Nu alleen nog maar dom. Lelijker, maar even dom. Hoewel mijn fantasie rijker geworden was.

In die vroege uren aan de keukentafel schreef ik mijn eigen romans, precies zoals ik ze wilde, met veel liefde en hunkering en hindernissen, een snufje erotiek en een tien kilo lichtere versie van mezelf. In mijn vroege ochtendfantasieën kwamen geen zadeltassen of zwembandjes voor, geen zwabberend vet onder de armen en ook geen sinaasappelhuid, kraaienpootjes of blauw dooraderde dijen. In de boezem van de familiepagina op de vroege ochtend had de hoofdpersoon, ik dus, de lotto gewonnen en het geld besteed aan een schoonheidsbehandeling van twee maanden in een of ander kuuroord en in de mensenmenigte in een bus of tram ziet ze voor het eerst haar geliefde – die een opmerkelijke gelijkenis vertoont met Jan, hoewel hij ook wat afgeslankt is, meer haar heeft en minder wallen onder de ogen.

Wat was het allemaal onschuldig. Ik vergeleek mezelf niet met anderen en ik had toen ook al geen aanleg voor jaloezie. Jan en ik waren in stilte voor de burgerlijke stand getrouwd, want ik was al een poos zwanger van Åsa en daar was de familie van Jan niet zo blij mee. Mijn eigen familie, dat wil zeggen mijn moeder, zat al in een verpleeghuis; een paar jaar later stierf ze, zonder me ooit te hebben verteld wie mijn vader was. Of is. Ze werd seniel en toen ging ze dood. Je kunt er vast voor kiezen om seniel te worden, dat denk ik in ieder geval. Ze heeft mij mijn vader door de neus geboord.

Toch is het nog goed gekomen met me. En Åsa was negenenveertig centimeter lang toen ze werd geboren. Ze woog 3200 gram. Welkom, lieve Åsa! Siv en Jan Dahlin. Want we waren intussen getrouwd. Ik overwoog nog even om er 'geboren Johansson' bij te zetten, maar zag ervan af. Ik had geen wortels in Göteborg en als ik die wel had gehad, had het de Johanssons toch niets kunnen schelen.

We hadden een goed leven gekregen. We moesten flink aanpakken natuurlijk, maar uiteindelijk hadden we het voor elkaar. Åsa was het huis al uit en verloofd met Lars, een technicus met een goede baan bij een lokaal radiostation in Jönköping en zij zou zelf maar een paar jaar in de zorg werken om voor een stabiele financiële basis te zorgen, dan zou ze gaan studeren.

Ik was tevreden. Wij waren tevreden. Jan lag te snurken, buiten spetterde de koolzwarte, vochtige, winderige Göteborgse winter en achter een keukenraam in een flatgebouw brandde op dit vroege uur licht en daar zat ik van mijn hete koffie te nippen, te fantaseren en rouwdichten te lezen en 'Gefeliciteerd, lieve man, met je veertigste verjaardag', ja ook over de felicitaties met verjaardagen viel nog verder te fantaseren. Over niet al te lange tijd was Jan jarig en ik had een plan. Daarbinnen sliep hij de slaap van de rechtvaardigen. Ik glimlachte stilletjes in mezelf, hij moest eens weten.

Misschien brandde op dit tijdstip in de ochtend alleen achter mijn raam licht in de hele, grote flat; de waterleidingbuizen zongen niet. Het was tegenwoordig helemaal stil 's ochtends en de oorzaak daarvan was niet dat de mensen pas later naar hun werk hoefden omdat ze promotie hadden gemaakt.

De geboorteadvertenties hielden me hun pasgeboren kleintjes voor en wilden me deelgenoot maken van hun blijdschap, op de trouwfoto's werd gelachen, geglimlacht en gekust en mochten alle lezers meegenieten van dit onvoorstelbare geluk, en in de rouwadvertenties ten slotte klonk een gedempte, zorgelijke orgel-toon, toen Alvar Nilsson, geboren 1924, was heengegaan en zijn vrouw Hedvig, zijn dochter Solveig met haar man Knut, zijn dochter Sylva met haar man Esbjörn, zijn dochter Susanne met haar man Bengt en zijn dochter Siv (ze had dezelfde naam als ik nota bene!), deze laatste kennelijk ongetrouwd, had verlaten. Kleinkinderen, maar geen achterkleinkinderen, nog niet. Vier dochters. Dat was vast een gezellige boel geweest. Of misschien was het juist een ellende geweest. Hoewel er waarschijnlijk altijd wel één zus is met wie je goed kunt opschieten als je met zijn vieren bent en het was vast ontzettend gezellig elkaar als vol-wassenen weer te ontmoeten. Behalve als je vader was overleden natuurlijk.

Ik was jaloers op mensen die broers en zussen hadden, al was ik niet het jaloerse type. 'Jij hebt mijn onverdeelde aandacht', had mijn moeder gezegd. Ja, het mocht wat. Onverdeelde aandacht, zeker, maar niet van het warmere soort. Hoewel ik toen ik ouder was haar koelheid gemakkelijker door de vingers kon zien. Er kwam ook veel op haar af. Alleenstaande moeder, net van het noordelijke platteland verhuisd naar de grote stad. Altijd maar werken en continu schuldgevoelens tegenover mij. Dan was het natuurlijk gemakkelijker om maar hard te worden. Anders had ze zich waarschijnlijk kapot gehuild zoals ik heen en weer werd gebonjourd tussen verschillende oppassen van wie je één ding heel zeker wist: ze pasten niet op mij om mezelf, omdat ze mij aardig vonden, maar om geld te verdienen om zelf bij hun eigen kinderen thuis te kunnen blijven. Dat voelde ik. Mijn moeder voelde dat ook. 'Kunt u ook geen oppas worden?' vroeg ik haar, maar ze zei dat je daarvoor getrouwd moest zijn. Het betaalde zo slecht dat ze er niet mee in ons onderhoud zou kunnen voorzien en je kon maar een beperkt aantal kinderen opvangen. Bovendien was het onmenselijk geweest.

Dit vond plaats voordat de gemeentelijke kinderopvang werd opgezet. Ik was een soort pionier in het uitbesteed worden. Nu is het vast anders. Anders en beter, dacht ik.

Ik was onwetend. Ik zat privégedachten te denken en familieberichten te lezen. Mijn man lag nog te slapen en ik had het hele tempo voor de rest van de dag in mijn ruggenmerg. Over twaalf minuten zou ik beneden op straat op de bus staan te wachten, overstappen op de tram bij het centraal station en als ik als altijd om acht voor zeven de deur van de afdeling binnen sjokte, zou de geur die ik in de eerste seconde opsnoof mij de eerste globale informatie geven over hoe het er op deze gure, doodgewone ochtend, een van vele, voor stond met onze vijfendertig oudjes.

Ik ben de vlieg op de wand, het patroontje in het behang, ik ben iemand die niet opvalt en hoewel ik mezelf te omvangrijk vind, sta ik wel eens in het centrum van de gebeurtenissen, zonder dat iemand aandacht aan mij schenkt.

Toen de toenmalige cheffin na een half jaar nog niet wist hoe ik heette begreep ik het: de vlieg op de wand, dat ben ik. Voorzichtig met het behang! Ik zit hier.

Mijn gedachten zijn vaak zo schandalig dat ik het idee heb dat ze het hele vertrek vullen en alle energie stelen van de anderen, maar dat is niet zo. Ik zeg niet veel. Ik zie er niet bijzonder uit. Ik neem maar een beetje ruimte in en besta hoofdzakelijk als principe. Maar die eigenschap heb ik nog nooit als een pre beschouwd, echt nog nooit. Ik wil er zijn, wil gezien worden, ik wil aandacht en bevestiging, ik heb dezelfde behoeften als iedereen, als de beroemdheden op tv. Ik heb daarentegen nooit de behoefte gehad om mezelf op de voorgrond te plaatsen. Misschien vinden ze me dom. In dat geval is het mijn eigen keuze. Op school deed ik al mijn best om niet te slim te lijken, ik was verliefd op een leuke, maar niet erg intelligente jongen en het was zaak hem de eer te gunnen, dan pas zou ik een kansje maken. Toch leek hij er niet echt in te trappen, argwanend merkte hij mijn bescheiden vorderingen op en mijn liefde is nooit beantwoord. Pas toen ik op volwassen leeftijd Jan ontmoette, durfde ik te staan voor wie ik ben.

Maar ik ben onzichtbaar gebleven. Mijn banen waren ook onzichtbaar. Ze zijn alleen te zien geweest in negatieve termen. Als er niet was opgeruimd. Als het eten niet klaar was. Als de bus niet op tijd was. Zo'n type ben ik, zo'n... hoe noem je zo iemand?

Het was een drukte van belang die laatste ochtend voordat alles op zijn kop werd gezet, Helga zag er totaal anders uit dan anders. Ze kon zo als figurante meespelen in een griezelfilm, van haar uiterlijk kreeg je de kriebels. Dat kwam door haar kunstgebit. Dat had ze niet in, vandaar haar bizarre fysionomie. Ze leek er zelf confuus van, net alsof ze nog goed bij en helder van geest was.

Helga hield haar gebit 's nachts altijd in. Maar nu was het weg. Ze had zichzelf met de Franse slag aangekleed – de blouse zat binnenstebuiten – maar haar boterham lag onaangeroerd naast haar koffiekopje en zelf ijsbeerde ze door de gang en maakte een ongelukkige indruk.

Het had natuurlijk geen enkele zin haar iets te vragen; wat ze zei sloeg toch nergens op, de lift ging nooit meer helemaal naar boven, zoals de moderne uitdrukking luidde. Maj-Lis en Elisabeth, mijn getrouwe medestrijdsters, en ikzelf begonnen de operatie Grote Zoektocht. De oudjes die ze nog allemaal op een rijtje hadden moesten helpen zoeken, want er moest veel gebeuren 's ochtends. De mensen moesten uit bed, ze moesten worden gewassen en aangekleed en de meesten moesten daarna in een rolstoel of een fauteuil worden gezet. Ze moesten ontbijt krijgen, de bedden moesten worden opgemaakt en in voorkomende gevallen verschoond en als de ergste ochtenddrukte voorbij was, wachtten er volle waszakken en volle katheterzakken, plastic pisflessen en in enkele gevallen emmers die bij de betrokkene naast het bed hadden gestaan en alles moest worden geleegd en omgespoeld en schoongemaakt met desinfecterende middelen.

Zweden zou nergens zijn zonder ons, dat wisten we, dat merkten we iedere dag. Sven en Svea Doorsnee waren oud, maar ze hadden hun hele leven belasting betaald en ze verdienden het echt dat in ieder geval in hun basisbehoeften werd voorzien, ook in de herfst van hun leven.

Dus – waar was Helga's gebit?

We zochten overal. Helga was lichamelijk gezond en kwam overal op de afdeling, maar haar gebit deed ze niet goedschiks uit. Wat was er gebeurd?

Het ging slecht met Stig-Erik Rikardsson. Het was een aflopende zaak. Hij had het afgelopen etmaal niets willen eten of drinken en hij was te zwak om op te staan. Monica, het hoofd van de afdeling, had de dokter gewaarschuwd. Ik gaf een klopje op de hand van de oude reus, streelde zijn wang en vroeg of ik hem wat vruchtensap moest geven en hield hem het tuitbekertje voor. Hij schudde zijn hoofd. Hij wilde niets. 'U hebt vast een droge mond', probeerde ik. 'Eén slokje maar, dat voelt al veel beter, dat zult u zien.'

Voornamelijk om mij een plezier te doen dronk hij wat sap, maar ik zag dat het hem niet smaakte. Zijn dagen waren waarschijnlijk spoedig geteld, helaas. Zo'n aardige oude man.

Toen Stig-Erik nog op de been was, had hij verhalen verteld over de werf Eriksberg, het ene nog kostelijker dan het ander – bij hem geen oud zeer. Nu waren zijn oogleden zwaar, maar zijn blik was helder, hij lag geduldig te rusten en van grootscheepse toekomstplannen kon in dit stadium nauwelijks meer sprake zijn. Ik voelde bewondering voor dit stille stoïcisme, ik bleef me verbazen over de kracht die de oude mensen aan het einde van hun leven aan den dag legden.

In de kamer van Stig-Erik was geen ander kunstgebit te vinden dan dat van hemzelf. Het zoeken ging verder en ik pakte Helga voorzichtig bij de schouders – 'Waar heb je je gebit gelaten, Helga?'

'Heb je de kippen losgelaten?' vroeg ze. Zoiets kon je net verwachten.

Uiteindelijk loste het probleem zich vanzelf op. Als een boodschapper uit een ander werelddeel stapte een conciërge de zaal in en verkondigde dat er een smalende grijns lag in het perkje onder onze ramen. Alleen een minimalistische, gestripte grijns dus. Hij maakte er weer een mooi verhaal van, die conciërge van ons.

Ik bracht het naar de afdeling, wat was daar nou vies aan? Iedere rabiësbacterie, of waar de conciërge dan ook benauwd voor was, zou 's nachts heus wel doodgevroren zijn. Toen ik het gebit nader inspecteerde, zag ik dat er iets aan vastzat. Een toffee?

Ja, dat was het. Helga had zich vastgebeten in een toffee, ze had niet los kunnen komen en had vermoedelijk in paniek het hele gebit uit het raam gegooid. Een ingeving van het moment. Twee seconden later was alles uit haar bewustzijn verdwenen.

Dit was entertainment op hoog niveau en dit was geluk, maar dat wist ik toen niet.

We lachten en giebelden en hadden een hoop lol over het arme gebit dat in het stof had gebeten.

's Middags stond de tv meestal te flikkeren in de huiskamer. Slechts een enkele keer keek er iemand naar. Maar vandaag had ik Helga voor de tv gezet, want ze moest stilzitten, zodat ik haar haar kon kammen en vlechten. 's Ochtends was daar vanwege het kunstgebitdrama geen gelegenheid voor geweest. Haar dunne stofgrijze haar was zo fijn dat het een secuur werkje was om het te kammen zonder dat ze opstond en wegliep. Ik deed het zo voorzichtig mogelijk en Helga keek naar de flikkerende mannetjes op tv.

Plotseling kwam Jan in beeld. Daar stond hij!

Hij werd geïnterviewd. Net op dat moment begon Helga nogal luid te mompelen en de tv stond zo zacht dat ik niet verstond wat hij zei. Toen ik de afstandsbediening had gevonden en het geluid harder had gezet was hij alweer weg en de nieuwsuitzending ging verder zonder dat ik duidelijkheid had gekregen.

Heel erg verbaasd was ik niet. Jan was wel eerder op tv geweest in zijn hoedanigheid van vakbondsvertegenwoordiger, ze vonden hem strijdbaar en ze hadden hem een politieke carrière voorspeld. Dat was niet uitgekomen en ik wist waarom niet: hij was te soft. Op zich niet erg, maar hij was te weekhartig voor dat soort werk, hij had geen huid als een olifant en hij gaf liever toe dan dat hij ruziemaakte – hij had sowieso een hekel aan ruzie en conflicten. Dus eigenlijk had hij helemaal de verkeerde baan. Maar het was belangrijk voor hem en ik had er geen bezwaar tegen gehad dat hij zijn spijkerpistool en duimstok verruilde voor een computer en een mobiele telefoon. Ik dacht dat het beter voor hem was, dan hoefde hij zich niet kapot te werken. Zelf zag hij de baan van vertegenwoordiger als een mogelijkheid om meer voor zijn kameraden te doen; hij was een gedreven afdelingsvoorzitter geweest en niemand had zijn integriteit in twijfel kunnen trekken. Als hij vertegenwoordiger was zou zijn bevlogenheid meer speelruimte krijgen.

Het was vast een politieke vraag die ze hem gesteld hadden, een nieuwe pensioenafspraak, een privatiseringsmaatregel of nog een concurrentiebeding, wat wist ik ervan? Het politieke telwerk draaide tegenwoordig zo snel dat het voor een gewone sterveling niet bij te houden was en ook Jan gaf toe dat hij de plotselinge zwenkingen moeilijk kon volgen, ook al had hij dan van de politiek zijn werk gemaakt. Je kon slechts hopen en bidden dat er ergens een goddelijk persoon zat met een goed overzicht over de economie van de maatschappij met exportquota en de scholen voor de kinderen, de bedreiging van onze veiligheid en tijd voor het verzorgende personeel om verloren kunstgebitten te zoeken, ja, je kon het alleen maar hopen, want zelf was ik er niet bijzonder in geïnteresseerd en ik zou er ook nooit tijd voor hebben gehad, ook al had ik het gewild. Mocht je dan nooit eens leven? Moest je alleen maar dingen doen die nuttig waren voor de samenleving?

Ik was klaar met Helga's kapsel. Wat was ze mooi geworden, zo mooi. Ze voelde voorzichtig aan haar haar alsof ze het begreep. Ze zag eruit als een klein verschrompeld popje. Ooit had vast iemand in haar oor gefluisterd: 'Wat ben je mooi, Helga, zo mooi!' Ooit had iemand die uitgedroogde borsten hijgend, fluisterend en duwend vastgepakt en hij had echt heel dicht bij haar willen zijn, bij Helga.

Het leven was echt heftiger dan je durfde te beseffen. Al onze bewoners hadden alles al meegemaakt waar wij midden in stonden of nog maar net aan waren begonnen. Ze hadden alles al ervaren in het leven. Ze wisten dingen, maar ze waren als oesters zo gesloten en hielden hun wijsheid voor zich. Hier stond een stukje eigentijdse geschiedenis vlak voor me, maar de hersensynapsen waren losgeraakt en ze bevond zich in totale geestelijke verwarring – wat heb je eigenlijk allemaal beleefd, Helga?

Een zondige gedachte, maar soms dacht ik – net als in het geval van mijn moeder – dat je dementie kon willen, ja, absoluut. Natuurlijk, het was erfelijk. Maar was de zonde als zodanig ook niet erfelijk? De erfzonde. Waar de kerk niet meer van wilde weten. Die bestond heus wel, dacht ik. Tot in het derde en vierde geslacht. Als je er geen korte metten mee maakte.

Zoveel wist ik er wel van – toen al.

In de tijd dat ik nog niet wist hoe gelukkig ik was.

Toen ging ik bellen om te vragen wat Jan op tv had gezegd. De dokter zat in het kantoortje, maar Monica vond het goed dat ik even van de telefoon gebruikmaakte.

Jan was de stad in en niet te bereiken. De telefoniste had zelf geprobeerd hem op zijn mobiel te bereiken, maar die stond uit. Eva-Marie heette ze en ze wist wel wie ik was. O, was hij op tv geweest, ja, dat was toch niet zo vreemd, ik had het nieuws toch wel gehoord?

Dat had ik niet. Toen het nieuws uitgebazuind werd over de hele natie had ik verdiept gezeten in mijn damesblad, terwijl ik mijn opgewarmde worst stroganoff naar binnen werkte.

Er waren nog twee mensen vermoord die met de vakbeweging te maken hadden. Het was verschrikkelijk. Het ging ditmaal om twee journalisten, maar Jan had de vorige keer zulke krachtige uitspraken gedaan dat het vanzelf sprak dat de tv hem om commentaar vroeg nu het weer was gebeurd, logisch toch?

'Wat vreselijk', zei ik, maar ik hoorde wat ze zei als door een filter. Dus weer een moord, twee moorden zelfs. Ik bedankte, hing op en ging terug naar mijn bezigheden op de afdeling – iemand had pruimtabak in zijn gehoorapparaat gekregen en er was een curator gekomen die met het afdelingshoofd moest praten over een van onze bewoners.

Het leven ging door.

Op weg naar huis kocht ik een avondblad dat met reuzenletters de moorden uitschreeuwde waar ze Jans commentaar op hadden willen horen op tv en in de bus las ik het korte bericht.

Het filter verdween tijdelijk toen ik las dat de vermoorde man vroeger afdelingsvoorzitter was geweest – net als Jan! Hij en zijn vrouw waren al lange tijd het slachtoffer van pesterijen, aangezien ze in hun vakbondsorgaan actieve nazi's bij name hadden genoemd en zelfs hun pasfoto hadden gepubliceerd. Ze hadden ook het initiatief genomen om een nazi uit de vakbond te zetten. Toen was de nazi ontslagen bij het bedrijf waar hij werkte – waarom was onduidelijk – en daarna waren de bedreigingen en de pesterijen begonnen.

Het echtpaar had zowel dreigbrieven als dreigtelefoontjes gekregen, allemaal anoniem. Er was een keer een zelfgemaakte brandbom bij hen door de brievenbus gegooid, maar gelukkig waren ze thuis geweest en hadden ze de brand kunnen blussen.

Van alle bedreigingen was keurig aangifte gedaan bij de politie, die zei verscherpte beveiliging van het echtpaar te hebben overwogen, maar nog niet zover te zijn gekomen.

Volgens het artikel waren ze beiden niet bang, ze waren onverschrokken onderzoeksjournalisten die heel goed wisten waar ze mee bezig waren. Ze hadden volgens de politie ook niet aangedrongen op verhoogde beveiliging, maar ze namen genoegen met het beeld dat de politie van de dreiging had en met de gemaakte inschatting van de risico's.

Dat de moorden weer een uiting waren van nazistisch geweld was buiten kijf. Vervolgens ging de krant over tot het opsommen van alle eerdere terreurdaden. Want het ging hier om terroristen; terroristen die de democratie bedreigden, dat had Jan duidelijk genoeg gezegd. Terreur dreef op angst – de mensen moesten bang worden. Nu droeg de krant zelf bij aan het vergroten van die angst, want toen ik de hele lijst van wandaden had gelezen, besefte ik hoe gevaarlijk dit was. Jan moest oppassen! Wie zou hem bedanken en weer leven in hem schudden als hij het doelwit werd van het ongenoegen van dit soort jongens? Stel je voor dat hij werd vermoord – geëxecuteerd?!

Ik bedacht dat we moesten praten, echt praten. Natuurlijk stond ik helemaal achter zijn ideeën, maar ergens hield het op. Deze jongens moest je anders aanpakken. Hoe anders, dat moest ik bedenken, ik moest Jan iets te zeggen hebben als we elkaar zagen, ik moest ervoor zorgen dat hij er nog eens over nadacht. Hij was immers alles voor mij, ik hield na alle jaren nog zoveel van hem en ik moest er niet aan denken dat hem – ons – iets zou overkomen. Ik was plannen aan het maken voor zijn verjaardag, het moest een schot in de roos worden, nu mocht dit soort ellende de pret niet bederven.

Toen ik 's avonds op het nieuws over de moorden hoorde,

waren ze al veranderd in een privé-ergernis, een bedreiging van ons geluk. Stomme nazi's, idioten. Wat zijn jullie toch een losers, dacht ik. Kunnen jullie niet in jullie donkere holen blijven zitten en jullie agressieve, stompzinnige muziek spelen in plaats van de hele tijd mensen te bedreigen, bang te maken en te vermoorden!

Gefeliciteerd, dacht ik erachteraan. Het is jullie gelukt. Ik bén bang. Ik ben ook boos, maar meer nog ben ik bang. Ik ben niet bereid om het leven van mijn man op het spel te zetten om jullie in het gareel te krijgen. Die prijs is te hoog, dat zijn jullie absoluut niet waard.

Het was een privé-irritatie geworden, heel irritant, maar ook heel privé.

Ik had toch zo'n goed idee. Jan werd vijfenveertig. Ik feliciteerde hem altijd met koffie op bed en wat extra zoenen, maar deze keer moest het anders. Koffie op bed kon evengoed nog, maar 's avonds wilde ik hem echt verrassen. Ik moest alleen heel goed in de gaten houden dat hij geen vergadering of bijeenkomst had. Ik moest iets verzinnen zodat hij zeker 's avonds thuis zou komen.

Onder het aardappelen schillen piekerde ik over dat probleem. Vaak kwam Jan pas laat thuis, maar ik kookte toch goed want ik wilde iets hebben om tussen de middag op te warmen en als er een restje overbleef kon ik dat meestal wel invriezen. Aardappelen waren wel niet zo bijster lekker in ontdooide toestand, maar ik hoopte dat hij nu thuis zou komen, vooral omdat hij op tv geweest was, daarom schilde ik aardappelen. Hij was altijd wat ijdel als het om een publiek optreden ging, dan had hij mij nodig als spiegel en steunpilaar. Hij kon ieder moment komen.

Ik probeerde niet meer aan die moorden te denken, daar werd ik maar neerslachtig van. Dat Jan er razend over was sprak vanzelf. Hij hield niet van ruzie, maar hij had een goed ontwikkeld rechtvaardigheidsgevoel en hij zou zeker een handtekeningenactie starten of misschien een ingezonden stuk schrijven. Ik moest met hem praten.

Ik was een geduldige huisvrouw geweest, waarschijnlijk waren we daarom nog steeds getrouwd. Ook al nam ikzelf niet meteen stelling, ik steunde hem wel, ook toen Åsa klein was en ik avond aan avond alleen thuis zat. 'Ga maar,' zei ik, 'wij redden ons wel.'

In die tijd had hij geageerd tegen de lijsten, de geheime zwarte lijsten van actieve vakbondsleden die geen sociaal-democraat waren. Jan was zelf wel sociaal-democraat, maar deze vorm van meningsregistratie tolereerde hij niet. Hij kende die jongens immers en wist dat er geen kwaad bij zat, ze wilden gewoon meer en ze begrepen de solidariteitsgedachte, de geest van Saltsjöbad niet. Soms twijfelde hij zelf ook wel eens wanneer de werkgever al te zeer vasthield aan het idee dat de werknemers met minder genoegen moesten nemen, ook al waren de winsten enorm. Aan de andere kant wilde hij niet wegzakken in een stakingsmoeras dat nergens toe leidde, zoals bijvoorbeeld met de arbeiders in Engeland was gebeurd. Het Zweedse model was goed, het was democratisch en het was gebaseerd op openbaarheid en een vrij debat. Dan kon je geen mensen gaan registreren. Daar was een speciale politie voor en die mocht alleen maar mensen registreren die de democratie en de veiligheid bedreigden, verder niet. De sociaal-democratie moest zelf haar tegenstanders maar zien te bestrijden, met het effectiefste wapen van allemaal: de vrijheid van meningsuiting.

In de tijd dat dat speelde, de vrijheid van meningsuiting en de zwarte lijsten, werd hij afdelingsvoorzitter en toen kwam van het een het ander. Maar het begon met de lijsten, de 'schandalige' lijsten, zoals hij ze noemde. Pijnlijk voor de hele beweging.

Hij was vaak van huis. Maar als we elkaar eindelijk weer zagen was het net alsof een volledig symfonieorkest zijn binnenkomst begeleidde. Hij was de geweldigste man die ik kende, dat was al zo toen we jong waren en dat was nog steeds zo.

Hij was op tv geweest. Hij kwam vast thuis. Ik goot de aardappelen af en legde een dubbelgevouwen theedoek over de pan voordat ik het deksel er weer op deed, dan bleven de aardappelen warm, zo deed ik het altijd. Ik wachtte nog even met het bakken van de vis, die was toch in een ommezien klaar. Hij zou vast zo komen.

Hongerig ging ik bij het raam staan en keek het donker in. Er kwam een hogedrukgebied aan uit het westen, had ik gehoord, maar nu miezerde het nog. De straatlantaarns verspreidden een pathetisch licht over de mensen die onderweg waren naar huis. Het waaide hard en de mensen hielden hun petten en paraplu's stevig vast. De kinderwagens en de wandelwagens met de wat grotere kinderen erin waren keurig opgetuigd met plastic regenhoezen.

De aanblik maakte mij wat bedrukt, maar ik werd meteen weer vrolijk toen ik aan Jans verjaardag dacht. En niet alleen daaraan. We zouden met Pasen naar Griekenland gaan, ook al moest ik hem als postpakket versturen. Ik verheugde me erop weer eens gearmd te lopen en hem voor mezelf alleen te hebben. Hij was zo'n ontzettend aantrekkelijke man om mee samen te zijn. Onze buitenlandse vakanties waren altijd een daverend succes geweest en ze hadden ons huwelijk iedere keer nieuwe brandstof gegeven. Ik voelde dat we daar weer aan toe waren.

Het werd echt tijd, we hadden in geen weken met elkaar gepraat, niet echt gepraat dus, en van ons liefdesleven werd ook niemand vrolijk; hij was vast even uitgehongerd als ik!

Maar aangezien de list van de vrouw het verstand van de man te boven gaat, moest ik hem eerst verrassen, op zijn verjaardag overmorgen. Ik was bij de Vishal langsgegaan waar ik behalve verse schol ook een paar ons eersteklas zalmfilet had gekocht om luxebroodjes mee te maken en – help – oesters had besteld!

Ik giechelde. Hij zou niet weten hoe hij het had! Ik waarschijnlijk ook niet. We hadden geen van beiden ooit oesters gegeten. Ik had gelezen dat het net snot was – het zou echt een onvergetelijke avond worden voor ons allebei! Ik had er een peperdure fles champagne bij gekocht – het echte spul.

Ik had bedacht dat we ergens in de stad zouden afspreken, hij mocht zeggen waar. Ik kon net doen alsof ik een paar grote planten wilde kopen, die hij mij moest helpen thuisbrengen, daar trapte hij vast in en hij zou willen helpen, zo schuldig als hij zich altijd voelde.

Maar in plaats van hem mee te sleuren naar de kwekerij zou ik daar staan met een geheimzinnige tas vol en dan zou ik hem meelokken naar het Kasteelbos. We zouden helemaal naar het uitzichtpunt klimmen, waar op die winteravond in het stikdonker geen kip zou zijn. We zouden terugkeren naar de plaats waar we ons ooit hadden verloofd. Toen in een stralende avondzon en zomerwarmte – nu waren we stoerder. Nu zouden we het vieren in het donker onder een sterrenhemel; daarin vertrouwde ik op weerman Pohlman. In mijn welgevulde tas had ik alles: een zitmatje, een kleed, waxinelichtjes, hoge plastic glazen, servetten – ook verfrissingsdoekjes – oesters en champagne en, om niet te verhongeren, lekkere broodjes zalm.

Ja, ik verheugde me er echt op en ik had er zin in. Ik fantaseerde over een heerlijk romantische liefdesmaaltijd waarbij we vreselijk moesten lachen. Ik had gelezen dat je citroen op de oester moest druppelen. Als je hem open kon krijgen. Hij leefde, o bah! En dan moest je het geval doorslikken – kennelijk levend, de oester dus – zonder over te geven, want dit was het allerhoogste genot, had ik gelezen, en je kon het snot het beste wegspoelen met een glas Moët & Chandon. Natuurlijk was het een half dagloon waard om die ervaring te delen met Jan en de beau monde!

De oesters waren besteld en de champagne was al gekocht, wat zouden we een lol hebben! Van de champagne en al het lachen zouden we duizelig worden, ik fantaseerde erover hoe we lachend en kussend de berg af zouden lopen, misschien met een stel nog ongeopende oesters in de tas, want het was de vraag of een van ons beiden de smaak wel zou waarderen. Om van de consistentie nog maar te zwijgen. Wacht maar af, Jan, je hebt er geen idee van wat je vrouw aan het bekokstoven is. En dan, als we weer wat tot bedaren gekomen waren, bijvoorbeeld in de tram op weg naar huis, zou ik het voorstel van de reis naar Griekenland doen, ik zou de bladzijde uit de reisgids bij me hebben. Voor alles zou zijn gezorgd en Jan zou me omhelzen en mijn voorstel aannemen: 'Ja, wat een goed idee!'

Op dat moment ging de telefoon. Ik rukte mij met tegenzin los uit mijn fantasieën. Het zou Ingeborg wel zijn, dat moest haast wel. Jan stond vast al in de lift.

Maar het was Ingeborg niet. Het was Jan en hij kon helaas niet op tijd thuis zijn voor het eten, het speet hem. Ik had vast de kranten wel gelezen, hij was ook op tv geïnterviewd.

Ja, ik had het gelezen en ik had hem ook op tv gezien.

Mooi. Had hij het er goed afgebracht?

Ja, in dat kleine stukje wat ik ervan had gezien in ieder geval wel. Het was vreselijk wat er was gebeurd.

Ja, dat was het zeker. En dan zou ik er wel begrip voor hebben. Het bestuur zou vanavond vergaderen, de maat was nu vol, er moest iets gebeuren. En morgen was de conferentie in Denemarken.

Die was ik vergeten.

Die had ik totaal verdrongen. De conferentie in Denemarken die hij gisteren laat in het voorbijgaan had genoemd. 'Kom je niet thuis op je verjaardag?' vroeg ik hem.

'O ja.' Ik hoorde dat hij het was vergeten. 'Jawel, dan ben ik er wel. We gaan morgenochtend weg, we zijn met een heel stel, dat weet je. En dan komen we de volgende ochtend terug, dat kan toch wel? Misschien wordt het nog feest?'

'Vast wel', antwoordde ik. 'Maar eerst moet je me helpen om een paar planten thuis te krijgen die ik heb besteld, we kunnen toch wel in de stad afspreken?'

'Best', antwoordde hij. 'Doen we. Blijf vanavond nou niet op, maar ga op tijd slapen. Je moet hard genoeg werken.'

'Ik wil niet dat jij ook opgeblazen wordt', zei ik. Hij snoof.

'Ze moesten eens durven', antwoordde hij.

'Wat is het voor conferentie?' vroeg ik, voornamelijk om de spanning uit het gesprek te halen en het tegelijkertijd te rekken. Ik wist dat hij het naar vond als ik me zorgen maakte, hij vond het maar niets als ik zo schijterig was, zoals hij het noemde.

'Het is een conferentie over het neonazisme in Scandinavië', antwoordde hij. 'Heel belangrijk, zoals je begrijpt.'

Ja, dat begreep ik wel. 'Anders zou je er toch niet heen gaan?'

'Nee, dat is zo', antwoordde hij.

Toen hingen we op.

Ik ging vis bakken. Het eten was lekker. Ik was niet verdrietig. Wat in het vat zit, verzuurt niet. Het zou allemaal goed komen, er was geen reden om te zitten simmen, nu kon ik lekker vroeg naar bed, want morgen moesten er weer vijfendertig oudjes onder de douche of in bad, hun teennagels moesten worden geknipt, wangen en kinnen moesten worden geschoren en een vriende-lijke en vooral uitgeruste glimlach doet wonderen, zo is het toch? Sommige oudjes vonden het allemaal maar overdreven hygië-nisch gedoe en snapten niet waar het goed voor was, hoewel ze niet altijd even fris roken.

Ja, het kwam goed uit dat ik niet lang opbleef om met Jan te praten, er stond me weer een drukke werkdag te wachten en we zouden elkaar later wel spreken. Ook zouden we een reis naar Griekenland maken, wij tweeën zouden weer één worden. Het had ons echt aan een en ander ontbroken de laatste tijd, het was hongersnood. Maar dán, zo niet eerder, werd het weer genieten.

Ik zou trouwens Ingeborg bellen, of zij mij, dat was al afge-sproken.

Mijn moeder had haar dorp verlaten toen ze besefte dat ze zwanger was van mij en was hier in Göteborg komen wonen. Tijdens mijn jeugd waren we iedere zomer naar het noorden gereisd, maar toen opa en oma allebei overleden waren, werden de bezoeken steeds sporadischer. In mijn herinnering was de relatie tussen mijn oma en mijn moeder koel en vol onuitgesproken spanningen. Mijn moeder was de deur uit geschopt toen ze in verwachting was geraakt en haar verbittering daarover was nooit overgegaan. Opa en oma behandelden mij goed, misschien hadden ze wel spijt. Ze waren echter oud en moe en konden niet veel meer hebben. Degene die onze bezoeken in het noorden het meest opvrolijkte was tante Ingeborg. Ze was getrouwd en had een zoon, Karl-Erik, mijn neef. Haar man werkte op de leerlooierij.

Ik herinner me sfeervolle momenten op de zomerweide waar tante Ingeborg haar koeien en geiten liet grazen toen al bijna niemand dat meer deed. Als tiener ben ik een keer min of meer van huis weggelopen en daarheen gegaan, en ik mocht er de hele zomer blijven. Daar beleefde ik mijn eerste vurige, romantische liefde met een jongen uit de streek, maar toen de avonden donkerder werden begon ik terug te verlangen naar de grote stad en de glans om het voorwerp van mijn passie verbleekte even snel als hij was gekomen. Hij had de hele, lange weg van de zomerweide terug naar het dorp af mogen rijden op zijn knetterende brommer; ik wilde niet meer. Hij had er verdriet van, maar ik was wreed en egoïstisch. Tante Ingeborg belde mij op in Göteborg en vertelde dat hij van de brug was gesprongen en bijna in het kolkende water was verdronken en dat het misschien met mijn haastige aftocht te maken had. Maar toen had ik me er nog steeds niet druk over kunnen maken.

Dat was nu allemaal langgeleden, ik was niet meer die harteloze tiener. Tegenwoordig probeerde ik iedere zomer een paar dagen bij tante Ingeborg door te brengen en ons telefonische contact was de laatste tijd bijzonder intensief geworden.

Ik was zuinig op het contact met mijn tante, ze was de laatste broze schakel met mijn verleden. Als zij stierf, en ze was al vierenzeventig, maar gelukkig wel buitengewoon gezond en goed ter been en ze had zelfs nog een baantje van acht uur per week, als zij stierf was alles weg. Ik had geen vader en mijn moeder was hard geweest en had flink moeten aanpoten om in ons onderhoud te voorzien. Ingeborg gaf mij wat mijn moeder niet had kunnen geven. Ingeborg vertelde graag, hardop of fluisterend. Ik bleef haar maar aan het hoofd zeuren of ze kon bedenken wie mijn vader was, maar daarmee had ze me niet kunnen helpen. Daarentegen vertelde ze zo meeslepend over oude familieleden dat ik het gevoel had dat ik midden in een brede, Russische, schuimende soap-rivier stond, ze schilderde de streek aan de hand van verschillende lotgevallen van mensen en gaf me daarmee een basis. Ik kwam ergens vandaan en daar hoorde ik thuis. Ook daar. Mijn man, mijn alles, zat immers in Göteborg en mijn dochter in Jönköping, maar een stukje van mij zou altijd daar in de bossen zijn. Daar lagen de boerderijen ver uit elkaar, maar stonden de mensen elkaar soms na. Waar de muggen zoemden en het noorderlicht vonkte – zo ervoer ik die streek op vijfhonderd kilometer afstand.

Die avond belde ik Ingeborg dus op.

Wat leuk. Anders had ze mij zullen bellen, het was alweer een paar dagen geleden.

Ik vertelde van mijn ongerustheid.

Ze had het nieuws ook gezien. Was dit het Zweden van vandaag? Ze wilde het niet geloven. Iemand moest er iets van zeggen en waarschuwen voor de opleving van deze oude ideologie, ik kon trots zijn dat ik zo'n geëngageerde man had. En Jan was immers een nuchter iemand, hij zou zich niet onnodig aan gevaar blootstellen, dat was een ding dat zeker was.

Ze kon zo goed troosten. Het was veiliger op het platteland, daar wist je de nazi's te zitten, maar ze hielden zich natuurlijk ook rustig, ze hadden al een keer te kijk gestaan en dat was genoeg. Ze had het natuurlijk over de oude garde. Nieuwe waren er niet voor zover zij wist, bij hen niet. In Ludvika en Borlänge, in Långshyttan en in Näs, daar zaten ze, dat had ze in de plaatselijke krant gelezen. Nee, ze wilde niet zeggen wie de ouden waren, het was mooi genoeg als zíj dat wist. Ze waren genoeg gestraft, stel je eens voor, wat een schande. Ze was niet van plan om hen opnieuw aan de schandpaal te nagelen en ze hadden vast en zeker spijt. Dat ik zei dat het hen niet zou schaden als ik ervan wist haalde niets uit, ze ging er niet verder op in.

Toen gingen we op een ander onderwerp over. Er was veel om over te praten. Onze gesprekken schilderden de buitenwereld, die kon je gemakkelijker hanteren als je er samen met iemand anders naar keek.

Er lag daar nu veel sneeuw, maar op het pad naar haar huisje was de sneeuw geruimd, want ze had immers een nieuwe buurman gekregen nadat Ester was gestorven. Een man van in de vijftig die Niels heette had Esters huis gekocht en hij had een tractor en een sneeuwscooter. Niels maakte de weg sneeuwvrij voor haar en voor Marianne en hij was niet duur ook. Dus eindelijk was er een man in dat afgelegen deel van het dorp komen wonen, en daar waren Marianne en zijzelf heel blij mee. Nou ja, in ieder geval was zij dat, ze kon niet voor Marianne spreken.

We hadden het nogal uitgebreid over deze Niels, we roddelden. Hij was gescheiden en had een eigen zaak, hij verkocht onderdelen via internet. Hij kwam uit de streek. Als gewoonlijk wist Ingeborg weer van alles over familiebetrekkingen en ook over andere omstandigheden. Niels was een telg van het geslacht Walles en iemand uit die familie was zelfs leraar aan een hogeschool geweest. Niels had één volwassen kind, net als ik, wat goed uitkwam ook, want zijn vrouw had er genoeg van gekregen en was naar een andere plaats verhuisd. Ze hadden in een flat in het dorp gewoond, maar nu was hij dus eigenaar van het huisje van Ester, waar hij het naar zijn zin leek te hebben. Vast omdat hij er lekker kon sleutelen; hij leefde gedeeltelijk van diverse reparaties. En je kon nog met hem praten ook. Over van alles, ook over moeilijke en gecompliceerde dingen; hij was een goede raadgever in delicate kwesties. Hij had een hond en een kat en de kat kreeg jongen. Ingeborg was goed op de hoogte en klonk een tikje hysterisch.

Ik vroeg voor de grap of ze misschien verliefd was. Ze snoof en giechelde. Zo'n jonge vent, maar hij had wel wat, dat was een feit. Hij had ook in Afrika gezeten als VN-soldaat en al met al was de nieuwe buurman een aardig iemand, maar het mooiste was natuurlijk dat sneeuwruimen, ik wist immers wel hoe lastig dat anders altijd was. En over flats gesproken, nu moest ik eens horen. De flat waar haar ouders, mijn grootouders dus, op het laatst hadden gewoond zou worden afgebroken. Terwijl die zo modern was als wat! Het hele gebouw zou worden afgebroken en verscheidene andere flatgebouwen ook, ze zouden met de grond gelijk worden gemaakt, ook al waren ze nog maar kort geleden gebouwd, ergens in de jaren zestig, en hoewel ze alle moderne comfort hadden en washokken en balkons! Kon ik het me voorstellen, begreep ik dat?! Anders zouden ze leegstaan en dat was nog duurder. Zelf snapte ze er niets van, ik wel? Werd er op tv niet continu gezeurd over woningnood en woekerhuren en de zwarte markt en wat niet al? Moest je het niet als welhaast crimineel beschouwen dat er op deze manier woningen werden vernietigd waar niets aan mankeerde?

We gaven lucht aan onze gemeenschappelijke verontwaardiging, want ze had immers gelijk. De jongens van bouw- en woningtoezicht hadden vast hun sommetjes wel goed gemaakt, maar toch had Ingeborg gelijk en leefden we in een idiote wereld, daar waren we het helemaal over eens.

Ik vertelde dat ik schol had gebakken en we discussieerden een tijdje over het bereiden van vis. Ik vertelde haar daarentegen niets over mijn oesterplannen, die hadden haar vast geshockeerd en ze zou de grap er ook niet van hebben ingezien – ze kreeg het naderhand wel te horen. Dan zouden we er samen hartelijk om lachen, dat had ze wel verdiend.

Karl-Erik zat op dit moment in België. Hij was reismonteur en hij kwam feitelijk niet veel vaker bij zijn moeder dan dat ikzelf Ingeborg bezocht. Maar ze klaagde niet, haar houding was dat iedereen zijn eigen leven had. Petter, haar man, was jong gestorven, maar zelf was ze nog lang niet van plan de pijp aan Maarten te geven, zoals zij het uitdrukte. Ze had zelfs nog een baan. Ze maakte schoon bij de oude directeur. Het was een erebaantje, waar ze erg trots op was en waarmee ze bovendien een extraatje van vijfhonderd kronen per week verdiende. Zwart.

Ze klaagde even over de toeristen in Sälen. Ze kwam de weg bijna niet over als ze naar haar werk moest of naar het dorp om boodschappen te doen, vooral op vrijdag, zaterdag en zondag, want dat waren de zogenaamde wisseldagen voor de vakantiehuisjes, had ze geleerd. Ze reed nog steeds zelf en de autoritjes vrolijkten haar altijd op, want vaak ging ze meteen ook even op bezoek bij een oude kennis in het ziekenhuis of het bejaardentehuis en dat vonden ze zo fijn. Maar tegenwoordig zag ze er gewoon tegen op. Ze stond wel eens een half uur te wachten, ja, dat kwam echt voor. Je moest aan beide kanten een gat zien te vinden en er dan meteen in duiken, want de toeristen waren zwaarbeladen en moe, en lieten haar er niet graag tussen, welke kant ze ook uit reden. En wat de toeristen betreft – nu was er weer iemand in de bergen doodgevroren. Dat gebeurde ieder seizoen: een dronken Stockholmer in hemdsmouwen die vindt dat hij een frisse neus moet halen bij een temperatuur van min twintig en die daarna zijn eigen huisje niet meer terug kan vinden tussen vijftig net zulke huisjes. Het beoordelingsvermogen is verminderd, hij heeft niet het verstand het eerste, het beste huisje in te gaan. Wordt de volgende dag diepgevroren aangetroffen, in elkaar gedoken onder een dennenboom.

Zo nu en dan stond er in de krant dat de politie was uitgerukt naar huisjes waar dronkelappen onuitgenodigd waren binnengedrongen. Dat waren zeker degenen die genoeg tegenwoordigheid van geest hadden gehad om, hoe beschonken ze ook waren, de warmte op te zoeken, koste wat het kost. De mensen zonder manieren overleefden, maar iedere winter stierf er in de bergen wel weer een stomdronken gentleman, doodgevroren, in het zicht van warme huisjes en beschaving. Praten met Ingeborg was soms net wildwatervaren en de tijd vloog.

'Hoe gaat het verder op je werk?' wilde ik weten. Toen werd ze plotseling stil. 'Ja, best', antwoordde ze, maar ik hoorde dat haar iets dwarszat, er was iets met haar werk. Had het met de directeur te maken of was het schoonmaakmiddel gewoon op?

'Ach', zei ze. 'Je weet hoe het is als je bij iemand schoonmaakt. Je komt zo dicht bij mensen. Het is een kwestie van vertrouwen. En ik ben door en door loyaal, dat ben ik echt. Je krijgt mij nooit zover dat ik te veel zeg, of wel?'

Daar moest ik het wel mee eens zijn. Ze was de discretie zelve waar het de directeur betrof. Ze had zijn grote villa al schoongemaakt toen haar man nog bij hem op de leerlooierij werkte, waarvan hij destijds eigenaar was. Toen ging de zaak failliet en de leerlooierij werd gekocht door een vrouw uit Noorwegen, die de boel weer op poten had gezet, zodat er weer winst werd gemaakt. Een paar jaar geleden had de zoon van Mickelsen de leerlooierij teruggekocht en de Noorse was teruggekeerd naar Oslo.

Al die tijd had Ingeborg schoongemaakt bij Mickelsen, de directeur. Ze had nooit anders over hem gesproken dan in algemene, positieve bewoordingen. Toen zijn vrouw nog leefde had Ingeborg wel eens een zekere prestatiedwang gevoeld, maar nu was haar baan het gouden randje aan haar bestaan, leek het wel. Maar zat haar nu iets dwars?

'Wat is er, Ingeborg?' vroeg ik zonder omwegen.

'Er is niets', antwoordde ze. 'Misschien doe ik toch wel wat ik van plan was. We moeten maar eens zien. Misschien vertel ik het je nog wel eens. Het heeft geen haast.'

En toen hoorde ik dat het onderwerp uitgeput was. Ze wilde niet verder praten. Ik probeerde het wel. Welja, het ging goed met de directeur, hoewel hij al achtentachtig was en ze hoefde nu nog maar één keer in de week schoon te maken en hij gebruikte maar drie kamers, dat was gemakkelijk. Eén keer per jaar kwam er een schoonmaakbedrijf, dat kostte vast een duizelingwekkend bedrag, maar zij waren wel weer verzekerd en hij had immers zoveel mooie stukken in die villa van hem. Dat had hij zeker. Bijzondere stukken ook, als je het daarover had.

Had ze een illegaal binnengesmokkeld kleinood uit een Egyptisch graf gezien? Ik had wel eens gelezen hoe bezeten sommige mensen konden raken van antiquiteiten. Maar Ingeborg zei niets. Zo was hij niet, antwoordde ze alleen maar.

Toen hadden we nog een praatje over Marianne, de buurvrouw van Ingeborg. Het was eigenlijk treurig, ik kende haar niet zo goed, maar door de categorische oordelen van Ingeborg kwam ik toch dicht bij haar. Alsof ik een roman over haar leven had gelezen, of de verfilming daarvan had gezien – nog gemakkelijker dan lezen. Het was net of we het niet over een echt mens hadden. We bekeken alleen bepaalde vraagstukken van alle kanten en Marianne was zo'n stumper die je daarvoor gemakkelijk kon gebruiken. Ze was nooit getrouwd geweest. Ze moest voor haar ouders zorgen en toen die eindelijk doodgingen was ze al zo oud dat het te laat was om nog een gezin te stichten. Maar mannen had ze toch wel gehad, stiekem. Ingeborg wist te vertellen dat ze zo'n vijftig jaar geleden ook een kind had gekregen, maar dat werd meteen afgestaan en daar werd niet meer over gepraat. De familie leefde verder alsof het er nooit was geweest. Het was een meisje geworden, dacht Ingeborg, dat had Mariannes moeder blijkbaar tegen een kennis gezegd, maar er werd toen zo geheimzinnig gedaan dat je er niet goed hoogte van kreeg. Misschien was het kindje wel overleden. Of het was een jongetje geweest. Misschien een mongooltje. Wat wist je ervan.

Met geheimen maak je jezelf te schande, dacht ik toen we hadden opgehangen. Je kon het beter gewoon vertellen en de reacties over je heen laten komen. Ik schaamde me een beetje omdat ik zo nieuwsgierig in het leven van Marianne had zitten wroeten, terwijl zij daar niets van wist. Hoewel zij misschien met evenveel overgave in het mijne zat te roeren. Ik was immers ook een bastaard, een onecht kind. Ook ik nodigde vast en zeker uit tot een stroom van fantasieën. De afkomst van mensen had door de geschiedenis heen altijd tot drama's geleid. Zelf was ik van mening dat bloed niet verder kroop dan enige andere vloeistof, maar zo'n zienswijze was vloeken in de kerk in die streek, dat wist ik wel.

Daarom was het prettig om in Göteborg te wonen, dan had je daar geen last van. Ook als ik aan mijn collega's vertelde dat ik een onecht kind was, kon dat hun niets schelen. Ze moesten erom lachen, dacht je dat je uniek was of zo, vergeet het maar. En ze zouden verhalen vertellen, het ene nog erger dan het andere. Te oordelen naar de galgenhumor van mijn collega's had ik het getroffen met een moeder die voor me had gezorgd en die mij nooit in de steek had gelaten. Toch was ze koel. Ik denk dat ze eigenlijk nooit veel om me heeft gegeven.

De gesprekken van Ingeborg en mij eindigden altijd met een wederzijds medisch rapport in telegramstijl. Ik vond mezelf altijd te dik, hoewel Ingeborg het daar niet mee eens was. Ze was zelf een slanke den, en ik dacht dat mijn rugpijn lag aan het feit dat ik te veel gewicht mee moest torsen – te veel bagage als het ware. Ingeborg verjoeg mijn onbenullige probleempjes en rapporteerde dat ze zelf een zere duim had. Dat was vast een vorm van reuma. Ze klaagde enorm over haar duim en dat deed me goed, want dan ging het voor de rest kennelijk goed. Dat komt zeker van al het geld tellen, gokte ik. Toen eindigde haar geweeklaag in gegiechel. We wensten elkaar welterusten en spraken af dat we elkaar over een paar dagen weer zouden bellen.

Jan kwam heel laat thuis. Hij deed heel zachtjes en maakte geen licht, ik hoorde hem bij de kast. Ik wilde wakker worden, maar dat lukte me niet en ik bedacht dat we elkaar morgen wel zouden spreken, hij zou vast vroeg opstaan als hij naar Denemarken moest.

Het hart is maar een spier, dacht ik. Zijn hartslag was duidelijk te zien aan het bewegen van de halsslagader. Hij sliep geluidloos, totaal ontspannen. Ik stond naar hem te kijken in de lichtstreep die uit de keuken viel. Er lag een briefje op de keukentafel waarin hij mij vroeg om hem te laten slapen, hij was laat thuisgekomen en ze zouden pas om half tien vertrekken.

Ik rekende uit dat ze op zijn vroegst na de lunch op de conferentie zouden aankomen, maar ze hadden waarschijnlijk een lang middagprogramma. Vermoedelijk was de ochtend gereserveerd voor interne Deense vraagstukken.

Ik had hem graag wakker willen maken. Het was al dagen geleden, weken wel. De liefde is een spier, dacht ik, die werkt en pompt, zwoegt en ploetert. Ja, voor liefde moet je werken, je krijgt het niet cadeau, het is geen gevoel op zich, geen toestand of een soort lauwe zee waarin je rond kunt dobberen. De liefde is niet iets wat voorbijtrekt aan de hemel, zoals nevels en wolken en bliksemflitsen. Hoewel ze je, net als nevels en wolken, wel te pakken kan hebben en soms even wegvlucht. En soms wordt je gemoed verduisterd door het onweer. Maar de liefde is in de eerste plaats een spier. Je moet ervoor werken en je moet het willen. Je moet het beste willen voor een ander.

Sommige vrouwen hebben een man op de manier waarop je een hond houdt, dacht ik. Waar zijn de emoties gebleven? Is alles, inclusief de mens, tegenwoordig een wegwerpartikel? De lengte van een hondenleven is te overzien, je kunt meerdere honden hebben in je leven. Zo zou ik nooit kunnen leven. Jan en ik horen bij elkaar. We hebben Åsa, maar ik ben blij dat onze relatie nu volwassen is, zij heeft haar eigen leven en ze hoeft zich nooit schuldig te voelen ten opzichte van ons. Jan en ik zullen samen oud worden. Wat er ook gebeurt, behalve de dood natuurlijk. De dood is het enige waar je niets aan kunt doen, daar helpen spieren ook niet bij.

Tijdens de werkbespreking 's ochtends kregen we te horen dat we geen tijd zouden hebben om alle bewoners in bad te doen vandaag, want een van ons moest bij Stig-Erik blijven, het ging nu erg slecht met hem. Ze hadden een dochter gewaarschuwd en zij was per trein onderweg vanuit Stockholm.

Maj-Lis en Elisabeth keken naar mij. Ik was het best in dit soort dingen. De dood joeg mij geen angst aan, ik had bij veel mensen gewaakt. Mijn beide collega's waren ook niet bang, maar ik was misschien wat contemplatiever ingesteld dan zij, ik zag waarde in het begeleiden van een stervende op zijn laatste wankele schreden. Het stemde me altijd plechtig, ik voelde me uitverkoren.

Niet dat ik iemand wilde zien sterven. Ik wilde het léven zien, daar had ik bewondering voor, voor het leven dat tot op het allerlaatst in deze mensen zat. Wat ik ook bijzonder vond, was dat de menselijke waardigheid dan misschien pas goed tot haar recht kwam, in die laatste minuten, wanneer de ondergrond eindelijk stevig genoeg was om plaats te bieden aan de gedachte: nu sterf ik, en dat dat kalm werd aanvaard. Ja, ik sterf, vaarwel. En dan stierven ze.

En de aangename stilte daarna. De slottoon was meestal positief, wanneer iemand die klaar was met leven overleed.

Dat kon je de mensen niet uitleggen. Dat ik er niets op tegen had om te waken bij een stervende.

De dokter was net geweest. Stig-Erik lag aan het infuus, vooral om nare uitdrogingsverschijnselen voor te zijn. Daarom had hij ook een katheter, maar veel urine zat er niet in, zag ik. Alle organen in zijn lichaam legden het bijltje er ongeveer gelijktijdig bij neer nu, hij was gewoonweg klaar met leven.

De grote, zware handen lagen op het dekbed. Zijn ademhaling was langzaam en diep. Hij sliep vast. Zijn handen waren koud, maar moesten toch maar boven het dekbed blijven liggen. Hij had ook koude voeten. Ik haalde een extra deken uit de kast en legde die over hem heen. Ik wist niet of stervende patiënten last hadden van de kou. Er was nog nooit iemand teruggekomen om me dat te vertellen. Ik zorgde gewoon voor Stig-Erik zoals ik dacht dat ik zelf tegen die tijd behandeld zou willen worden.

Of misschien kom ik wel om op een nat stuk asfalt met een verkreukelde auto boven op me, of misschien zak ik in elkaar bij het aanrecht met een grote gesprongen ader in de hersenen en word ik gevonden door mijn man of misschien word ik in elkaar geslagen in het portiek, bij vergissing, omdat ze me voor iemand anders aanzien. Wat weet je ervan? Stig-Erik mocht van geluk spreken, hij had er een heel leven op zitten. Een leven dat zich naar alles te oordelen voornamelijk had afgespeeld rondom de werf Eriksberg. Sinds hij bij ons op de afdeling gekomen was had hij het heel wat vaker over voorlieden en krullenjongens gehad dan over zijn eigen gezin. Nu was hij echter uitgeput en stil, bijna geheimzinnig zweeg hij over de beelden die door zijn hoofd gingen en waarvan niets naar buiten sijpelde. Hij zuchtte diep. Hij lag doodstil. Grijze haren staken boven de halsboord van zijn pyjama uit, ze trilden op de lichte hartslag in zijn hals, van de halsslagader.

De dokter was haar stethoscoop vergeten. Of ze had hem met opzet laten liggen. Hij lag op het nachtkastje, als een kleine slang om het waterglas, het notitieblok en de potjes medicijnen gekronkeld.

Zijn dochter was onderweg. Ik hoopte dat ze op tijd zou komen. Ik liet me neerploffen op de stoel aan Stig-Eriks hoofdeinde en legde mijn hand op de zijne, zodat hij zou voelen dat er iemand bij hem zat. Ik concentreerde me.

De tijd verstreek. Het infuus druppelde. Er gebeurde niets in de katheterzak. Buiten op de gang hoorde ik de meisjes half hollen met de ontbijtbladen en de po's. Een zacht licht van het bedlampje streek de rimpels van de oude man glad, waardoor hij er jong en rozig uitzag. Vrede heerste in het vertrek. Vrede en aanwezigheid.

Na een lange inhoudrijke stilte waarin niets gebeurde, draaide Stig-Erik plotseling zijn hoofd om en keek mij aan. Wat een geluk dat ik er was, dat hij niet alleen was!

Zijn blik was warm, hij zei vaarwel.

Daarna draaide hij zijn hoofd terug en haalde driemaal diep adem.

Toen werd het stil.

Hij ademde niet meer.

Ik stond op en keek naar zijn gezicht. Zijn ogen waren half-open en zijn blik was star. Hij zag niets meer. Ik pakte de stethoscoop, deed hem om, ademde uit gewoonte op het membraan zodat het niet koud aan zou voelen, en stopte hem onder zijn pyjamajasje.

Het was een hele poos stil. Toen hoorde ik – één enkele hartslag. Een naslag.

Daarna bleef het stil in zijn borst.

Ik deed de stethoscoop af. De dood was ingetreden. Ik keek op de klok en schreef het tijdstip op het notitieblok. We waren niet meer met zijn tweeën in het vertrek. Ik was alleen met het lichaam van een overledene. Zijn hart klopte niet meer. Stig-Erik was weg en er zat nog een groot gapend gat in het bestaan waar hij was geweest en had geleefd en zelf het leven had beïnvloed, er deel van had uitgemaakt. Met de dood werd alles anders en zijn dochter was niet op tijd gekomen om afscheid te nemen, voordat ze voor eeuwig van elkaar gescheiden werden.

Toen ze me zag, begreep Elisabeth meteen wat er was gebeurd. Rustig en tactvol liep ze bij de dode naar binnen. Ze keek een poosje naar hem en knikte naar hem bij wijze van laatste groet. We zwegen in harmonie en begonnen zijn gelaatstrekken te fatsoeneren. De oogleden konden we zo naar beneden duwen, maar zijn mond ging niet goed dicht, dus legden we een boek onder zijn kin. De bijbel, want die had de juiste dikte.

Toen ging de deur open en Monica kwam binnen. 'Och, is hij overleden. Hij ligt er mooi bij. Er is een dringend privételefoontje voor jou in het kantoortje, Siv.'

Ik was verbaasd. En ongerust – Jan?

De deur naar de kamer van Stig-Erik stond half open en door de grote ruiten van het kantoortje kon ik nog steeds het voeteneinde van zijn bed zien en de bobbel van zijn voeten.

Die nooit meer zouden bewegen, het verstilde beeld. Als het hart niet meer slaat.

Ik pakte de hoorn op. Mijn eigen hart, dat nog daarbinnen in het weemoedige slotakkoord zou moeten zitten, klopte nu in mijn keel. Lieve Heer, laat er niets met Jan gebeurd zijn. Of met Åsa. Maar ik dacht aan Jan en dat hij zijn nek uitgestoken had en in de vuurlinie was terechtgekomen.

Het was mijn neef Karl-Erik, hij belde uit Malmö. Karl-Erik? Hij had mij meteen willen bellen. Als je elkaar zo na stond. Deden we dat?

'Ja, mijn moeder beschouwde je bijna als haar eigen dochter. Ze is dood.'

Hij snikte. Mijn hersenen konden het niet volgen. Er viel een stilte. 'Ja, maar... we hebben net nog met elkaar gesproken...? Het is toch niet waar?'

Jawel, het was wel waar. Zijn moeder, mijn lieve tante Ingeborg, was dood. Weg. Ze was er niet meer. Ik zou haar nooit meer zien.

Het werd een onsamenhangend gesprek waarin we keer op keer langs elkaar heen praatten. Door de ruiten zag ik nog steeds de dode voetenpartij van Stig-Erik en ik zag hoe Maj-Lis en Elisabeth bezig waren; ze bewogen zich ingetogen en waardig in de nabijheid van de dood. Ik begreep dat ze het bed verschoonden, hem wasten en kaarsen aanstaken. Zijn dochter kwam zo.

De nieuwe buurman van Ingeborg, Niels, was met een lading zand aan komen rijden, omdat het zo glad was op de heuvel het laatste stukje naar haar huis en hij had het raar gevonden dat ze geen licht aan had, hoewel het half zeven 's ochtends was, ze was anders altijd vroeg op.

Toen hij van de tractor gekomen was en net de veranda op wilde stappen, had hij halverwege het huis en de aardappelkelder een bundel zien liggen.

Het was Ingeborg. Stijf. Stijfbevroren, met een omgevallen

emmer aardappelen naast zich. Ze was met de aardappelen uit de kelder gekomen toen de dood plotseling had toegeslagen. Vermoedelijk had ze een hersenbloeding gekregen en was ze gewoon in elkaar gezakt. Het was al een dag eerder gebeurd. De dokter had gezegd dat ze waarschijnlijk op slag dood was.

Die arme man die haar had gevonden was helemaal van de kaart geweest. De shock had hem sterk gemaakt en hij had haar het huis in gedragen, maar er was natuurlijk niets meer aan te doen.

De dokter was erbij geweest. En de politie, dat was immers vaste prik als iemand thuis overleed. Nu lag het lichaam in het ziekenhuis, in het mortuarium dat ze daar hadden. De arts met wie Karl-Erik had gesproken had gevraagd of ze sectie mochten verrichten, maar hij had nee gezegd, hij wilde niet dat ze in haar gingen snijden.

Hij was nu op weg naar huis, het vliegtuig vertrok over een half uur en dan zou hij een auto moeten huren of een taxi nemen. Hij beloofde dat hij contact op zou nemen zodra hij er was. Dit was voor mij vast net zo moeilijk als voor hem, ook al was hij haar enige kind. Hij wist immers hoeveel het contact met mij voor haar had betekend, misschien voor mij ook wel?

Ja, zeker betekende Ingeborg veel voor mij.

Het telefoongesprek eindigde even rustig en aarzelend als het was begonnen. Het verdriet was groot, maar beheerst. Ingeborg was vierenzeventig geworden. Veel mensen worden niet ouder, dit is de natuurlijke loop van het leven. We zouden haar missen, dit was niet gemakkelijk.

Het was half negen. Nog maar twee uur geleden was ze gevonden. Ze was dood. Ingeborg was dood.

Als de vloer gewoon verdwijnt, blijf je dan toch lopen?

Ik ging naar de anderen toe. Maar toen ik weer binnenstapte bij de overledene en hem daar zag liggen met aan weerszijden van het hoofdeinde een brandende kaars, ze hadden zelfs een takje van een van de weinige bloeiende planten van de afdeling geofferd en de bloem tussen zijn gevouwen handen gestopt, barstte ik in een hevig snikken uit.

Maj-Lis was al op de afdeling, druk in de weer met dringende taken, maar Monica en Elisabeth waren nog even blijven dralen en ze kwamen meteen bij me staan. 'Ga zitten, Siv, toe maar, rustig aan. Een geweldige man, warm en humoristisch, hij had best nog wat langer mogen leven.' Ik moest maar een kopje koffie nemen in de kantine, het vergt veel van je om een medemens te begeleiden op zijn laatste weg, dat begrepen ze heel goed.

Maar ik begreep zelf niet eens wat me overkwam. Het huilen kwam in schokgolven, in heftige aanvallen. Mijn verstand zei me dat ik kalm moest worden. Tante Ingeborg was dood, het was vreselijk, maar niet abnormaal, ze was per slot van rekening al oud geweest.

Maar zodra ik in de voltooid verleden tijd begon te denken, dat ze was geweest, dat ze er niet meer was, voelde ik een grote druk op mijn borst en schudde een nieuwe aanval me door elkaar.

Ik voelde een bodemloze wanhoop.

Langzamerhand slaagde ik erin aan mijn collega's duidelijk te maken wat de oorzaak van mijn tranen was.

Ze waren erg met me begaan. Het eigen sterfgeval van de afdeling had het werk vertraagd en Elisabeth moest rennen, maar Monica bleef bij mij in de kantine zitten. 'Geen probleem', zei ze, hoewel we beiden gerammel en geroep uit de gang hoorden, ik hoefde me niet te haasten, ik moest even in alle rust mijn koffie opdrinken en tot mezelf komen. Ze bleef zitten. En begon voorzichtig over het weer te praten.

Het weer, ja. Ik probeerde tot mezelf te komen.

Maar Ingeborg was toch dood!

Het ging niet. Ik was kapot. Ik viel in een zwart gat – de laatste haarwortel was doorgeknipt, nu was er helemaal niets meer over en ik was zo ongelooflijk dol op Ingeborg!

Geweest. Ze was er niet meer. De huilbuien schokten door mijn lichaam, ik huilde als een kind.

Ten slotte vroeg Monica of ik iemand wilde bellen.

Ik begreep haar wel, wat moest ze anders? Hier zat ze met een luid grienende verzorgster, terwijl ieder moment de dochter van Stig-Erik Rikardsson de afdeling binnen kon stappen, moe na een lange treinreis en misschien wel even gebroken.

'Ik moet Jan spreken', snikte ik. 'Ik moet mijn man spreken.'

Terwijl ik weer in het kantoortje zat en hakkelend probeerde Eva-Marie duidelijk te maken dat ik het maar was, zag ik de dochter van Stig-Erik aankomen. Ze hield drie roze pinocchio-roosjes in haar hand en Monica liep met haar mee naar haar overleden vader. Een poosje later kwam Monica naar buiten. Ik begreep dat ze de dochter de gelegenheid had gegeven even alleen te zijn met haar vader.

Nee, Eva-Marie had Jan vandaag niet gezien. Dat hij naar Denemarken zou was nieuw voor haar, hoorde ik. In dat geval was hij zeker al weg? De boot ging om negen uur dertig, antwoordde ik, ze hadden vast een bus gehuurd en hij neemt zijn mobiel niet op.

Vreemd dat zij niets wist van dit reisje naar Denemarken. Maar dat besluit was waarschijnlijk snel genomen, naar aanleiding van de nazipesterijen. Eva-Marie kon me absoluut niet verder helpen. Ik begon echt een hekel aan haar te krijgen, ze deed haar werk niet goed, ze zat daar vast haar nagels te vijlen in plaats van service te bieden en in de gaten te houden waar de mensen uithingen. Ze zou eens mee moeten lopen op een verpleegafdeling, dan ging de ergste nuffigheid er wel af.

Inwendig voelde ik me vals. Eva-Marie en ik konden het altijd goed samen vinden, maar nu vond ik haar plotseling helemaal niet aardig, ze leek me verwaand en ongeschikt. Zelf was ik de wanhoop nabij. 'Heb je het thuis geprobeerd?' vroeg ze insinuerend.

Wat zou Jan op dit tijdstip thuis moeten doen, hij was toch altijd op kantoor onder werktijd?

Toch belde ik naar huis. Natuurlijk nam er niemand op. Hij

was vast al gehaast onderweg naar de Stena-terminal en was vergeten zijn mobieltje aan te zetten.

Het was niet moeilijk om Monica ertoe te bewegen mij vrijaf te geven. Ze had toch niet veel aan me en verdriet was besmettelijk, mijn gejammer had niets positiefs toe te voegen aan deze werkplek waar het product zorg werd geboden aan levende mensen.

Het was niet druk op de weg en godzijdank zaten er weinig mensen in de tram. Ik drukte mijn hete ogen tegen het chromen handvat aan de stoel voor me, zodat ze niet zo rood zouden worden. Ik huilde niet meer. Ik bedwong mijn tranen.

Bij Brunnsparken stapte ik over. In deze tram zaten meer passagiers, hij zat bijna vol. Het huilen lag als een steen in mijn binnenste, ik wist dat ik mijn last af kon leggen als ik Jan maar zag en zijn armen om mij heen zou voelen. Hij, mijn levensgezel, mijn geliefde, mijn maatje, mijn beste vriend en mijn vertrouweling, hij kende mij door en door en hij zou meteen zien hoe de vlag erbij hing en voor mij zorgen en hij zou voor me in de bres springen als de rauwe kelderlucht van de eeuwigheid op mij geademd werd. Nabijheid was het enige wat hielp tegen de duizelingwekkende onverschilligheid van de dood. Dat in het ergste geval alles zinloos was. Dat ik nooit meer met Ingeborg zou kunnen praten en geen antwoord zou krijgen op mijn onbeantwoorde vragen, de vragen die ik haar nog niet had kunnen stellen. Die ik had willen stellen. We waren steeds nader tot elkaar gekomen. Ik was met Ingeborg samen op reis geweest, toen ze plotseling werd weggerukt. Ingeborg en ik hadden samen aan een verhaal gewerkt, we waren het net aan het rijgen en naaien. Jan zou me beschutting geven, hij zou mij uit laten huilen in het verdriet om mijn verlies. Daarmee was ook de laatste kans verloren gegaan om alsnog de man op te sporen die mijn vader was. Waarom had ik niet koppiger doorgevraagd?

Ik stapte uit bij Järntorget en liep het laatste stukje naar de Stena-terminal. Het was opgeklaard en niet meer zo nat. De stralen van de laagstaande zon glinsterden in de waterpartijen op het gemoderniseerde plein. De stad leefde en veranderde, ademde welstand uit. Hiervandaan was het niet ver naar het Kasteelbos. Ik begon weer te huilen. Ingeborg zou nooit een verslag krijgen van ons mallotige verjaardagsfeest. Dat zou trouwens vast niet doorgaan, ik had het gevoel dat ik nooit meer vrolijk zou kunnen zijn.

Een rare gedachte, ik was toch volwassen. Delen van mij moesten nog volledig onontwikkeld en onrijp zijn, het zou vast beter gaan als ik in Jans armen uit kon huilen. Ik had behoefte aan praten, herkauwen en uitspitten. Ik had medeleven en begrip nodig en wat tedere zorgzaamheid en dat kon Jan mij allemaal geven; dat was die onbaatzuchtige, sympathieke kant van hem, waarom ik al die jaren al van hem hield en waardoor ik het voor lief had genomen dat ik hem met de hele vakbeweging moest delen. Hij dronk niet, hij wedde niet op paarden en sport was ook geen passie in zijn leven. Zijn passie was wat waar en juist was – rechtvaardigheid. Daarom had zijn medeleven soms een heel publiek nodig en hem voor mezelf te willen zou egoïstisch van me zijn geweest. Dat kon helemaal niet.

Ik had Åsa toch. Wij hadden het gezellig gehad samen. Het waren mooie jaren geweest toen zij opgroeide; een feest, besefte ik achteraf, om de wereld te mogen beleven door de ogen van een kind en alles opnieuw te ontdekken. Maar nu leidde ze haar eigen leven.

Nu waren Jan en ik weer samen.

De Stena-terminal was groot. Een rood aangelopen, nogal hysterische vrouw met onsamenhangende, maar drammerige verklaringen kon langs wachtposten en door passages komen en algauw bevond ik me bij de oprit naar het autodek, waar ze net aan boord zouden rijden. Ik zocht naar een bus van de onderneming *Götabuss*, want ik wist dat de vakbond daar altijd gebruik van maakte. De bussen gingen het eerst aan boord. Ik draafde langs de kronkelende rijen en zocht de bus van Jan. Het zou vast goed gaan, hij zou uitstappen en zijn collega's zouden zonder hem verdergaan.

Ten slotte waren alle bussen de boot op gereden en was de beurt aan de personenwagens. Maar ik had nog geen Götabus gezien. De slagbomen bij de oprit waren neergelaten. De tijd van vertrek naderde. Waren ze toch naar een andere autobusonderneming gegaan?

Even kordaat als eerder ging ik naar de brug waarover de overige passagiers aan boord gingen. Ik slaagde er bijna in aan boord te komen zonder een ticket te hoeven tonen, maar ten slotte werd ik tegengehouden en vriendelijk maar beslist teruggestuurd naar de terminal. Waar was Jan?

De doorgewinterde vrouw aan de receptie keek gehoorzaam in haar computer. Nee, een boeking van de vakbond die ik noemde stond er niet in en van de conferentie in kwestie had ze natuurlijk niet gehoord.

Hij moest hier toch ergens zijn!

Ik zei dat het om een sterfgeval in de familie ging, het was dringend, ze moesten hem omroepen door de luidspreker aan boord.

Maar dankzij mijn breedsprakigheid en ongecontroleerde gedrag was het nu afgelopen met de service die het personeel van de Stena-terminal bereid was mij te geven. Ik moest maar terugkomen als ik een schriftelijke verklaring had enzovoort. Het was duidelijk dat ze me niet geloofden en nu vertrok de boot bijna.

De voetgangersbrug werd gesloten. Het vertrek werd aangekondigd en de mensen gingen voor de ramen staan om een pas verbouwde en opgefriste Stena Danica het water van de Göta-älv op te zien glijden.

Teleurgesteld keek ik een laatste keer omhoog naar de veerboot, voordat ik weg zou gaan en net op dat moment zag ik hem, op het bovendek.

Wat zag hij er goed uit, en zo vrolijk! De wind woelde door zijn dunne haar en zijn stropdas zwaaide vaarwel naar saaie vergaderingen en trieste debatten. Jan zeilde Göteborg uit met een glimlach van oor tot oor, hij straalde helemaal!

Ik had niet eens de tijd om me te verbazen – hij ging toch weg om met de naziproblematiek aan de slag te gaan? – voordat de verklaring voor die vrolijkheid, die van hem afstraalde als het licht van een vuurtoren, onder zijn oksel opdook en zich aanhalig tegen hem aan drukte.

Ze was kleiner dan ik, in de lengte en in de breedte, maar vooral in de breedte, en jonger. Haar roodachtige haar was lang en woei hem in het gezicht, zodat hij het met zijn hand moest vastpakken, het leek wel of hij er een hap uit had genomen.

Toen veegde hij het haar uit haar gezicht en nam haar hoofd in zijn handen.

Toen draaide hij zich helemaal naar haar toe. En keek haar aan.

Hij kuste haar. Lang en innig.

Tweede deel

Ik nam een taxi.

Ik had lood in mijn schoenen. Ik kreeg mijn voeten haast niet van de grond. Als een geketende gevangene sleepte ik mij naar de informatiebalie en vroeg of ze een taxi voor me wilden bellen.

Ik was opeens zo verschrikkelijk moe. Bij mijn aanblik tilde de vrouw meteen de hoorn op, ze keek verschrikt.

De flat zag er onbekend uit. Als een meubelopslagplaats. Welke idioot had de boel hier ingericht? Het zag er niet uit.

Toen sliep ik met mijn kleren aan zes uur achterelkaar, languit overdwars op het tweepersoonsbed. Ik sliep als een blok en had me nog niet verroerd toen de telefoon ging, een geruit gezicht keek me aan in de halspiegel, hallo?

Het was Karl-Erik. Hij was aangekomen, hij belde vanaf huis, vanuit het huis van Ingeborg. Hij was meteen naar het ziekenhuis gegaan waar twee vriendelijke verpleegsters hem hadden opgevangen en met hem mee waren gegaan naar het mortuarium in de kelder.

Ze lag er rustig bij. Waarschijnlijk was ze kalm gestorven, een hersenbloeding, dan ben je zo weg, je zakt in elkaar en verliest het bewustzijn. Ze had vast geen pijn geleden. Ze had bijna een glimlach op haar lippen. Maar het had niet geleken alsof ze sliep. Ze was echt dood, dat besefte hij nu terdege.

Beide buren hadden op hem zitten wachten, toen hij naar haar huisje gereden was, de sympathieke Marianne en de nieuwe buurman, Niels. De kachel was aangemaakt en Marianne had koffie en broodjes bij zich. Ze hadden een hele poos zitten praten, maar nu waren ze weg. Vroeg of laat moesten ze hem wel alleen laten, maar het was attent van hen geweest.

Het was zo triest in het huisje.

Hij probeerde het uit te leggen. Haar bril op de krant die ze aan de keukentafel had zitten lezen. De was die in de badkamer hing. Het eten in de koelkast waaruit op te maken viel dat ze van plan was geweest om de komende dagen bokking en spek te eten. Voor zo'n maaltijd was ze natuurlijk aardappelen gaan halen. Die het huis nooit bereikt hadden, maar tot harde klompen waren bevroren, uitgestrooid in de sneeuwhopen.

Hij huilde niet, maar zuchtte diep en vertelde verder over de alledaagse tekenen van leven die nu niet meer de waarheid spraken. De radio had aangestaan toen Niels die ochtend was gekomen en haar had gevonden.

Er stonden stekjes in een drinkglas op de vensterbank, zag hij nu.

'Die zal mijn moeder nooit in een potje zetten. Hoewel ze wortels hebben en alles.' Karl-Erik snikte.

Ik wist me goed te houden. Ik wist staande te blijven onder de hele last. Van alles.

Hij zou weer bellen. Het was het beste om de begrafenis zo snel mogelijk te laten plaatsvinden. Hij was van plan te blijven totdat de boedelbeschrijving en de hele rimram voorbij was. Ik kwam toch op de begrafenis? Mijn hemel, het huis! Dat zou hij nu wel te koop moeten zetten, hij kon het niet aanhouden, hij had voor twee jaar getekend in België. Hij moest het huis zien kwijt te raken.

'Rustig aan', zei ik. 'Ze ligt nog niet eens in haar graf.'

In mijn voorstellingswereld moest de begrafenis in ieder geval achter de rug zijn voordat je aan aardse zaken als boedelbeschrijving en verkoop van het huis begon te denken. Er was per slot van rekening iemand overleden.

'Wordt ze gecremeerd?' vroeg ik.

'Nee, begraven', zei hij. 'Ik weet dat ze dat wilde. Zo spoedig mogelijk, als het lukt met een dominee en zo, misschien deze week nog.' Ik kwam toch? Ik kon natuurlijk bij hem logeren, in het huisje, er was plaats genoeg.

Over een week.

Natuurlijk kwam ik, zei ik zonder nadenken. 'Bel als je weet wanneer het gaat gebeuren, Karl-Erik. Hou je taai.'

Het was avond en mijn leven lag aan diggelen. Mijn flat zag er volledig vreemd uit. Woonde ik hier?

Ingeborg was dood. Er was niemand bij wie ik aan kon kloppen, niemand die luisterde en begrip had.

Toen het beeld van Jan. Ik hield het tegen. Maar het was niet te stuiten, al probeerde ik het wel. Zo gelukkig en vrolijk als hij daar op het dek stond had ik hem lang niet meer gezien. En het knappe vrouwtje aan zijn arm.

En hun kus!

Het was vier uur 's ochtends.

Ik was eindelijk weer rustig.

Langzaam en in slowmotion alsof ik op de maan was geland stond ik op uit de tv-fauteuil en schoof met mijn voet een paar prullaria aan de kant.

Er waren hier dingen gebeurd.

De gerookte zalm had zich uit de verpakking in de koelkast losgerukt en was lukraak aan de keukenmuur blijven kleven. De dure fles champagne had zijn hals gebroken tegen het fornuis en had zich toen in scherven in de gootsteen geworpen. Onze trouwfoto in de boekenkast had een vliegreis dwars door de woonkamer gemaakt, had zijn glas gebroken tegen de muur en was toen achter de bank naar beneden gezakt. De weinige boeken die we hadden, voornamelijk over de vakbeweging, waren uit de boekenkast gesprongen, de hele kamer door, zodat de banden losgeraakt waren en er bladzijden lagen te ritselen op de tocht en in de slaapkamer waren al Jans kleren uit de kast en uit laden gefloept en vervolgens op een hoop op de grond gezakt en om de een of andere reden wist ik dat de vuilniskoker wagenwijd openstond en dat zijn scheerapparaat, zijn schoenen en alle mutsen en petten uit de hal zich daar vrijwillig in gestort hadden.

Het was krankzinnig. Het had me enorm goed gedaan en opgelucht.

Maar nu moest ik mezelf weer tot de orde roepen. Al mijn gewrichten waren murw en ik werd weer praktisch.

In de afvalruimte stonk het naar rotte eieren, een bedorven lucht, maar ik zag alle stukken liggen, ik pakte ze in mijn armen, bracht ze weer de flat binnen en hing ze op het balkon om te luchten in de vertrouwde Göteborgse winterkou. Het was nu helder weer en het was kouder geworden. Ik zag nergens anders licht branden dan bij mij.

Ik at de zalm zo van de muur en de kastjes, ik had trek. Ik vond een broodkorst in de trommel en propte die ook naar binnen en toen ruimde ik al het glas op en verpakte het keurig in kranten voordat ik het in de afvalzak gooide en die dichtknoopte.

De rommel in de slaapkamer leek me daarentegen adequaat. Er moest worden geschoond in de kleren, maar het hoefden niet die van Jan te zijn.

Ik haalde snel mijn kast leeg en begon zijn kleren weer terug te hangen. Ik was degene die zou gaan verhuizen. Ik wilde hier niet in blijven zitten. Ik zou hier zo gauw mogelijk weggaan.

Welbekende kleren. Oude vertrouwde blouses en shirts. Een heel mooie trui van gemêleerde wol waar ik een hele winter aan had gebreid en die mooi op tijd klaar was voor onze trouwdag.

En toen waren er alleen nog tranen, tranen, tranen.

De ochtend gloorde boven een huwelijk dat schipbreuk had geleden en boven een nieuwe, iets hardere versie van mezelf. Dat dacht ik tenminste.

Maar mijn zelfinzicht was niet best. Ik kon niet van mezelf op aan. De goede voornemens vlogen op als verschrikte legkippen en er bleef niets van over toen hij zijn sleutel in het slot stak.

Het was inmiddels al bijna middag en ik zat aan de keukentafel en wist niet wat het volgende agendapunt was in het proces waar ik halsoverkop in terechtgekomen was.

Verbaasd keek hij om de hoek van de deur. 'Ben jij nog thuis? Hoef je niet te werken vandaag?'

Waarom zou ik werken? Hij werkte immers voor twee. Ik zei dat ik nu pas begreep wat voor nobel werk hij deed in de strijd tegen het neonazisme en de duistere krachten in de samenleving. Nu besefte ik pas goed met wat voor een pijler van de samenleving ik getrouwd was en wat voor sukkel ik was geweest dat ik niet eerder had begrepen hoe die strijd gevoerd moest worden. Ik bedankte hem dat hij mij en de democratie weer een dag had beschermd tegen destructieve elementen en ik wilde nadrukkelijk mijn bewondering uitspreken voor zijn moedige, onbaatzuchtige actie ten behoeve van de twee vermoorde journalisten, die niemand aan hun zijde hadden gehad toen ze stierven. Want over die twee hadden ze toch een vergadering gehad? Ik ging ervan uit dat ze een besluit genomen hadden over wat de afdeling zou doen om te verhinderen dat er nog meer moorden gepleegd zouden worden en hoe ze de nabestaanden konden steunen en de politie zouden kunnen helpen, en andere mensen die gevaar liepen konden beschermen. Ik begreep dat hij vreselijk veel aan zijn hoofd had, maar hij deed er natuurlijk goed aan als hij aan zo'n strijd de voorrang gaf boven zijn privéleven, want dat zei hij altijd, dat hij daar geen tijd voor had. Hij had toch eigenlijk geen privéleven?

Ja, het was niet gering wat hem voor de voeten werd geworpen, maar hij was een man. Een man die het aankon. Die ertegen kon. Een zelfverzekerde, fiere man. Hij wist waar hij mee bezig was. Ja toch?

Hij zei niets. Hij hoorde natuurlijk dat er iets helemaal fout zat, maar de woorden gaven hem geen uitsluitsel, hij merkte alleen dat ik buiten mezelf was.

Toen zag hij de koffers. 'Gefeliciteerd met je verjaardag', zei ik. 'Je bent vrij.'

'Ga je op reis, Siv?'

Ik knikte. Kneep mijn lippen op elkaar. Die verdomde tranen! 'Ja, ik ga op reis. Tante Ingeborg is dood.'

Hij begreep het allemaal verkeerd en nam mij in zijn armen,

hij plofte op de stoel naast mij neer en hield mij vast. Nu begreep hij waarom ik zo van streek was.

Ik leunde lang met mijn wang tegen zijn lapel, ik was wanhopig en hij was er, mijn man. Hij was mijn man nog. Hij streelde en troostte. Hij was er. Ik huilde zijn jasje en zijn overhemd nat en ik begon te rillen, ik had het koud. Hij stond op om een plaid te halen die hij om me heen sloeg.

'Ik ga koffiezetten', zei hij toen en hij begon het apparaat te vullen.

Toen zei ik het, bijna alsof ik mijn excuus aanbood. 'Ik weet dat je een ander hebt en dat wij tweeën in feite geen stel meer zijn. Ik heb jullie aan dek van de Stena Danica gezien en ik begrijp je wel, ze leek me sympathiek. En ze was knap. Ik verhuis zodra ik een flat heb gevonden.'

Hij gaf het meteen toe, er mankeerde niets aan zijn intelligentie. Ik had ook niet verwacht dat hij het zou ontkennen.

Nee, er was eergisteravond geen vergadering geweest over de moorden. Nee, hij was niet op een antinaziconferentie in Denemarken geweest gisteren en, ja, hij was ontrouw geweest en dat kwam helemaal voor zijn rekening. Zij... Ingela – ik merkte dat hij het moeilijk vond haar naam tegenover mij uit te spreken – Ingela wist niet dat hij getrouwd was. Ze hadden elkaar nog maar kortgeleden ontmoet, via het werk natuurlijk. De vakbeweging had haar als juridisch expert ingeschakeld.

Ze was juriste – zo'n vrouw als in la *Law!*

Dat was voor mij de druppel. Ik had weliswaar geblèrd en gesnotterd, maar me toch beheerst gedragen in dit moeilijke moment waarin we elkaar voor het eerst na zijn verraad weer zagen, maar nu raakte ik volledig van de kook en de chaos van de nacht kreeg me te pakken, zodat ik ging schreeuwen en met dingen begon te smijten. Ik ging door het lint en ik zag mezelf als door een camera: een lelijke, dikke, overjarige blondine met een pafferig gezicht en een schelle stem, maar ik kon niet stoppen, ik kon niet stoppen, ik kon niet stoppen!

Hij had het niet moeten zeggen. Hij had het nooit moeten noemen. Ik had niet om die wetenschap gevraagd, ik wist toch al veel te veel. Ik had immers gezien hoe mooi en jong ze was, vast aardig en vrolijk en in het bezit van een diepe, sensuele stem. Hij boorde mij de grond in, hij wist hoe hij mij kwetste, hij gaf mij het nekschot en ik had nu de hele verklaring waarom ik aan de kant was gezet. Hij dwong mij op de knieën met haar beroep. Ze was niet alleen mooi, maar ook iemand met wie hij goed kon praten, die zijn interesses deelde en die begreep waar hij het over had. Zij was iemand die over bepaalde onderwerpen zelfs meer wist dan hij, het was duidelijk dat zij een kanjer was. Wie was ik?

De keukenklok ging aan stukken, de broodrooster knalde tegen de muur en de suikerpot en nog wat dingetjes gleden op de grond toen de tafel met mijn hulp omkiepte. Jan probeerde me tegen te houden, maar liet dat idee varen toen hij mijn blik zag.

Het deed pijn, pijn, pijn!

Ik had er alles voor overgehad om het niet mee te hoeven maken. Ik had er niet om gevraagd iets over haar te horen, ze had in mijn leven niets te zoeken, ik wilde haar beroep en carrière niet voorgeschoteld krijgen, ik wist al veel te veel, hoe kon hij mij willens en wetens zo kwetsen?

Ik kon er niet tegen hem in de buurt te hebben en ik wilde zijn muffe medelijden niet. Ik had gezien hoe verliefd hij was, ik had zijn liefde gezien. Waarvan ik ooit het voorwerp was geweest.

Het deed pijn!

As en dood was alles wat er nog was. Ik stond nu stil met hangende haren en schouders, mijn trui onder het snot en kwijl.

Hij wilde me weer aanraken. Ik dook weg en liep naar de hal, haalde een jas van een hangertje en verdween naar buiten.

Ik liep urenlang rond, ik zwierf over de zielige bospaadjes die door de woonwijken liepen, over geasfalteerde paadjes waarvan de randen versierd waren met hondendrollen en waar de vaste parkbankjes de laatste plaatsen op aarde waren waar je zou gaan zitten, of het nu zomer of winter was. Lege flessen, plastic zakken en deksels van pruimtabaksdoosjes die er uit de verte uitzagen als paddestoelen – *surprise!* Alleen wat hondenbezitters op de been en misschien een gek met een bijl of een mes, wat kon mij het schelen.

De schemering viel snel in en in de parkachtige stukjes bos waar volgens de fantasie van de architect zo weinig mogelijk aan gedaan mocht worden, zodat de mensen zich dicht bij de natuur zouden wanen, kwam in werkelijkheid nooit een vrouw. Er stonden geen straatlantaarns en ten slotte zag ik nauwelijks meer waar ik mijn voeten neerzette.

Maar ik kon verder geen kant op.

Ik had geen dak meer boven mijn hoofd en geen grond meer onder mijn voeten.

Ik dwarrelde naar beneden – vrije val.

Ten slotte ging ik toch naar huis. Toen ik lang genoeg kou en honger had geleden werd mijn innerlijke pijn uiteindelijk verdoofd door mijn puur fysieke behoeften. Deze lichamelijke basisbehoeften hadden ook een opmerkelijk verkoelend effect op mijn schrijnende trots.

Jan zat op me te wachten. Ook wachtte mij een nieuwe scène. Daarbij belde ook nog de visboer om te vragen wanneer ik de oesters kwam halen. De oesters!

In een ver verleden had ik met kinderlijk enthousiasme een heerlijk snoepfeestje bij elkaar gefantaseerd voor een man die ik na vierentwintig jaar nog steeds niet kende. Wat hopeloos stompzinnig, klungelig en pijnlijk! Ik zei tegen de visboer dat hij de oesters kon houden en dat hij de rekening maar moest sturen. En toen ging de strijd weer verder.

Toen het weekend voorbij was, dacht ik dat het allemaal eindelijk over was. Als ik had geweten dat dit nog maar het begin was, zou ik verlamd zijn geraakt van angst.

Het deed onvoorstelbaar veel pijn toen de banden losgerukt werden.

Echtscheiding was iets voor anderen, ik had nooit gedacht dat ik zelf in die situatie terecht zou kunnen komen. Ik schaamde me over de aanmatigende houding die ik had gehad ten opzichte van wat ik de slapheid van mensen vond, terwijl ik feitelijk alleen maar geluk had gehad en ervoor behoed was gebleven.

En de vernedering om nog een tijdje onder één dak te moeten leven met de man die me had verraden! Toen de eerste schok uitgewerkt was, begon Jan praatjes te krijgen. Hij wilde helemaal niet scheiden. Hij vond Ingela aardig, maar hij hield nog van mij en mijn grootste fout was dat ik zo trots was. Hij wilde dat we er redelijk over zouden praten en hij bezwoer dat hij Ingela niet meer zou ontmoeten, niet op die manier. Hij had haar alles al verteld. Ze was teleurgesteld geweest. Hij had haar ook bedrogen.

Het ergste was de vernedering. En de schaamte. Omdat ik op de bank sliep, net als een stripfiguur – had je er dan tenminste nog maar om kunnen lachen, een geruite pet was immers het enige wat nog ontbrak bij mijn kanten nachthemd, het was echt triest gesteld met mij. Maar ik kon niet meer in mijn eigen bed liggen, ik wilde zijn ademhaling niet horen. En ik moest proberen te rusten, want er wachtte nog een werkweek voordat de vrije dagen die ik mocht opnemen begonnen en ik naar het noorden zou reizen voor de begrafenis. Ik was van plan alleen te gaan, ik wilde Jan er niet bij hebben.

Ja, ik had mijn trots. Je moet toch iets hebben. Sommige vrouwen waren mooi, hadden een interessante hobby of geld. Ik had mijn trots. Die zou niemand mij afnemen. En ik had een goed ontwikkeld gevoel voor rechtvaardigheid, dat had ik net zo goed. Ook al was ik niet politiek geïnteresseerd. Ook al had ik geen juridische opleiding gevolgd.

Ik begon met het ophangen van briefjes in het winkelcentrum, ik wist van mensen die echt op die manier een flat hadden gevonden. Ik informeerde ook op mijn werk of iemand iets wist.

De meiden feliciteerden mij, ze hadden mijn huwelijk maar een duffe bedoening gevonden – al die jaren dezelfde man, en dat terwijl ons kind al was uitgevlogen en alles!

Had ik er maar net zo luchtig tegenover kunnen staan.

Ze zeggen dat je meer van het leven geniet als je bij de dag leeft. Wat ik leerde was dat het een bittere noodzaak is om bij de dag te leven als je je staande wilt houden, bijvoorbeeld als je bent getroffen door een groot verlies of door verdriet. Het was de enige manier waarop ik de situatie kon hanteren. Ik dacht hoogstens een uur vooruit. Ik concentreerde me op de concrete taken en zorgde ervoor dat ik geen tijd overhield. De toekomst bestond niet, ik maakte geen plannen. Ik wás alleen maar.

Plotseling was Jan iedere avond op tijd thuis, maar ik was de hele tijd druk bezig met het een of ander. Voor mij was de zaak al afgedaan, terwijl hij nog wachtte totdat ik tot bezinning zou komen, mijn verstand zou gaan gebruiken, mijzelf weer zou worden, de dingen zou zien zoals ze waren enzovoort.

Er waren veel klusjes en veel te veel bezittingen, maar ze vulden mijn leven op dat moment en ik kon uit de buurt van het zwarte gat blijven, ik moest het werk met de oudjes immers ook nog aankunnen, ik mocht het niet af laten weten. 'Je moet maar naar de bank om geld te lenen', zei ik. 'Zodat je mij kunt uitkopen uit de flat. Of ben je van plan te verkopen?'

Het leek wel of ik had gevraagd of hij van plan was te emigreren. Nee, hij was niet van plan de flat te verkopen, zei hij. Hij was niet van plan ons huis in de verkoop te doen.

Ons huis! Daar had ik nooit wat van gemerkt dat hij er zo tegenaan keek. Het was toch eerder een gelegenheid geweest om te overnachten, ook toen Åsa nog klein was – waar had hij toen gezeten?

Al die verwijten, al die bitterheid. Ik dacht dat we een harmonieus leven hadden geleid, maar nu werden de luiken wijd opengegooid en kropen oude grieven en recente teleurstellingen naar buiten. Al die keren dat zijn baan voorgegaan was, ook toen ik zelf weer fulltime was gaan werken – altijd zíjn baan. Nooit de mijne. Het huishouden, daar hoefden we het niet eens over te hebben. Kon hij mij één ding aanwijzen waar hij mee had geholpen? 'De plinten', zei hij ten slotte. Die had hij bevestigd. Ik lachte koeltjes. Dat was een paar uur werk geweest. Zet dat eens af tegen mijn jaren werk.

Ik was onredelijk en gekwetst. Ik had zelf voor de huishouding gekozen en ik was er alleen maar blij om geweest dat hij geen ouderschapsverlof had kunnen of willen krijgen toen Åsa klein was, ik had toen helemaal niet bij haar weg gewild.

Onze dodendans was nog maar net begonnen, maar dat wist ik nog niet. Ik dacht dat alles nu voorbij was, ik wilde immers niet langer met deze man leven, hij deed mij pijn en ik begreep in wezen wel dat ik niet goed genoeg was, ook al zei of dacht hij dat niet eens.

Er was nu een vrouw die alles met hem had gedaan – heel onlangs.

De liefde vergelijkt niet, dat wist ik. De liefde was het tegenovergestelde van angst. De liefde was veel werk en, zeker, ze was een spier, maar ook vertrouwen.

Het vertrouwen was weg.

Maar de geamputeerde delen deden pijn. Hoe kon het zoveel pijn doen om geen gevoelens meer te hebben?

Want die had ik niet meer.

Nee. Niet zoals hij zich had gedragen.

Hij bood aan in mijn plaats op de bank te slapen, maar ik lag iedere nacht stoïcijns te woelen op mijn oncomfortabele bed zonder een gemakkelijke houding te kunnen vinden.

Het lukte me toch om te werken en toen het vrijdagmiddag was ging ik in onze auto zitten, waarvan ik al had besloten dat het míjn auto zou worden. Ik reed naar het noorden.

De winterzon stond laag en scheen door de grote ramen van het verenigingsgebouw naar binnen. De sneeuwkristallen glinsterden in de grote, naakte berken en de Västerdalälv stroomde onzichtbaar en oeroud onder een dikke laag sneeuw door. De hemel kleurde rood. Mijn hart begon tot rust te komen.

Het was een emotionele begrafenis geweest. Al toen we naar de kerk reden, werden we geconfronteerd met een ouderwets gebruik dat mij enorm aangegrepen had. Voor het huis van de nieuwe buurman waren er dennentakken in de vorm van een kruis op de weg neergelegd, zoals vroeger de gewoonte was. Het was bedoeld als een blijk van sympathie, maar het verdriet kwam hard aan. Karl-Erik en ik hadden geen woord tegen elkaar kunnen zeggen, de hele weg niet.

De rouwdienst was beheerst verlopen, maar toen de kleine gemeente ging staan en de dragers de kist de kerk uit reden en al die in het zwart geklede mensen Ingeborgs lichaam volgden naar haar laatste rustplaats, besefte ik in een flits heel duidelijk hoe eindig en tijdelijk het leven was, wat voor gunst het was om nog in het licht te mogen vertoeven. Wat een verdriet om de dode, huilen om de dode, die zelf nooit meer iets zal voelen. Ik had mijn tranen niet weten te bedwingen.

Het afscheid was het allermoeilijkste geweest. Om in de knisperende kou en witheid en in het bijzijn van alle mensen echt afscheid te nemen. Dat het geweest was en voorbij. Dat ze daaronder in het koude graf lag in haar kist, die al met drie scheppen aarde was besmeurd.

Mijn gebruikte zakdoek zat als een prop in mijn handtas. Ik zou haar nooit meer zien. De opbruisende emoties werden langzaam minder.

Ik kreeg weer gevoel in mijn voeten, het was afgrijselijk koud geweest. Van de kleine rouwstoet was een walm opgestegen als van een langzaam voortbewegende praam. Niemand had zulke onpraktische schoenen aan als ik.

Ik pakte mijn bestek, want nu had iedereen een broodje en konden we gaan eten. Een twintigtal vrienden en verre familieleden waren samengekomen, ik gluurde discreet naar hen, de meesten waren op dit moment geconcentreerd op wat er op hun bord lag en waren beschaamd blij dat ze weer binnen in de warmte waren. Toen we in de hal onze jassen uittrokken, had iedereen zich mompelend aan mij voorgesteld, maar van de meesten was ik de naam alweer vergeten.

Maar van Niels niet, hij was immers degene die tante Ingeborg gevonden had toen ze overleden was, en ik hoopte dat ik gauw de gelegenheid zou krijgen om met hem te praten. In tegenstelling tot de beschrijving van tante Ingeborg – ik had me een soort macho voorgesteld – was Niels in feite nogal onopvallend. Zijn kwaliteiten lagen voor zover ik begreep meer op het innerlijke vlak, want hij was bijna tenger, niet lang, en zijn brede schouders leken meer een gevolg van de schoudervullingen in zijn pak. Toch zag hij er niet slecht uit. Hij had donker haar, dikke, zwarte wenkbrauwen en hij droeg een bril. Als hij een snor had gehad, had hij aan een van de Marx Brothers doen denken, dacht ik. Hij had iets sympathieks, iets argeloos en aardigs. Ik wilde graag weten wat een gesprek met hem aan dat beeld zou toevoegen.

Hij was aardig geweest voor Ingeborg. Hij was er geweest toen noch ik noch Karl-Erik ter plaatse geweest was. Nu zat hij naast Marianne en hield braaf een gesprek met haar op gang.

Marianne kon toch weinig te vertellen hebben; ze was altijd al kleurloos geweest en nu was ze ook nog oud. Ze was er altijd als ik op bezoek kwam, de oude vrijster en Ingeborgs bedeesde buurvrouw.

Op een armlengte bij mij vandaan, tegenover de dominee, zat de onofficiële eregast van de begrafenis, namelijk de oude directeur, Egil Mickelsen senior in hoogsteigen persoon. Ondanks zijn achtentachtig jaar was zijn kleding onberispelijk, zijn rug kaarsrecht als die van een generaal en hij at met afgemeten bewegingen. Dat moet vroeger een knappe man geweest zijn, dacht ik. Hij keek met levendige ogen om zich heen. Eén keer ontmoetten onze blikken elkaar. Vervolgens keuvelde hij geroutineerd verder met de oude dame naast hem, terwijl hij zijn mond afveegde aan zijn servet.

Er waren verscheidene oude dames op de begrafenis, vriendinnen en kennissen van Ingeborg. Ze hadden allemaal een traantje geplengd aan de rand van het graf toen ze 'vaarwel' fluisterden of 'dankjewel', of hun rozen op de kist gooiden.

Zelf had ik heel wat tranen vergoten. Ingeborg was een geweldig mens geweest. Wat zou ze blij geweest zijn als ze had geweten dat de directeur aanwezig was op haar eenvoudige begrafenis.

Dat was hem geraden ook, dacht ik, ze heeft immers dertig, veertig jaar lang bij hem schoongemaakt. Als iemand reden had voor verdriet, dan was het Mickelsen wel.

Toen er koffie met taart werd geserveerd en iedereen een tweede kopje had gekregen stond Mickelsen op en hield een korte toespraak.

Wat zou Ingeborg trots geweest zijn! Als ze dit toch eens had kunnen horen! Hij prees haar karakter en beschreef de vrolijke, luchthartige instelling die ze altijd had getoond. Wanneer de zomer op zijn eind liep en de herfst was gekomen, dan was het feest, want dan kwam Ingeborg weer terug van de zomerboerderij en dan kwam eindelijk het huishouden van Mickelsen weer op poten, zo ging dat toen. Ingeborg was een echte kameraad geweest, iemand die van wanten wist en de lakens uit kon delen, vooral ook omdat zijn eigen vrouw zo jong overleden was. Zonder Ingeborg had hij zich nauwelijks kunnen redden. Hij miste haar heel erg. Niet alleen als werkkracht en hulp in de huishouding, maar misschien nog het meest vanwege haar persoonlijkheid – slagvaardig en met het hart op de juiste plaats. Hij zou nooit vergeten hoe hij indertijd uit Noorwegen was gekomen; de oorlog was nog niet voorbij en in deze Zweedse grensstreken heerste wantrouwen jegens onverwachte vreemdelingen, dat sprak vanzelf. Maar Ingeborg had toen haar hart al laten spreken, en dat hij na de strenge voedselrantsoeneringen echte, zelf gekarnde boter op het door Ingeborg eigenhandig gebakken dunne, ongerezen brood mocht smeren was, dat wilde hij wel zo stellen, een culinair hoogtepunt geweest in zijn leven, zo waar als hij hier nu stond. Dit zonder iets af te willen doen aan het uitstekende onthaal van vandaag. Hij boog naar Karl-Erik, toen naar de dominee en toen in het algemeen naar de rest van het gezelschap en hij keek mij weer in de ogen, hij scheen te weten wie ik was.

Er ging een geroezemoes door de zaal toen hij weer ging zitten. De dames lachten en veegden tranen af. Ook ik was onder de indruk.

Hoewel de betovering werd verbroken toen iedereen was opgestaan en ik hem toevallig discreet iets tegen Karl-Erik hoorde mompelen over haar spullen, kennelijk haar schort, waarvan hij niet wist wat hij ermee moest doen, of hij die moest laten brengen of dat er iemand in de buurt kwam die hem op kon halen? Ik hoorde niet wat mijn waarde neef antwoordde.

Deze streek had altijd een speciale aantrekkingskracht op mij uitgeoefend, hoewel ik er eigenlijk niet thuishoorde. Mijn moeder was vroeger weggestuurd door haar ouders en dat kwam door mij. Dus waarom die sentimentaliteit en die fascinatie voor volk en natuur?

Als kind had ik die onhanteerbare taal gesproken, waarvan werd gezegd dat je die als volwassene niet kon leren. De melodie zat nog ergens, ik kon mijn geluk niet op wanneer ik die taal weer hoorde, hij zat in me, ook al kon ik er geen woord van spreken.

Een parelsnoer van dorpen strekte zich aan weerszijden van de rivier uit. Uit de kerk kwamen we door een aantal van die dorpen. Ook door het centraal gelegen dorp Grönland, dat als het middelpunt van de streek werd beschouwd.

Daar klopte natuurlijk niets van. Grönland had tweeduizend inwoners. Sälen, dat binnen de grenzen van de gemeente lag, had er in het hoogseizoen tachtigduizend. Dáár lag vandaag de dag het centrum van de gemeente, dat was de kern en daar lag ook de economische basis, maar daar kon geen van de dorpsbewoners zich mee verenigen, was Karl-Eriks wat zure commentaar.

In de verlaten buitenpost Grönland doken slechts zelden zeehonden op en nooit in levende vorm, hoewel sommige toeristen waarschijnlijk dachten dat dat wel het geval was. Maar net als de eskimo's kenmerkten deze Grönlanders zich door een leven met huiden en leer – dat was al generaties lang, eeuwenlang, hun broodwinning en hun nering, en midden in het dorp stond nog de honderd jaar oude leerlooierij te puffen; haar slechte adem was voor de dorpsbewoners wat de sulfietlucht was voor de arbeiders in de papierfabrieken: geld en levensonderhoud, en dus een geur als van het duurste parfum.

Het was echter niet het centrale dorp dat mij aantrok in deze streek, maar het hoger gelegen dorpje in het bos, waar Ingeborgs eenvoudige en gezellige boerderijtje stond en waar ik zo vaak op bezoek was geweest. Maar je ging naar Grönland voor de boodschappen en voor zakelijke dingen en midden in het dorp stond een heel mooi gebouw. Ik meende me te herinneren dat het destijds het grootste houten gebouw van Scandinavië was geweest, en misschien was het dat nog steeds. Karl-Erik knikte. Het was vast al zo'n honderd jaar oud. Hij noemde de naam van de architect, Strokirk, de man die ook het Rijksdaggebouw in Berlijn had ontworpen!

Het gebouw was origineel in zijn majestueuze, halfronde vorm met een protserige façade aan de markt en met grote ramen, krullerige windveren, hoekjes en balkons; onze blikken gingen erheen toen we erlangs reden. Het heette het Lisellse Huis. Op de begane grond zaten een winkel, een verzekeringsmaatschappij en een theeschenkerij en de twee verdiepingen erboven schenen plaats te bieden aan uitermate luxueuze appartementen.

Het was prettig over iets anders te praten, zodat het verdriet even op de achtergrond raakte. De begrafenis had veel van me gevergd en ik was moe, ik was de vorige avond laat aangekomen.

Karl-Erik en ik gingen aan Ingeborgs keukentafel zitten en keken elkaar aan. 'Nu ligt mijn moeder onder de aarde,' zei hij, 'het is allemaal goed verlopen. Jammer dat Jan niet kon komen. Altijd maar weer die onderhandelingen en toch zo weinig in de portemonnee, dan zou je toch ook emigreren?'

Toen vertelde ik dat ik de vorige avond had gelogen. Jan zat helemaal niet vast in onderhandelingen. Wij gingen scheiden.

Karl-Erik schrok ervan en vroeg toen zacht waarom, waar dat goed voor was.

Ik vertelde van zijn ontrouw. Hij knikte begrijpend. 'Hoewel dat waarschijnlijk niet het hele verhaal is,' zei hij, 'want alleen om zoiets ga je toch niet scheiden, zeker niet als het maar een bevlieging was, zoals Jan beweert.'

Ik mompelde dat er misschien meer oorzaken waren, je neemt toch ook niet zomaar een nieuwe partner. Als Jan dat een bevlieging wilde noemen. Maar zo stond het er nu voor.

We bleven een poosje zwijgend zitten. 'Het is raar', zei Karl-Erik ten slotte. 'De een begint net en de ander stopt ermee. Ik ben altijd een beetje jaloers geweest op jou, je had een kind, een gezin, het leek zo harmonieus. Zelf ben ik bijna veertig en ik dacht dat ik mijn leven lang vrijgezel zou blijven. Ik had vroeger nooit een vriendin, dat weet je wel.'

Ik stond versteld over zijn openhartigheid. Karl-Erik was zolang ik me kon herinneren gesloten geweest, een man van weinig woorden. Nu keek hij mij met een vaste blik aan. 'Ik heb een vrouw leren kennen', zei hij. 'Haar ouders hebben een pension en daar logeerde ik altijd. In België. We maakten vaak een praatje en ik weet niet wat er is gebeurd. We hebben als het ware de sprong gewaagd, wij beiden, we werden als het ware naar elkaar toe gezogen. We gaan trouwen. Ze is net zo oud als ik, dus het wordt echt hoog tijd.'

Hij lachte hartelijk, hij was vergeten dat het de dag van zijn moeders begrafenis was. Lachend haalde hij een foto tevoorschijn, die hij mij liet zien. Er stond een ernstige vrouw op die van mijn leeftijd leek. Ze zag er heel gewoon uit.

'Een leuke vrouw', zei ik. 'Wat voor werk doet ze?'

Hij vertelde dat ze altijd bij haar ouders in de zaak had gewerkt, maar dat ze er nu graag weg wilde, dat ze haar eigen bedoening wilde. Daar waren haar ouders natuurlijk niet blij mee. Bovendien waren ze oud en hadden ze vast tot het einde toe op haar gerekend, maar het was eindelijk uit met de loyaliteit van Kristien, zo heette ze. Misschien veel te laat, maar gelukkig voor hem, anders was ze daar niet geweest en had hij misschien nooit een relatie met haar gekregen.

Hij zou zich daar nu permanent gaan vestigen. Hij had zich al lang een vreemde gevoeld in dit dorp en de laatste tijd ook in Zweden. De drukte en de anonimiteit van het Europese vasteland lagen hem beter. Nu hoefde hij zich ook niet schuldig te voelen over zijn oude moeder. Hij had geaarzeld om haar van zijn nieuwe plannen te vertellen en nu hoefde dat ook niet meer.

Hij was er toch zeker niet blij om dat Ingeborg dood was? Ik keek hem onderzoekend aan. Ik was blij voor hem, heus. Dat was Ingeborg vast ook geweest, maar dat leek hij niet te beseffen. Hij was altijd zo somber geweest, moest een huwelijksproject nu misschien zijn leven vullen? Ze zouden zelfs nog kinderen kunnen nemen.

Ik zag dat hij om zich heen keek door de keuken met een puur zakelijke blik, het verdriet om zijn moeder zat niet zo diep, dat was een ding dat zeker was.

'Ik zit met een probleem', zei hij. 'Sommige banken verstrekken geen hypotheken meer voor huizen in deze gemeente. Dat heb ik van de makelaar gehoord. Ze vinden het risico te groot, het dorp loopt leeg, het is moeilijk weer te verkopen, het wordt een negatieve spiraal, in ieder geval was dat de motivering.'

Hij had al met een makelaar gesproken!

Ik zweeg en liet hem verder praten. De makelaar had gezegd dat het besluit van de bank slecht onderbouwd was, dat hadden ze natuurlijk in Stockholm bedacht. Waarschijnlijk wist de directie van de bank niet eens dat Sälen ook in diezelfde gemeente lag en het kon toch niet riskant zijn om mensen daar te laten wonen, ook permanent.

'Maar daar zal ik het van moeten hebben,' filosofeerde Karl-Erik verder, 'van Sälen dus. Want het zit er niet in dat iemand van hier dit stulpje zal willen kopen als de markt overspoeld wordt met aanzienlijk modernere villa's voor afbraakprijzen.' En wie zou hier in het donker in het bos willen wonen, een paar honderd meter van de naaste buur verwijderd, met alle sneeuw en ellende? Nee, hij moest erop gokken dat iemand uit de grote stad het als vakantiehuisje zou willen hebben. En dat ze al het ouderwetse pittoresk zouden vinden en dat ze er niet bij zouden stilstaan dat het onderhouden van een huis met schuren erbij en een kelder, een eigen weg en drieduizend vierkante meter grond tijd en energie kost, ook als je voor een minimaal ambitieniveau kiest. Hij wist dat wél. Hoeveel vakanties had hij hier niet gezwoegd met de snoeizaag en de kruiwagen, met hamer en kwast, schop en grasmaaier. De korte zomers waren vol geweest met werk bij zijn moeder om het huis. Dat was nu afgelopen! Hij lachte weer. Ik werd misselijk.

Vertederd keek ik naar de versleten keukenkastjes, waar bij de handgrepen de verf af was; duizenden keren had Ingeborg de voorraadkast opengemaakt. De ijzeren kookkachel met zijn monter knetterend vuur – eigen haard is goud waard, zoals het spreekwoord zegt –, de lage werkbanken, het oncomfortabele maar roestvrije aanrecht, de binnenramen, de wandversieringen en de kalender die altijd aan hetzelfde haakje hing. De keukenklok tikte vredig, de slinger bewoog heen en weer achter het glas. Het was een treurige gedachte dat deze sfeer zou verdwijnen en dat hier vreemden zouden komen wonen. Het zou allemaal verloren gaan en er zou niets van overblijven; onze gemeenschappelijke erfenis zou in rook opgaan alsof ze nooit had bestaan.

Door het raam zag ik de houten schuren en de aardappelkelder en in de verte voelde ik meer dan dat ik hem echt zag de Berg met zijn dramatisch steile wand. Ingeborg had verteld dat er koeien vanaf gevallen waren, waarvan de darmen in de boomtoppen waren blijven hangen.

Het was tientallen kilometers naar de Berg. Toch leek hij vlakbij. Ik had zijn macht nog maar één keer van nabij meegemaakt, dat was in de zomer dat ik verkering had met Olle. We waren zo ver mogelijk doorgereden op zijn brommer en hadden toen nog een paar uur gelopen voordat we op de top kwamen. Van een afstand van bijna dertig jaar leek het uitzicht dat toen voor ons lag op een fata morgana. Je kon zeven kerkdorpen zien liggen, had Ingeborg beweerd, maar Olle en ik hadden een zee van bos gezien, onderbroken door hier en daar kaalgehakte plekken en tal van inktzwarte meren en heel in de verte waren de bergen te zien geweest, nog steeds met witte koppen. Het moest in het begin van de zomer geweest zijn, in juni.

Mijn gedachten werden onderbroken door de verdere respectloze plannen die Karl-Erik met het huis had. Hij was van plan het te verkopen 'met alles erop en eraan', zoals hij het uitdrukte. Hij wilde niet veel houden. Foto's natuurlijk en een enkel aandenken. Maar wat moest hij met beschadigd huisraad. Om van meubels uit de jaren vijftig nog maar te zwijgen! Hij zou de hele boel in één keer verkopen en er niets extra's voor vragen als de kopers zorgden voor het opruimen en het afvoeren naar de vuilnisbelt. En dat zouden heel wat ritjes worden, dat kon hij wel vertellen, maar ik had zeker nog niet in de schuren gekeken?

Voor mij was het boerderijtje een warm hart dat ingebed lag in de sneeuw, omgeven door het hoge bos en met uitzicht op de Berg. Ik bedacht dat de inwoner van de grote stad die hiervan zijn tweede thuis zou maken, een stukje paradijs zou verwerven. Maar het deed pijn om hier iemand anders dan Ingeborg voor me te zien, die hier aan het rommelen en doen was. Het was een geluk dat ze dood was. Dat haar huis een vakantiehuisje zou worden had ze niet kunnen verdragen, maar ze had het zich gelukkig ook niet kunnen voorstellen.

Ik wilde niet meer horen over de gesprekken van Karl-Erik met de makelaar en toen hij herhaalde dat hij bang was dat hij het huis niet kwijt zou raken, werd ik weer misselijk. Hield hij zijn mond nou maar eens, zodat ik van de stilte en de weldadige afgelegenheid kon genieten. Het vuur in de kachel knapte, dat was gezelschap genoeg. Karl-Erik mocht van mij de boom in.

Ingeborgs geest waarde vast nog door het huis, want mijn slaap was van het verkwikkende, helende soort. Ik had gedacht dat ik wakker zou liggen deze tweede nacht zo kort na de begrafenis, maar als ik de eerste nacht de slaap van de uitgeputte had geslapen, dan sliep ik deze nacht de slaap van de genietende dromer. Ik werd uitgerust wakker en hielp toen Karl-Erik zonder morren met het opruimen van kleren en ondergoed. Het meeste ging naar Marta & Maria, vanwaar het verder zou gaan naar het voormalige Joegoslavië; Ingeborgs kleren pasten me toch niet en ze waren ook niet helemaal mijn stijl. Karl-Erik neusde wat rond. Hij vond de sleutel van Ingeborgs bankkluis onder het lopertje op het kastje in de woonkamer. 'Wat origineel', mompelde hij en hij stopte hem in zijn zak.

Ik vouwde teder een aantal versleten, maar zorgvuldig verstelde kledingstukken op en ik moest aldoor aan haar denken, niet meer zo dat ik er helemaal door van de kaart raakte, maar met weemoed. Karl-Erik was energiek, maar geïrriteerd omdat het zondag was en alles dicht was.

Ten slotte kwam de nieuwe buurman, Niels. Opeens stond hij in de keuken. Hij had doordeweekse kleren aan en zag er heel anders uit dan in een donker pak met een stropdas. Hij lachte naar me. Hij kwam gewoon even langs, zei hij, om te zien hoe het met ons ging. Wat een stem had die man!

Karl-Erik zat ergens in een schuur en ik bood zijn gast een stoel aan. Ik zette koffie en bood hem taart aan die nog over was van de begrafenis en we begonnen voorzichtig met elkaar te praten.

Ik kreeg eerst niet goed hoogte van hem, ik dacht dat hem iets niet naar de zin was en dat hij kwaad was. Maar toen we vervolgens in gesprek raakten, besefte ik dat ik het verkeerd had gezien. Hij was juist zenuwachtig, dat wil zeggen wat verlegen, tegenover mij. Een binnenvetter.

Hij zei dat het een vreemd idee was om hier te zitten nu Ingeborg was overleden. Ze waren echt goed bevriend geraakt in het ene jaar dat hij haar buurman was geweest.

Hij vond dat het een mooie begrafenis was geweest, echt plechtig. Begrafenissen hadden iets speciaals. Je voelde als het ware de traditie, en hoe diep deze manier om met onze doden om te gaan in ons verankerd was.

Ik zei dat ikzelf toch wel gecremeerd wilde worden. 'Ja, daar kun je natuurlijk voor kiezen', antwoordde hij. 'Om zeker te weten dat ik niet meer wakker word', verduidelijkte ik. 'Als je wordt begraven ben je er immers nog.'

'Maar je wordt heus niet meer wakker, als je dat soms denkt', antwoordde hij. 'En Ingeborg was helaas zo dood als maar kan. En ik heb heel wat doden gezien.'

Hij doelde zeker op zijn jaren in Afrika. Ik wilde niet te hyena-achtig lijken. Over eventuele moeilijke oorlogservaringen moest hij uit zichzelf vertellen, zonder onbeschaamde vragen.

Ons gesprek was gezellig en draaide voorzichtig om hoe het ervoor stond aan ons beider thuisfront. Ik kreeg te horen dat hij in onderdelen voor graafmachines en tractoren deed, die hij kocht en verkocht via internet. Hij hield het een beetje vaag, een soort gedrag dat ik wel kende van deze streek. De meeste mannen zeiden niet veel meer dan 'ja' en 'nee' en praatten hun mond niet voorbij wat betreft hun middelen van bestaan, laat staan hun financiële situatie. Ingeborg had verteld dat van echtparen die al vijftig jaar getrouwd waren, de vrouw er soms geen idee van had of ze vermogend waren of aan de rand van de afgrond stonden. Het hummen en keelschrapen hoorde bij de rol van de man. Er heerste hier massale werkloosheid met bijbehorende onbeholpen maatschappelijke acties, maar tussen de werklozen zat ook hier en daar een miljonair, vermomd als gewoon mannetje met een Helly Hansen-jack aan en laarzen en een pet met reclame erop en een plaats in de jachtploeg. De vroegere welstand, met het bos en de leerindustrie in het centrum, leefde nog voort in de bankkluis en aandelenportefeuille van enkele families. Hoewel je dat nergens aan kon zien, hooguit aan een onwaarschijnlijk dure sneeuwscooter.

Dat had Ingeborg allemaal verteld, dus daarom verbaasde het gemompel van Niels mij niet. Hij was misschien wel zo rijk als een trol, dat wist je niet; ja, misschien was hij wel een vermomde prins, die zou ik goed kunnen gebruiken.

Bijna vrolijk vertelde ik dat ik was gescheiden. Dat ik nog midden in die molen zat leek mij overbodig te vermelden. Hij vroeg hoe ik van mijn achternaam heette.

'Dahlin', zei hij. 'Waar komt die naam vandaan?'

Daar had ik geen idee van. Ik had die achternaam vierentwintig jaar gedragen zonder me af te vragen waar hij vandaan kwam. Ik voelde me dom.

Hij zei dat hij ook gescheiden was. Zijn vrouw was met hun volwassen zoon uitgerekend naar Skåne verhuisd. Maar hij had toch een goed contact met zijn zoon, ze mailden en belden om de haverklap.

We zaten in onze kopjes te roeren. Het drong tot me door dat ik nog maar zelden zo samen had gezeten met een andere man dan Jan. Maar kennelijk waren er meer met wie je kon praten.

Godzijdank kon de nietsvermoedende Niels mijn gedachten niet lezen en eigenlijk had ik ook geen interesse. Toch ging ik door met fantaseren. Hij had wel uitstraling, een soort donkere en raadselachtige aura. Zodra hij zijn mond opendeed wilde ik dat hij verder zou praten; ik vond dat hij een mooie stem had, donker en zangerig. Hij ging ook steeds gemakkelijker praten, hoe beter we elkaar leerden kennen.

Ik vroeg voorzichtig hoe het was geweest die ochtend toen hij Ingeborg vond. Hij probeerde zijn gevoelens te verbergen, maar ik meende te zien hoe moeilijk hij het had gevonden. Er lag pas gevallen sneeuw. Hij kwam zand strooien omdat het glad was op de heuvel. Het had hem bevreemd dat het donker was in huis, terwijl het al acht uur was; oude mensen zijn immers altijd vroeg op. Hij had gestrooid tot aan haar huis en gedacht dat ze wel wakker zou worden. Maar er was geen licht aangegaan. Hij was haar erf op gereden en van de tractor gestapt. Toen had hij haar gevonden. Ze was helemaal stijf, het had er alle schijn van dat ze ter plekke in elkaar was gezakt. Het zag er niet naar uit dat ze pijn had gehad of kramp. Het was waarschijnlijk een hersenbloeding geweest. Hij had haar opgetild, stom natuurlijk, en haar naar binnen gedragen. Ze was niet zwaar. Binnen stond de radio aan. Alles wees erop dat ze al de vorige dag was overleden. Dat was ook wat de dokter had gezegd. De ambulance, de politie en de arts waren ongeveer gelijktijdig gekomen nadat hij 112 had gebeld. De ambulance was tamelijk snel weer weggereden, er was immers niets te doen. De politiemensen en de arts waren het eens geweest over de loop van de gebeurtenissen. Hij had moeten aanwijzen waar hij haar had gevonden en ze konden zelf de omgevallen aardappelmmer zien. De politie had ook even om de hoek van de aardappelkelder gekeken, maar daar was immers niets te zien. De identiteit was vastgesteld, alsmede het tijdstip waarop ze ongeveer moest zijn overleden, en even later was de lijkwagen het lichaam komen halen. Ja, dat was alles. Het was een triest begin van de dag geweest, dat moest hij wel zeggen.

Ik liet zijn verhaal even op me inwerken. Toen bedankte ik hem voor deze laatste dienst die hij Ingeborg had bewezen. En hij was ook aardig voor haar geweest toen ze nog leefde, dat wist ik wel, dat had ze me over de telefoon verteld. Hij lachte het weg. Ach, dat stelde niets voor. Ze zou een leegte achterlaten. Maar hij zou zich des te meer om Marianne bekommeren, dat was zo'n aardige oude vrouw. Wist ik trouwens dat ze sneeuwscooter reed?

Ik wist niet wat ik hoorde, ik was stomverbaasd; de wonderen waren de wereld nog niet uit. Daar had Ingeborg niets van verteld. Was ze misschien jaloers geweest?

Marianne van zesenzeventig, die nooit iets had gekund of gemogen, die nog nooit van haar leven achter een stuur had gezeten en dan opeens dit!

Niels vertelde dat hij Marianne had geholpen met het aanschaffen van de scooter en het leren besturen ervan. Maar nu was ze ronduit levensgevaarlijk, ze reed door het hele bos en waarschuwende woorden waren niet aan haar besteed. Nu was hij bezig haar over te halen om een mobiele telefoon aan te schaffen voor het geval ze vast zou komen te zitten of om zou slaan en gewond zou raken ergens midden in de wildernis. Je had weliswaar niet overal bereik, het bos was groot. Ze was zelfs boven op de Berg geweest. Op de sneeuwscooter was Marianne veranderd in de Hell's Angel van het grote bos! We moesten er hartelijk om lachen. Dat was een bevrijdend gevoel na alle gesprekken over Ingeborgs dood. Niels had een aanstekelijke lach.

Hij had nog veel meer te vertellen en het was prettig om met iemand te praten die net zo verankerd was in de omgeving als Ingeborg was geweest; de tijd vloog.

We gingen als twee goede oude vrienden uit elkaar. Door het keukenraam zag ik in het schijnsel van de buitenlamp dat hij zijn hoofd om de schuurdeur stak en enkele woorden wisselde met Karl-Erik. Daarna startte hij zijn Yamaha met veel geraas en hij verdween tussen de dennen in een wolk van uitlaatgassen.

Toen ik klein was bewogen de mensen zich voort op ski's, nu kochten ze voor een kapitaal een sneeuwscooter. De stadsmens in mij zei dat het een achteruitgang was, al die arme wilde dieren en al die natuurliefhebbers die rust en stilte wilden. Mijn andere kant wapperde met het begrip 'vrijheid'. Vrijheid voor iedereen, ook voor gebrekkige oude dametjes. Die konden nu de zomerweide uit hun jeugd zonder inspanning terugzien. Iedereen kon zo ver het bos in komen als hij maar wilde en velen kwamen hier juist wonen vanwege de natuur.

Ik had nog nooit op een sneeuwscooter gezeten. Ik hoopte dat Niels, maar Marianne beslist niet, mij na verloop van tijd een ritje aan zou bieden.

Wanneer dat dan ook zou kunnen zijn. Karl-Erik was van plan te verkopen. Er zou niemand meer hier zijn bij wie ik op bezoek kon gaan.

Ik zou hier toch blijven komen. Er waren pensions en jeugdherbergen. Ik was niet van plan het contact met mijn wortelsysteem helemaal af te snijden, ook al waren er alleen nog maar verre verwanten over, die ik bijna niet had herkend toen ik hen op de begrafenis had gegroet.

Er ging een week voorbij.

Åsa kwam midden in het ergste tumult thuis. Ik had een flat gevonden die ik kon huren en waar ik meteen in kon aangezien de eigenaar een student was die geld nodig had, en ik had een aantal verhuisdozen geregeld die ik aan het volpakken was. Jan was zo behulpzaam om ze weer uit te pakken! Het spelletje begon te vervelen en het kostte tijd. Ik wilde voor de avond het huis uit zijn en de zinloze sabotage van Jan, voor de grap, alleen was het geen grap, irriteerde me. Ik ging steeds harder praten en Jan riep terug dat ik niet de hele inboedel mee hoefde te nemen. Maar ik mocht toch zeker meenemen wat van mij was!

Åsa maakte een eind aan ons geharrewar; ze was nog niet binnen, of we kregen allebei de wind van voren. Eerst haar vader omdat hij zich schofterig had gedragen, erger dan een scholier bij wie de hormonen opspeelden en daarna haar moeder, die zich gedroeg als de prinses op de erwt, wat verbeeldde ik me wel, het was gewoon zielig om mij, preuts oud mens, op hoge poten weg te zien lopen zodra er wat zand in de machine kwam. Bovendien hadden we haar uit gemakzucht broertjes en zusjes ontzegd, dus nu moest zij alleen zich over ons beiden verdelen wanneer het bijvoorbeeld kerst was, hadden we daar wel over nagedacht?! En later, als we allebei ergens anders oud werden, begrepen we wel hoe druk zij het ermee zou krijgen?!

We gaven geen van beiden antwoord. We waren nog niet eens vijftig en bovendien waren het haar zaken niet.

Ze barstte in huilen uit. Het deed pijn haar zo te zien. Maar ze was nu volwassen. De navelstreng was doorgeknipt, we konden niet bij elkaar blijven om haar.

'We kunnen dit niet doen', zei Jan.

'Stel je niet aan', siste ik. 'Je bent nu toch vrij en je kunt naar bed met wie je maar wilt.'

We werden onderbroken door de telefoon. Het was Karl-Erik, hij belde uit Luik. We gingen toch niet op wintervakantie, wel? We mochten het huisje zo vaak gebruiken als we maar wilden, dat was alleen maar goed, want nu was er ingebroken. De makelaar had het ontdekt. Er was wel niet veel te halen, maar het was toch naar. Dus dat wilde hij alleen maar even zeggen, voor het geval het nog niet duidelijk was, dat we er gerust heen konden gaan om te skiën en zo en het huisje lag immers maar drie kwartier van de bergen af en Jan mocht ook best alleen komen, ook als ik niet ging.

Toen we uitgepraat waren en hadden opgehangen plofte ik op een stoel neer.

Ingebroken! Wat een rotstreek. Tante Ingeborg zou zich omgedraaid hebben in haar graf. In haar keurige, zij het wat gammele huisje, was ingebroken en het was geschonden. Sloten geforceerd, laden uitgetrokken, persoonlijke spulletjes overal neergegooid. Ook al konden de makelaar en de plaatselijke politie niet met zekerheid vaststellen of er iets gestolen was, toch voelde de inbraak als een verkrachting. Iemand had het diepste van de ziel van een mens bezoedeld.

Ik voelde me loodzwaar.

Toen werd ik overvallen door woede. Dat iemand het gore lef had! Konden ze een oud mens zelfs na haar dood nog niet met rust laten!

We hadden het allemaal onbeheerd achtergelaten. Karl-Erik

had druk gezet achter de boedelbeschrijving en was erin geslaagd de meeste zaken binnen een week af te wikkelen, dat was vast een record, hij zat alweer bij zijn vriendin in België. Niemand beschermde Ingeborgs woning en wat er van haar bezittingen over was. We hadden het huis willens en wetens aan zijn lot overgelaten. Ingeborgs eigen zoon had zoveel haast gehad dat hij bijna niet had kunnen wachten totdat ze in de grond lag en zelf was ik zo zuinig geweest dat ik niet op het idee gekomen was een paar extra vakantiedagen op te offeren, maar ik was op zondag snel teruggegaan om zeker te weten dat ik als de maandagochtend gloorde, weer paraat zou staan in het zorg- en verplegingsleger.

We hadden Ingeborg en alles waar ze voor stond in de steek gelaten! Zelf zou ze er nooit op die manier vandoor gegaan zijn. Zorgzaam zijn hield ook in dat je nadacht en dat het tijd mocht kosten. Ingeborgs zorg voor huis en haard betrof zowel levende als dode dingen, de dode dingen waren een functie van het zwoegen van de levenden, ze was altijd overal zuinig op geweest, want ze wist wat het kostte. Maar ze had nooit haast gehad, ook al had ze haar hele leven gewerkt. Leven en werken waren voor haar hetzelfde geweest. Om je op de moderne manier als een gek te haasten en dat 'werk' te noemen, was haar volledig vreemd. Waar waren we eigenlijk mee bezig?

En wat hadden we met haar nalatenschap gedaan?

Ik moest erheen!

De gedachte kwam als een grote bevrijdende golf. Mijn vastberadenheid tilde mij uit mijn destructieve gevoelens en ik begreep meteen dat het een juiste ingeving was.

Ja. Ja, ik ging er weer heen.

En ik zou er blijven!

Wat had ik hier? Helemaal niets. De brokstukken van een gezin, die waren beter af zonder mij. Het werd tijd om het helemaal anders aan te pakken. Om bij mezelf te beginnen. Ik wilde het contact met mijn oorsprong niet kwijtraken en ik zou de herinnering aan Ingeborg beschermen.

Het werk. Ik schrok terug. Maar de euforie wilde niet wijken. Het kwam vast in orde, ik was nog nooit een dag in mijn leven werkloos geweest. Dat kwam vast goed, ik wilde er nu niet over nadenken.

Ja. Ik ging erheen. Ik ging erheen VERHUIZEN. Ik had overuren staan, ik kon vakantiedagen opnemen en de rest van de opzegtermijn zou ik vrij nemen.

Ja. Zo zou ik het doen. Ook als ik nee te horen kreeg. Dan moest Monica mij maar voor de rechter slepen. Als ze dat kon zonder het schaamrood op de kaken te krijgen. Ik had er eenentwintig smetteloze jaren in de zorg op zitten.

Als door onzichtbare vleugels gedragen stond ik op uit mijn stoel en verkondigde dat ik de flat niet zou nemen.

Åsa en Jan fleurden op.

Maar nu moest Jan van mij de auto op mijn naam zetten.

Hun mondhoeken zakten naar beneden. 'Ga je in de auto slapen?' vroeg Åsa ademloos.

Ik moest lachen. Voor het eerst in een maand moest ik echt lachen.

En toen ging ik het telefoonnummer van Karl-Erik in België zoeken.

Het was nog licht toen ik aankwam. De hele avond en de halve nacht was ik aan het inpakken geweest en ik had maar een paar uur geslapen op de bank waaraan ik inmiddels een hartgrondige hekel had gekregen. Op de keukentafel lag een lange lijst met punten – een regelrechte actiepuntenlijst – te wachten op Jan als die wakker werd, afhandelen en afvinken. Er moest een heleboel gebeuren als je de naden van een vierentwintigjarig huwelijk wilde lostornen.

Het was nog licht, maar de zon stond laag en zou spoedig achter de bergen verdwijnen. Ik was moe na zes uur achter het stuur, maar toen ik de eerste huizen ontwaarde en het dal in reed zette ik de jengelende autoradio uit en begon zelf luidkeels te zingen.

Het had intussen weer gesneeuwd, maar Niels was zo aardig geweest om de weg en het erf sneeuwvrij te maken en er stond al een vrachtauto voor de deur geparkeerd.

Dat was de slotenmaker, hij had net een nieuw slot gemonteerd, de schroevendraaier snorde, de laatste schroef werd er moeiteloos in gedraaid. De efficiënte jongeman droeg warme werkkleding met overal zakken voor gereedschap.

Ik stelde me voor en liet hem ook, ongevraagd, mijn rijbewijs zien. Hij besloot om me te vertrouwen en gaf me de sleutels.

Het nieuwe slot was aanzienlijk beter dan het vorige, met een borgplaatje en snufjes. Het oude slot had er vooral voor de sier gezeten, constateerde hij. Je hoefde maar een koevoet of zoiets tussen de deur te zetten en te wrikken. Het huis had net zo goed niet op slot kunnen zijn.

Bovendien lag de sleutel altijd boven op de deurpost, dacht ik bij mezelf.

Maar nu was er een nieuw slot geïnstalleerd en in het vervolg hoefde een dief er niet over te peinzen om door de deur naar binnen te komen, zei de jongeman. Maar wie echt wilde kwam er natuurlijk altijd in en zulke mensen waren er ook altijd. Vooral als het om zo'n afgelegen huisje als dit ging. Zei de slotenmaker en hij keek op zijn horloge.

Toen pakte hij zijn gereedschap in en ging weg. Mij achterlatend met zijn bemoedigende inzichten.

Ik was godzijdank niet bang in het donker. De inbraak was kennelijk gepleegd omdat het huis onbewoond was.

En daar wilde ik nou net verandering in aanbrengen.

De rommel was niet zo erg als ik had gevreesd. Weliswaar waren er laatjes uitgetrokken en stonden de deuren van de kleerkast in de slaapkamer wijd open, maar er was niets vernield of stukgeslagen, ik zou alles zo weer op orde hebben.

Het was koud in huis. Karl-Erik had de kachel laag gezet toen hij wegging. Ik liep door het huis en draaide alle radiatoren open.

Ik liep ook de krakende trap op naar de zolder en deed de deur open. Boven waren twee kamertjes, een aan de voor- en een aan de achterkant, met een oningerichte zolder ertussen. Op zolder was niet gestookt en in de kamers ook niet, de ijsbloemen stonden op de ruiten en de plastic bloemen pronkten treurig en verbleekt in hun vaas.

De bedden waren van de muur getrokken en de luiken van de royale bergruimtes langs de zijkanten van de zolder stonden open, maar dat kon Karl-Erik net zo goed hebben gedaan om voor wat ventilatie te zorgen en condensvorming tegen te gaan.

Bibberend deed ik de deur naar de zolder dicht en ging weer terug naar de keuken. Om de een of andere reden voelde de buitentemperatuur binnenshuis veel kouder aan dan die eigenlijk was.

Met mijn jas nog aan maakte ik de kachel aan. Toen ging ik naar buiten met de bedoeling om de auto uit te pakken, maar op het erf bleef ik met een bijna religieus gevoel staan. De hemel was lichtblauw en roze gekleurd en de sneeuw was ook lichtblauw, zowel in de bomen als op de daken van de schuren waar verschillende lagen op elkaar lagen. Dat kon je goed zien op de plaatsen waar het dikke sneeuwdek aan de onderkant van het dak was afgebroken. De schuren waren donkerrood en de stenen van de oude aardappelkelder waren met een dun laagje rijp bedekt. Zou dit echt allemaal van mij worden? En dat voor een bedrag dat ik alleen zou kunnen opbrengen, ook als ik een laagbetaalde loonslaaf bleef? Het was te mooi om waar te zijn.

Tenminste, als de omstandigheden anders waren geweest.

De gedachte aan een baan vervulde mij met enige zorg, maar wederom verjoeg ik de zwarte spoken, komt tijd, komt raad, één ding tegelijk.

Karl-Erik had gelijk gehad. De schuren stonden vol. Ingeborg was niet iemand die gemakkelijk iets wegdeed en toen ze eenmaal oud was, was het natuurlijk ook gemakkelijk geweest om lege blikjes en dergelijke in de schuur te zetten in plaats van ze weg te brengen. De berg glazen potjes die ik al bij een vluchtige blik zag, had ze nooit allemaal met jam kunnen vullen, hoe goed ze ook kon bessenplukken.

Er stond vast ook nog wel jam. Ik zette koers naar de aardappelkelder.

Toen ik de robuuste houten deur opende, sloeg mijn hart een paar slagen extra. Hier was Ingeborg vandaan gekomen op het laatste moment van haar leven; ik wist niet eens of er hier sindsdien nog iemand was geweest.

Op een plankje in de keldergang stond een lantaarn. Er lag een doosje lucifers naast. Ik stak de lantaarn aan en deed de eigenlijke kelderdeur open.

De warmte sloeg me tegemoet als een wollen want tegen de bijtende kou buiten, de kaars flakkerde. Het was vast niet meer dan een paar graden boven nul in de kelder, maar het temperatuurverschil was duidelijk, achter mij zag ik de warmte in dikke wolken naar buiten walmen, alsof de kelder in brand stond. In de kelder rook het naar aarde, er hing eens enigszins bedorven lucht met een zweem van rotte eieren.

Ik hoopte dat de stank niet werd veroorzaakt door een oude dode muis die in een val zat te vergaan. Ik scheen achter de grote bak gevuld met honderden kilo's aardappelen, en onder de planken, maar ik zag geen muizenlijkje en ook geen vallen. Dan lag er zeker ergens een rotte aardappel.

Er stonden potten met vossenbessen en bramen op de planken, de oogst van een heel jaar. En in een apart houten kistje lagen kleine zanderige aardappeltjes, lekker! Als ik verder niet in mijn onderhoud kon voorzien, kon ik altijd aardappelen eten, aardappelen met vossenbessenjam. De aardappelen waar de grote bak vol mee zat, leken me bintjes.

Ik inspecteerde de bovenste laag aardappelen, maar zag er geen rotte bij. Ik wilde niet door de aardappelen roeren met mijn lichte handschoenen, dat moest maar wachten tot een volgende keer. Vroeg of laat zou ik de stinkende aardappel wel vinden.

Voor alle zekerheid scheen ik nog een keer over de vloer. Het schijnsel van de lantaarn was gezellig, maar weinig effectief, ik ging op mijn hurken zitten om het beter te kunnen zien. Ik wist dat het geen zin had om een zaklamp in de kelder te laten staan, het vocht trok de batterijen leeg, die snel kapot roestten en konden gaan lekken.

Ik vond een briefje, een vies papiertje. Niet de moeite van het oprapen waard eigenlijk, maar toch deed ik dat.

Het was een krantenknipsel. Van een bruidspaar. Met hun hoofden een beetje naar elkaar toe gebogen lachte het paar naar de camera.

De foto had iets ouderwets, dat kwam door de kleding. Bovendien was het papier geel. Met zwarte inkt had iemand de namen van de echtelieden onderstreept, het waren Otto Böhm en zijn vrouw Inger, geboren Israelsson en het huwelijk was voltrokken in de Katarinakerk in Stockholm.

Het zou wel een knipsel uit Ingeborgs jeugd zijn. Vermoedelijk kende ze het echtpaar, aangezien ze hun namen had onderstreept.

Daar had ze me nooit wat van verteld, dat ze kennissen had in Stockholm. Zijn er meer geheimen, Ingeborg, die je vergeten bent aan mij te vertellen? Ik glimlachte. Hadden we nog maar kunnen praten! Ik mis je, Ingeborg, ik mis je zo dat het pijn doet, maar hier ben ik dan – dat had niemand van mij kunnen denken, Ingeborg! Jammer dat jij het niet meer te weten komt.

'Praat je nu al hardop in jezelf?'

Het was Niels. Hij stond vlak achter me. Ik had hem niet horen aankomen. Snel stopte ik het krantenknipsel in mijn zak en ik probeerde een vrolijk gezicht te trekken. 'Niels! Wil je me dood hebben, ik hoorde je niet aankomen. Hallo.'

'Hallo, Siv. Was je daar alweer? Er is toch niets bijzonders?'

'Jawel, er is hier toch ingebroken? Leuk je te zien, trouwens.'

'Leuk om jou te zien, Siv! Je bent toch niets kwijt?'

'Nee. Hoezo?'

'Ik dacht dat je over de vloer scheen toen ik binnenkwam?'

'O. Dat was vanwege de aardappelen. Of de muis. Er stinkt hier iets, ruik je dat niet? Een bedorven lucht, net rotte eieren.'

Niels snoof de lucht een paar keer op. Nee, hij rook niets. En als er iets stonk, was het vast een aardappel. Ingeborg had nog nooit muizen in de kelder gehad voor zover hij wist. Daar hoefde ik niet over in te zitten.

Ik lachte gegeneerd, mijn hart klopte nog steeds in mijn keel na zijn geruisloze verschijning. Maar nu was ik alleen maar blij hem te zien. 'Kom, we gaan naar binnen', drong ik aan. 'Een kopje koffie? Daar heb je toch wel tijd voor?'

Het was al pikdonker toen hij wegging. Ik laadde de auto uit. Het werd rommelig binnen, het huis bestond in feite uit twee kamers, een keuken, een badkamer en een hal. De keuken was groot en daar sliep ik vroeger altijd op de bank. Maar nu zou ik in de slaapkamer gaan slapen.

Het was gezellig geweest zo even met Niels samen koffiedrinken. Hij wist alles van de streek en hij had zo zakelijk mogelijk verteld hoe het er op de arbeidsmarkt voor stond. Zonder, naar hij zei, de zaken ongunstiger voor te willen stellen dan ze waren. Hij wilde niets liever dan dat ik hier kwam wonen en mijn plek zou vinden. Het zou vreselijk gezellig zijn om mij als buurvrouw te hebben. Tegelijkertijd wilde hij mij niets voorspiegelen. Het zou moeilijk worden als ik besloot om hier te komen wonen. Hij kende mensen die al vijf, zes jaar een uitkering hadden.

Hoe was dat mogelijk, je kon toch maar maximaal driehonderdzestig dagen een uitkering krijgen? had ik gevraagd.

Niels had geantwoord met een snuiven – hoe dat mogelijk was? Dat kon je je van zoveel dingen afvragen. Maar hij verbaasde zich nergens meer over; de maatschappij liet toe dat mensen systematisch profiteerden van de sociale voorzieningen en een uitkering trokken in plaats van zelf in hun onderhoud te voorzien. Het had mij toch bijvoorbeeld niet kunnen ontgaan hoe gemakkelijk mensen tegenwoordig scheidden. Hij was zelf natuurlijk een van die mensen – en, sorry dat hij het zei, ik ook. Maar hij had de samenleving nooit opgezadeld met het onderhoud van zijn kind. De scheidingen kostten de maatschappij miljarden, alleen omdat de ouders de financiële verantwoordelijkheid niet namen voor hun kinderen!

Lieve Heer, laat ik alsjeblieft nooit een uitkering nodig hebben hier, had ik gedacht. Ik wilde me niet schamen tegenover Niels. Hardop had ik gezegd: 'Je hebt toch vast wel kinderbijslag in ontvangst genomen? Misschien zelfs huursubsidie die je niet had gekregen als je geen kinderen had gehad?'

Hij was meteen teruggekrabbeld. 'Ja, natuurlijk wel', had hij geantwoord. 'Ik ben erg blij dat die financiële ondersteuning er is voor alle gezinnen met kinderen, zo bedoelde ik het niet. Sorry als ik wat heftig was, maar ik kan me zo kwaad maken als ik zie hoe de middelen uit de schatkist misbruikt worden op het ene gebied na het andere en het ellendige is dat de meeste mensen er net zo over denken als ik. En toch verandert er niets.'

Nu had Jan hier moeten zijn, had ik gedacht. Zelf wist ik niet wat ik moest antwoorden. Natuurlijk was de politiek een zaak voor iedereen. Maar het waren toch vooral de mannen die de politieke zaken regelden en bespraken; ze moesten altijd hun mening ventileren en overal gewichtig over doen, zo zag ik dat in ieder geval. Het gesprek begon me bovendien te vervelen, ik had zelf niet zoveel te melden. 'Jammer dat het zo moeilijk schijnt te zijn om hier werk te krijgen', had ik listig gezegd, want ik wist dat hij daar verder op in zou gaan, en inderdaad.

'Sinds de leerindustrie in de jaren zestig op zijn retour ging is het helemaal mis, de mensen trekken weg, winkels sluiten, kleine ondernemers gaan failliet...'

'Stil!' had ik hem onderbroken. 'Ik wil het niet meer horen. Begrepen, Niels?'

We hadden allebei hartelijk gelachen.

'Ja, maar ik wil je alleen maar waarschuwen voor de problemen als je hierheen verhuist', had hij uitgelegd. 'Ik bén hierheen verhuisd', had ik gebruld, terwijl ik lachend met mijn vuist op tafel sloeg.

En daar was hij toch blij om? Dat was hem geraden ook.

'Nou, nou,' had hij gezegd, 'dat zijn geen halve maatregelen. Dat is nog eens goed nieuws! Dus dan komt dit huis niet leeg te staan en het wordt ook geen vakantiehuisje? Nou, maar dat is toch fantastisch! Welkom in het land dat God vergeten is.'

'Pas maar op jij', had ik gedreigd. We hadden beiden plezier in de gekscherende toon waar de ernst vlak onder zat.

We waren al goede vrienden. Het was goed een vriend als Niels te hebben, een man van mijn eigen leeftijd, of beter gezegd iets ouder. Dat een dergelijke relatie aanleiding zou kunnen geven tot roddels kon me niets schelen, dit was een goed begin. Als ik me eenzaam voelde, kon ik altijd bij Niels op bezoek gaan. Marianne woonde immers ook in de buurt. Ze was dan wel wat apart, maar als ze begonnen was met sneeuwscooter rijden, was ze misschien ook wat spraakzamer geworden. Onze weinige gesprekken waren van het eenlettergrepige soort geweest, voor zover ik me herinnerde, misschien zou dat nu anders worden?

Ik haalde Ingeborgs bed af en hing de matras en het beddengoed over het hekje buiten voor de deur. In het portaaltje hing een mattenklopper en in het schijnsel van de buitenlamp klopte ik het allemaal langdurig en goed uit. Er viel hier veel te doen, een boel praktische zaken. Ik vond het niet erg. Ik ging naar het houthok voor meer brandhout. Ingeborg had een paar maanden geleden kant-en-klare houtblokken gekocht, wist ik. Ze had het allemaal zelf in de houtschuur gegooid. 'Dat is goed voor me,' had ze gezegd, 'ik moet in beweging blijven, anders ga ik dood, en ik heb hout nodig. Als je maar hout hebt en een volle kelder en een put waar je zelf je water uit kunt halen, dan red je het altijd.' Ze had toen zo'n probleem gehad met welk elektriciteitsbedrijf ze moest kiezen. Ik had haar niet kunnen helpen, ik begreep er ook niet veel van. Beiden hadden we stroom beschouwd als een soort natuurkracht waar je gewoon gebruik van maakte. Nu moesten we leren dat er verschil was tussen stroom en stroom. Het had Ingeborg gestoord en geërgerd. 'Het is toch ook raar, wat ik ook kies, ik heb toch het idee dat ik bedrogen word', had ze gezegd. En nu was ze dood.

Ik stopte hout in de kachel en haalde het beddengoed binnen. Het was koud en rook fris. Ik maakte het bed op met lakens die ik in de linnenkast vond. Ik zou meteen gaan slapen, ik zou doodop moeten zijn.

Maar ik was klaarwakker.

Ik was niet bang om in Ingeborgs bed te liggen. Het voelde goed, er klonk nog een vergeten, tedere toon door het oude huis. Het was net een Chinees doosje, de renovaties waren in fases uitgevoerd, in het tempo van de toenemende welvaart. De laatste renovatie had Ingeborg voorzien van een douchecabine en een nieuwe boiler. Maar in de jaren vijftig was ook al een verbouwing uitgevoerd en daarvóór in de jaren dertig, toen de twee zolder-kamertjes werden getimmerd. En nog weer eerder had het huisje paneelwerk gekregen, ergens in de jaren twintig. Binnenin zat een heel oud huisje dat in verschillende rondes was verbouwd en uitgebouwd.

Dit huis had sfeer, ik voelde me hier goed, en ik geloofde niet in spoken. Ik zou er trouwens niets op tegen hebben gehad om een spook zoals Ingeborg tegen te komen. Ik moest nu echt gaan slapen.

Ik was blij met Niels. Ik hoorde zijn stem nog in mijn hoofd. Die klank! Hij had een prettige stem. Donker, een tikje geforceerd. Alsof er druk op zat.

Er was vast een fysiologische verklaring voor het bijzondere van zijn stem, iets met de klieren, maar ik ervoer Niels' manier van spreken toch als sensueel. Ik wilde er meer van horen. Het kwam er niet zo op aan wat hij zei, de inhoud van wat zijn stem overbracht was eigenlijk niet zo bijzonder, hij interesseerde zich voor politiek, net als Jan. Ik niet. Hij leek me bovendien nogal rechts. Maar aan de andere kant klopten de oude patronen niet meer, wat was eigenlijk links en rechts? Iets uit de oude doos. Mij maakte het niet uit. Maar de klank, het vibrato in Niels' stem, daar had ik nog lang niet genoeg van. En ik was blij dat ik me al zo snel weer aangetrokken voelde tot een man, ook al was dat gevoel nog maar nauwelijks waarneembaar. Een andere man dan Jan.

Het bed was zacht en comfortabel en de lakens waren koel. Ik lag lekker. Ik zou gaan slapen. Ik zou blij moeten zijn. Eenzame vreugde was echter slechts halve vreugde.

Misschien kwam het door de stilte. De aangename stilte. Het was zo stil dat ik niet kon slapen, ik was gewend aan de stem van de grote stad, verkeersgeluiden en het ruisen van de waterleiding, voetstappen bij de bovenburen en schelle stemmen in het portiek.

Hier werd ik enkel omgeven door stilte.

Alleen. Een prettig soort eenzaamheid. Gescheiden. Nee, juist deel uitmakend van. 'Gescheiden' was een puur juridische term, ik onderscheidde mij er niet door, integendeel. Nu was ik één van de velen en plotseling moest ik denken aan de lijst met dingen die Jan moest doen en de telefoontjes die hij zou plegen.

Het was al na elven, zou dat te laat zijn?

Maar ik stond toch op, sloeg een deken om me heen en liep naar de hal.

Ik ging naar de telefoon zitten kijken. Het was een grijze, een oud model met draaischijf, inmiddels antiek. In het gedempte licht van de gele plafonnière strekte ik toen mijn hand uit en tilde de hoorn op.

Het duurde een eeuwigheid voordat de antieke schijf terugveerde, zodat ik het volgende cijfer kon draaien. En weer een. Het verouderde toestel bood weerstand alsof het zich verbeeldde bij een hogepriesterschap te horen, die mij genadig voetje voor voetje het heilige der heiligen liet naderen. Eindelijk klonk er een min of meer heldere toon die aangaf dat het signaal overgebracht werd, daar in het vochtige en winderige Göteborg, waar mijn ex-echtgenoot woonde, van wie ik nu gescheiden leefde aangezien wij tweeën niet meer één waren.

Het rinkelen klonk niet helder, maar bibberig. Ik kreeg koude voeten. Weer ging de telefoon over. Het was wel heel laat, ja. Nog een signaal. Ja, ik was goed aangekomen en alles was in orde. En nog één. Ik wilde alleen even vragen of je gebeld had om de adreswijziging door te geven, zoals ik je had gevraagd. Ik liet hem net zo lang overgaan tot het tuut-tuut-tuutgeluid begon. Hij werd altijd bij het eerste signaal wakker, dat wist ik heel goed. Bovendien stond er een toestel op zijn nachtkastje.

Hij was er dus niet.

Hij was niet thuis. Ik hing op. Dan moest het nog maar even wachten, ik wilde gewoon even weten of hij naar de afdeling bevolking had gebeld, je moest zoveel regelen als je ging verhuizen.

Pas toen ik weer in bed lag voelde ik de schaamte. Ja, ik bloosde van schaamte. Mijn wangen gloeiden.

Ik zou mezelf belachelijk hebben gemaakt. Wat een geluk dat hij niet had opgenomen. Ik was meteen door de mand gevallen.

Hoezo door de mand gevallen? Dat ik me zo druk maakte om alle papieren in orde te krijgen, dat ik hem zelfs midden in de nacht belde?

Dat ik – contact wilde?

Nee. Het was gewoon stom. Macht der gewoonte. Ik was zo aan hem gewend, dat het nog niet tot me was doorgedrongen dat ik vrij was. Dat ik hem niet meer overal in hoefde te kennen en dat het er niet toe deed wat hij vond.

Ik schaamde me dood! Stel dat hij had opgenomen. En dat zij daar misschien was geweest. En dat hij mij dan met vriendelijke stem had verzekerd dat alle papieren onderweg waren. En dan zou hij hebben opgehangen. En ze zouden ach en wee geroepen hebben over vrouwen van middelbare leeftijd die hun man niet los konden laten, en over mij, dat als ik nou eens wat meer aandacht aan mijn uiterlijk had besteed, dat was zo gemakkelijk, geen koekjes, geen chips en iedere avond een stevige wandeling, hoe moeilijk was dat, maar ik had zeker geen ruggengraat, dat zou het wel zijn, wat sneu nou voor mij, ze wilden echt graag dat ik mezelf zou ontdekken en niet aan hem zou blijven klitten, hij had toch door de jaren heen gedaan wat hij kon om mij belangstelling bij te brengen voor iets anders dan breipatronen en recepten, mocht hij nu alsjeblieft het leven leiden waarnaar hij altijd had verlangd, in het bijzonder sinds hij haar had ontmoet – Ingela – met wie hij eindelijk alles deelde!

De hartkloppingen wilden niet ophouden. Ik lag wakker en staarde in het duister. Het was stikdonker. Het hart is maar een spier. Er was nu geen werk voor, het moest ophouden met zijn mallotige slagen. De slaap stond voor de deur, ik hoefde nog maar even te wachten. Ik had met Niels kennisgemaakt, mijn leven was niet voorbij. Er waren overal mensen, als je er maar voor openstond.

Ik wist niet hoelang ik had geslapen toen ik plotseling wakker werd van een hard geluid. Wat was het? Een knal, net als een geweerschot? Nee, eerder gekraak. Was er iets gevallen?

Ik wachtte. Er was geen geluid meer te horen. Moest ik het er maar bij laten?

Ik was weer klaarwakker. Het was drie uur. Dan had ik twee uur geslapen.

Aarzelend kwam ik overeind. Ik had het me niet verbeeld, iets had een hard geluid gemaakt; ik was er wakker van geworden, terwijl ik toch diep geslapen moest hebben.

Was er sneeuw van het dak gevallen? Ik stond op, liep naar de keuken en keek of ik iets zag op het erf, ik had de buitenlamp aan gelaten.

Na een tijdje zag ik dat verderop in het donker de deur van de schuur opengegaan was. Die stond wagenwijd open, er gaapte een groot, zwart gat achter de deuropening. Het geluid moest veroorzaakt zijn toen de deur tegen de muur aan gewaaid was.

Het was dus gaan waaien?

Maar de takken van de bomen lagen nog steeds vol met sneeuw, en ook al zou er een windvlaag geweest zijn, dan begreep ik nog steeds niet hoe die de deur open had kunnen blazen, want ik wist zeker dat ik de klink erop had gedaan. De grote, zware klink, vermoedelijk langgeleden gesmeed.

De haak kon natuurlijk losgeraakt zijn, het hout van de deurpost was misschien vermolmd, zo moest het gegaan zijn. Toen was de deur min of meer vanzelf opengezwaaid. Zo kon het gegaan zijn.

Ik deed de grote lamp niet aan, maar liep naar de kachel en voelde aan de kookplaat, die nog lauw was.

Misschien moest ik naar buiten om die schuurdeur dicht te doen. Ik kon er iets tegenaan zetten als de haak was losgeraakt.

Ik keek weer naar buiten. De schuur liet nog steeds een gapend zwart gat zien: moet ik zo wijd openstaan?

Maar ik ging niet naar buiten. Ik ging weer naar bed. Er was geen reden om midden in de nacht naar buiten te gaan en me misschien een verkoudheid op de hals te halen.

Het was vijf uur toen ik voor het laatst op de klok keek.

Om zeven uur werd ik wakker met het nieuws. Ik wilde op de stoep staan als het arbeidsbureau om negen uur openging, had ik bedacht.

Moeizaam stond ik op en maakte me klaar. Ik was moe en suf, en mijn gevoelens waren ook versuft. Hier ben ik dan en ik kom werk zoeken. Ik moet werk zien te vinden. Binnen twee maanden moet ik een nieuwe bron van inkomsten hebben, want daarna zit er geen cent meer in mijn portemonnee. Alles wat ik uit de boedel zou krijgen na de scheiding zou in dit huis gaan zitten, had ik uitgerekend, dan pas zouden mijn maandlasten zo laag worden dat ik het me kon veroorloven om hier te wonen.

Ik moest een baan hebben! Ik kwam hier concurreren met alle andere werkzoekenden in deze dunbevolkte gemeente, zouden ze

me haten? Vandaag zou ik erachter komen hoe ertegenaan gekeken werd als iemand binnen de gemeente kwam wonen zonder
eerst zoiets belangrijks te hebben geregeld. Een maand geleden
zou ik mijn eigen gedrag nog sterk afgekeurd hebben en het
onverantwoordelijk hebben gevonden.

Ik stak kaarsen aan bij het ontbijt en zette de radio aan. Na
twee koppen koffie en het lied 'Vergiet geen tranen meer' voelde
ik me wat beter. Neuriënd ruimde ik op en toen ik ten slotte naar
buiten stapte, was het duister overgegaan in ochtendschemering.
De lucht liet hemelse kleurnuances zien en een dun laagje verse
sneeuw had de streek vannacht met zijn komst vereerd. De
wereld was schoon en netjes; het beginnende daglicht schilderde
vloeiende kleuren op het witte paneel. Ik werd er blij van.

Ik liep naar de schuur en keek naar binnen. Niets ongebrui-
kelijks. Ik deed de deur dicht. De haak zat er nog. Dan was ik
zeker toch vergeten de klink erop te doen.

Ik had de auto al gestart en stond de sneeuw eraf te vegen, toen
ik de sporen zag. Toen pas. Ze waren overal, ik had ze eerst in het
schemerduister niet gezien.

Het waren hoefafdrukken en ik kwam er niet uit van welk dier
ze afkomstig waren. Reeën maakten kleinere afdrukken voor
zover ik me herinnerde, en het was een hele poos geleden dat
ik reeënsporen had gezien, in het bos achter de flats. Het kon
absoluut geen eland geweest zijn, elandsporen waren groter.

Ten slotte kwam ik tot de conclusie dat het toch reeënsporen
moesten zijn. Van een eenzame, grote reebok, hoewel ze normaal
in groepen leefden. Hij was om de schuur heen gelopen en hij was
ook bij het woonhuis geweest, hij had zeker honger. Sommige
mensen legden immers eten voor hen neer, dat had Ingeborg
misschien ook wel gedaan, zonder dat ik daarvan wist. Ze had me
niet alles over haar leven verteld, dat wist ik immers.

Toen ik de sporen volgde, zag ik dat de reebok om het hele
huis heen gelopen was. Dat ik hem niet had gehoord! Dat was
trouwens maar goed ook, anders waren hij en ik ons allebei dood

geschrokken als ik naar het raam was gerend en de jaloezieën omhoog had getrokken.

Aan de achterkant, waar mijn slaapkamerraam was, had hij staan trappelen. Een hele poos leek het wel. En daar had hij een keutel achtergelaten.

Of was het pruimtabak? Het leek net of iemand pruimtabak uitgespuwd had. Maar het was natuurlijk reeënpoep en geen pruimtabak.

Wat was ik toch dom. Er zat een mooi nieuw slot op de deur. Ik ging achter het stuur zitten en reed de heuvel af, naar de grote weg. Wat je je toch in je hoofd kon halen. Een ree die pruimtabak uitspuwt. Met grote hoeven. Maar niet zo groot als van een eland.

Dan was het vast de duivel geweest, die had immers ook hoeven. En hij was graag onder de mensen, die hem vaak ook gastvrij ontvingen.

Ik was de eerste klant van het arbeidsbureau, maar vlak na mij slenterde er nog een handjevol bezoekers naar binnen. Het was rustig, er viel weinig te beleven bij de balie en ik hoefde niet zo lang te wachten. De meeste bezoekers bedienden zichzelf door achter een computer of bij een telefoon plaats te nemen. Iemand bladerde door lijsten, er stond een *Banenkrant* in een standaard met dezelfde lay-out als toen ik in mijn jeugd een baan zocht. Je zou niet denken dat dit het laatste bastion was van deze plaats tegen vernedering en misère. Ik wist niet wat ik me had voorgesteld, hordes werkzoekenden op hun blote knieën? Gevechten om de lijsten en de telefoons? Of was de nood het hoogst bij de sociale dienst, haalden de mensen daar hun vingertoppen tot bloedens toe open? Ik wilde het niet weten, daar wilde ik nooit naartoe hoeven. Ik zou nog eerder muurmos bij de vossenbessen en de aardappelen eten.

Nu was ik hier, op het arbeidsbureau, net als in mijn jeugd. En ik had geen carrière gemaakt. Ik zocht weer dezelfde baan als vijfentwintig jaar geleden, een opleiding tot ziekenverzorgster was alles wat ik had en nu was ik te oud om terug te gaan naar de schoolbanken. Dat wilde ik ook niet.

Ik stelde me voor en legde mijn situatie uit. De jonge vrouw vertrok geen spier, met morele oordelen leek zij zich godzijdank niet in te laten. 'Dan ben je nog niet werkloos', zei ze alleen maar. 'Je hebt je aanstelling in Göteborg nog en aangezien je zelf hebt opgezegd, kun je de eerste maand geen uitkering ontvangen, zoals je waarschijnlijk wel weet.'

'Ik ben niet van plan te gaan stempelen,' antwoordde ik, 'ik wil proberen zo gauw mogelijk weer werk te vinden. Wat is er?'

Het bleek dat er niet minder dan dertig vacatures waren in de gemeente, maar bij nadere beschouwing waren de meeste in de bergen. Ik wilde niet pendelen en pistemedewerker leek me niets voor mij, bartender ook niet en zelfs receptioniste niet, want dan moest je vast goed zijn in talen?

Er was plaats voor een bejaardenverzorgster in het bejaardentehuis, maar slechts voor vijfenzeventig procent en dat zou ik me niet kunnen permitteren. Honderdvijftig procent zou prima kunnen, zo'n baan wilde ik wel.

Er kon nog geen glimlachje vanaf. 'Helaas', zei ze alleen maar. 'Dit is alles wat we op dit moment hebben. En een paar banen in het onderwijs, maar dat zal wel niets voor jou zijn.'

Nee, maar ik zou wel jongere kinderen kunnen helpen. Kinderen met een handicap of wat voor moeilijkheden dan ook zou ik kunnen assisteren, er waren immers meer volwassenen nodig op scholen, had ik gelezen.

Nee, zulke banen waren er niet. Ze nam aan dat ik waarschijnlijk doelde op onderwijsassistent, daar had je een opleiding voor nodig, of bedoelde ik persoonlijk assistent? Maar dan moest het om ernstige handicaps gaan en zulke banen waren er nu niet.

Ik bedankte en verliet talmend het vertrek.

Het was veel te snel gegaan. Het was nog maar half tien, ik had gedacht dat ik de hele dag zoet zou zijn met werk zoeken, wat moest ik nu doen? Beteuterd bladerde ik door de *Banenkrant*. In Göteborg waren banen, veel banen. Hier niet.

Maar ik was hier.

Waarom?

Omdat ik op de vlucht was. Ik was halsoverkop vertrokken en ik had Jan gevraagd de deur achter mij te sluiten en het licht uit te doen, want ik had zoveel haast gehad dat ik niet eens fatsoenlijk afscheid had kunnen nemen van mijn collega's door bijvoorbeeld tijdens mijn opzegtermijn te blijven werken.

Wat mij mooi een paar duizendjes extra opgeleverd zou hebben om van te leven, en daarmee had ik misschien nog een paar maanden werkloosheid hier kunnen overbruggen.

En daarna dan?

Moedeloos stond ik op de parkeerplaats. Waar was ik terechtgekomen? Er was geen mens te zien, ook al bevond ik me kennelijk in het centrum, in Grönland. Waar lag het centrum trouwens? Alles lag verspreid in dit als hoofdplaats vermomde boerengehucht, waar de kronkelende loop van de dorpsstraat nog bepaalde waar de bebouwing en de winkelcentra moesten komen. Er was niet echt een centrum, afgezien van het Lisellse Huis dat als een houten kasteel midden in het dorp stond. Ik was echt aangekomen in de plaats die God vergeten was. Of anders was hij er tijdens het scheppen met zijn gedachten niet bij geweest. Koud was het ook.

Ik reed terug naar Ingeborgs huisje, dat wil zeggen tegenwoordig mijn huisje. Toen ik er bijna was, sloeg ik zonder erbij na te denken af naar Marianne. Een schaduw achter het gordijn verkondigde dat ze thuis was.

Er stond een sneeuwscooter op het erf, net wat Niels had gezegd. Die was goed afgedekt met oude kleden. Ze was er zuinig op, Marianne, op haar scooter. Ja, er werd van die sneeuwscooter gehouden; die stond daar zo lekker ingestopt en werd zo goed verzorgd. Die Marianne toch, ze had dus wel gevoelens, ook al waren ze in dit geval gericht op een dood ding, maar dat was juist ook weer veilig. Marianne was waarschijnlijk de meest passieloze mens die ik ooit had ontmoet, kleurloos en afgesloten van haar omgeving. Maar er was altijd een reden waarom mensen zich afsloten, dacht ik en ik klopte aan.

Bij Marianne was alles beige: de betimmering van het huis, de inrichting van de keuken en Marianne zelf ook. Zelfs haar haar was niet echt grijs, er zaten nog blonde strengen doorheen, waardoor het haar al met al een beige indruk maakte.

Ze leek het leuk te vinden dat ik langskwam en na de inleidende plichtplegingen liep het gesprek vlotjes. Ik schaamde me een beetje over alle denigrerende oordelen die ik in gedachten over haar had geveld. Ik vond haar ook op de een of andere manier veranderd, ten goede.

Ik werd openhartig, er was geen reden om geheimzinnig te doen, de mensen kwamen het toch te weten. Ik vertelde dat mijn man een ander had, zodat we nu hadden besloten ieder zijns weegs te gaan en dat het mij toen goed uitkwam om Ingeborgs huis over te nemen. Dat vond Marianne echt een goed idee, zei ze. Zo iemand als ik konden ze hier in de heuvels goed gebruiken.

O ja?

Ze legde niet uit wat ze bedoelde. Maar het was fijn dat het haar wel naar de zin was dat ik hier kwam wonen.

'Maar dan het probleem van een baan', zei ik en ik voelde plotseling hoe fijn het was mijn hart te kunnen luchten. Ik moest echt iets van al mijn zorgen aan iemand anders kwijt kunnen.

Ze luisterde aandachtig en knikte dat ze het begreep. 'Je hebt nog lang te gaan tot aan je pensioen,' zei ze, 'maar er is altijd wel werk rond deze tijd.'

Ze zei dat ze doelde op de leerlooierij, daar begon net de drukste periode en het kon best zijn dat ze mensen nodig hadden, ook als ze niet adverteerden. Er was een kleine kans dat ik er binnen kon komen, aangezien ze altijd veel te doen hadden aan het eind van de winter.

Ik werd wat vrolijker van haar raad. Vragen stond vrij, ik zou het in ieder geval proberen.

Haar vader had daar gewerkt. Ja, nu wist ik het weer, mijn opa en haar vader waren collega's geweest. In de zonnige jaren vijftig was de fabrieksfluit hun maatstokje geweest, ze kwamen altijd tussen de middag op de fiets naar huis om te eten, dan hadden hun vrouwen de maaltijd klaarstaan. In die tijd waren er nog geen vrouwen op de leerlooierij geweest, maar dat zou nu wel anders zijn, dacht Marianne.

In de Jofa-fabriek werkten natuurlijk vrouwen, zei ze toen nadenkend, honderden vrouwen uit Noorwegen en Värmland, je kon ze 's ochtends langs horen komen, lachend en zingend. Niss Oscar had zijn grote stal verbouwd en vulde die met jonge meiden, en ook nog een hele barak, zodat ze voor hem konden komen werken bij Jofa en in bijna iedere boerderij logeerden ze, dicht op elkaar gepakt. Het was een hele drukte op zaterdagavond als de jongens rondfietsten en onder de ramen stonden te fluiten, sommigen kwamen zelfs met de auto om die Noorse meisjes op te halen voor het dansen…

'Maar jij werkte daar niet?' vroeg ik voorzichtig, ook al wist ik het antwoord al.

'Nee, ik heb daar nooit gewerkt', antwoordde Marianne. 'Ik moest mijn moeder thuis helpen,' zei ze, 'met de koeien, melken en zo. Dus toen nam ik thuiswerk aan. Een fabrikant kwam twee keer in de week een lading leren jassen brengen en dan moest ik met de hand de afwerking doen, de armsgaten en de knopen. Dit heb ik eraan overgehouden.' Ze stak haar handen uit.

Haar duimen waren krom van de reumatiek. 'Aan de zware jassen', zei ze. 'En aan de ongemakkelijke werkhouding, daar dacht je in die tijd niet over na, ik zat meestal op een krukje zonder rugleuning. Leer naaien met de hand is zwaar, zeker als je stukloon hebt.'

Ik vroeg hoe oud ze was toen haar moeder was overleden en ze uiteindelijk alleen achterbleef op de boerderij. Ze vertelde dat ze toen zelf al in de zestig was.

Het lag op het puntje van mijn tong om te vragen: had je zelf geen gezin willen stichten? maar ik durfde het niet. Ik zag dat ze nadacht, dat er beelden door haar hoofd gingen. Ze zei niet dat ze verdrietig was geweest toen haar ouders overleden. Ze zei niets. Ze staarde naar de muur achter mij. Ik vroeg me af wat ze zag.

'Ik heb een dochter', zei ik. 'Dat weet je misschien wel? Ze is al drieëntwintig en heeft een verloofde en een baan. Een kind krijgen was het mooiste wat mij is overkomen, jammer dat het er niet meer geworden zijn.'

'O?' zei ze en ze keek me in de ogen. Ik zag aan haar blik dat zij misschien ook wel een kind had. Dat ze het weg had laten halen, of dat het gehandicapt was en in een inrichting terecht was gekomen, er was iets mee. En het zat haar nog hoog, ook al was het zo lang geleden.

Maar ze zei niets en toen liet ik het onderwerp rusten. Ik had medelijden met haar, vroeger was er veel wreedheid die je nu moeilijk kon begrijpen, daar was ik wel achter.

Ik vertelde dat ik 's nachts een ree op bezoek had gehad. De stemming klaarde op. Marianne was verbaasd, ze kon zich niet herinneren wanneer ze hier voor het laatst reeën had gezien. Maar ze vond dat ik blij mocht zijn met zo'n bezoekje. Want het kon ook anders. De oude directeur Mickelsen had 's nachts een minder leuke bezoeker gehad. Dat had ze van de krantenjongen gehoord.

Er was bij de directeur op zolder ingebroken, stel je voor, dus het kon geen bijzonder handige dief geweest zijn, want je weet wel wat mensen in het algemeen op oude zolders bewaren: stoelen met drie poten en kapotte binnenramen. Hij had beter kunnen proberen om in het kantoor in te breken, daar was immers de kluis en daar stonden nog wel een paar aardige antieke voorwerpen.

Maar nu had de dief dus belangstelling gehad voor de zolder. Hij had een ladder tegen de muur gezet en was naar boven geklommen. Het is een hoog huis, hij kan geen hoogtevrees hebben gehad.

Ik vroeg of er iets was gestolen. Dat wist ze niet. Ze wist alleen wat ze van de krantenjongen had gehoord, de politie was er geweest toen hij daar om half zes 's ochtends was aangekomen. De politie uit Mora, ze hadden zeventig kilometer moeten rijden nadat ze de melding gekregen hadden.

De oude Mickelsen zelf zou wel alarm geslagen hebben, peinsde Marianne. Hij was al zo oud, zoiets kon riskant zijn; hij kon wel een hartaanval krijgen.

We waren het er echter over eens dat de oude directeur in goede gezondheid leek te verkeren en we herinnerden ons zijn speech, die glans had gegeven aan Ingeborgs begrafenis. Het was echt jammer dat ze er zelf niet bij geweest was, alleen indirect als het ware; ze had het prachtig gevonden, daar waren we allebei van overtuigd.

Het was vast dezelfde dief die bij Ingeborg had ingebroken, mijmerde ik, een echte klungeldief, van wie niemand begreep waar hij op uit was, in ieder geval had hij niets van zijn gading gevonden in het huis, niet voor zover de politie of ik had gemerkt in ieder geval, en daar mocht je dankbaar voor zijn. Marianne beaamde dat. Inbraken kwamen in golven. Vaak was het een crimineel sujet dat in de omgeving neergestreken was en inbrak in zomerhuisjes en in huizen die tijdelijk leegstonden. Vroeg of laat werd die persoon gepakt. Dat zou met deze dief ook gebeuren.

Marianne had die ochtend appelmuffins gebakken. 'Wat leuk dat je er bent', zei ze weer. 'Neem nog een muffin. Er komt tegenwoordig nog maar zelden iemand langs. De mensen hebben het altijd zo druk en 's avonds kijkt iedereen tv, ja, ik ook. Zelfs de gepensioneerden hebben haast. Maar ik niet,' ging Marianne verder, 'ik kom waarschijnlijk toch wel waar ik moet zijn.'

Haar dubbelzinnige opmerking deed mij denken aan de sneeuwscooter. 'Ben je niet bang als je ermee rijdt?' vroeg ik. 'Je kunt er wel af vallen of zonder benzine komen te staan, wat doe je dan?'

Het nieuwe gespreksonderwerp deed haar ogen tintelen. 'Er

kan niets gebeuren', antwoordde ze. 'Ik heb ski's bij me op de scooter, die zitten vastgesnoerd in een foedraal. Dus ik kan wegkomen als ik pech krijg. Maar ik krijg geen pech. Je moest eens weten wat hij heeft gekost, maar daar schaam ik me niet voor. Ik heb genoeg om van te leven en de scooter is het beste wat me op mijn oude dag is overkomen. Wil je mee, een ritje maken?'

Dat wilde ik absoluut niet, maar ik bedankte haar en zei: 'Een andere keer misschien. Dus Niels heeft je scooterles gegeven?' vroeg ik.

Dat bevestigde ze. En hij had haar de scooter verkocht, een goeie koop, daar mankeerde niets aan.

Maar kennelijk mankeerde ergens anders wel iets aan. Ik probeerde het gesprek bij Niels te houden, maar Marianne ging elegant over op iets anders en liet mij een derde muffin nemen. Ze waren echt verrukkelijk, nog warm, met een partje appel en kaneel.

'Fijn dat Niels ons helpt met sneeuwruimen', probeerde ik weer. 'Heel fijn', antwoordde ze alleen maar. Had ik gemerkt dat het 's ochtends al lichter werd, het ging eindelijk de goede kant op met het jaargetijde, ze was deze lange winter zo beu.

Toen ik wegging had ik spijt van de muffins die ik had gegeten, mijn eigen michelinbandjes lieten zich voelen toen ik in mijn auto stapte en naar huis reed. Ik had geen ruggengraat, ik moest iets doen aan mijn uitdijende lichaam voordat ik uit al mijn kleren scheurde.

Om dit nieuwe voornemen te vieren maakte ik zodra ik thuis was drie dikke boterhammen met kaas klaar. De keukenklok tikte gezellig en ik had er nog niet genoeg aan, maar smeerde ook nog wat crackers en daar deed ik ook beleg op, ik had een 30+- Västerbottenkaas gekocht. Dit had ik echt wel verdiend, zo rot als ik me voelde na het bezoek aan het arbeidsbureau. Ik moest alles op alles zetten om weer op te krabbelen na die nederlaag en nieuwe stappen te ondernemen.

Ik besloot om tot de volgende dag te wachten met een bezoek

aan de leerlooierij. Het kon een slechte indruk maken als ik pas 's middags werk kwam zoeken, ik kon beter 's ochtends verschijnen, dat maakte een frisse en competente indruk.

Ik zat propvol en ik voelde me niet lekker. Alles zat strak. Ik voelde me rusteloos. Het was midden op de dag. Iedereen was op zijn werk of op school, ook de kleine kinderen, alleen de gepensioneerden en overbodigen niet, de vutters, de onbruikbaren, degenen die overgeschoten waren. Daar hoorde ik straks ook bij.

Ik zette de radio aan en maakte mezelf wijs dat ik het gezellig had. Ingeborgs planten rouwden net zoveel om haar als ik, te oordelen naar de blaadjes die ze hadden laten vallen en hun fletse uiterlijk; de temperatuurschommelingen en het hapsnap water geven hadden hun geen goed gedaan. Ik liep rond om ze te verzorgen. Zodra ze er wat beter aan toe waren zou ik ze verpotten. De stekjes stonden nog met hun rijke wortelstelsels in een klein laagje water. Ik schonk er wat bij. Ik zou zo gauw mogelijk potaarde kopen.

Ik wist wat eraan mankeerde. De telefoon stond zwijgend in de hal. Hij beviel me niet. Ik zou een draagbaar toestel met tiptoetsen aanschaffen, zodra ik vond dat ik er het geld voor had.

Ik vroeg me af wat Niels ervan zou vinden als ik bij hem langskwam onder werktijd. Maar hij werkte immers thuis, hij zou het misschien niet erg vinden. Ik was ook nieuwsgierig naar hoe het er bij hem uitzag.

Zijn beide kinderen waren volwassen en al het huis uit en hij was getrouwd met een verstandige, nuchtere vrouw. Als je van iemand in deze gemeente in de mijnstreek kon eisen dat hij zijn werk deed in de geest van de functiebeschrijving, dan wel van hem, ook al hadden ze bij het opstellen ervan de nu ontstane situatie onmogelijk kunnen voorzien.

Hij was niet bang en ook niet erg boos, het was immers al zo lang gaande. Hij was alleen maar ontzettend vastberaden. Er was figuurlijk gesproken een lading mest voor zijn deur gekiept. Dan kon je alleen maar scheppen en uitmesten en je eruit graven totdat je pad weer vrij was. Het was heel simpel, hij kon het niet anders zien.

Hij belde zijn contactpersoon bij de veiligheidsdienst, vlak voordat hij het gemeentehuis zou verlaten. Hij was laat, net als altijd, maar hij dacht er toch aan om dit contact te onderhouden, het zou op een dag van levensbelang kunnen zijn, daar was hij zich terdege van bewust.

Hij beloofde dat hij weer zou bellen zodra hij thuis was en hij beklaagde zich erover dat hij zo dom was dat hij er altijd op vrijdagmiddag pas weer aan dacht dat hij nog langs de slijterij moest gaan. De politieman kende dat, hem verging het net zo. Ze waren het erover eens dat het een rustige week was geweest.

Net wat hij had gedacht. Zijn nummertje liet zien dat er meer dan twintig klanten voor hem waren en zoals hij had gevreesd waren het voor het merendeel onbegrepen inwoners van de gemeente en cholerische betweters en van hem, als lid van de oppositie, eisten ze dat hij alles recht zou zetten en hoeveel immigranten kon deze gemeente eigenlijk opnemen? Er was immers niet eens werk voor hun eigen overtollig geworden arbeiders in de ijzerfabriek? Waar ging het met hun land heen? Kwamen de eigen mensen niet op de eerste plaats? Ja, en wist hij trouwens dat Svante Augustsson – de vader van die tweeling-broers – zwart werkte, terwijl hij steun trok? Een werkloosheids-uitkering, ja, wat dacht zijn partij eigenlijk dat er met de maxi-male termijn zou gebeuren? 'Wacht es even, nu moet ik toch iets weten', riep een nieuw aangekomene.

Hij voelde zich omzwermd als een sportheld, maar niet even populair. Kon hij geen antwoord geven op al hun vragen, wat was dat nou en wat was hij van plan overal aan te doen? Er waren nog steeds tien klanten voor hem. Die mannen hoeven alleen maar een paar kratten zwaar bier, laat ze erdoor! En toen werd hij geacht uit te leggen hoe het zat met een waterwinplaats in de gemeente die iemand die elders woonde nu wettelijk had ver-kocht aan een zomergast. En deze jongeren met hun stapels bier en hun nu eindelijk opgetogen blikken na de sleur van de week, als hij even met hen had kunnen praten en hun misschien de les had kunnen lezen, maar luister eens, dat discussieprogramma gisteren, had hij gezien wat voor onzin ze uitkraamden over de EMU-kwestie, die lafaards, wat vond hij daar nou van? Moest het hele land een provincie in het noorden worden?

Hij kreeg geen kans om met Niklas en Tord te praten, de twee die hij het best kende. Hij weigerde te geloven dat zij iets te maken hadden met de pesterijen op het net; ze hadden immers met elkaar gesproken en samen koffiegedronken waar de pers bij was. De hele provincie had op de voorpagina kunnen aanschou-wen hoe Niklas hem de hand drukte en de tekst onder de foto had verkondigd dat de vrede nu was getekend tussen raadslid Anders Nilsson en de gebroeders Walles.

Ze groetten hem niet, daar waren ze zeker te stoer voor, ze sleepten en zeulden, het waren honderden biertjes, waar haalden ze het geld vandaan?

Eindelijk was hij aan de beurt en met de onbeantwoorde vragen en de half uitgesproken verwijten nog nabeukend op zijn trommelvlies, bestelde hij een fles volle rode wijn en kon toen eindelijk de zaak verlaten.

Het water liep hem al in de mond bij de gedachte aan het lekkere stuk elandvlees dat Maja-Britta had beloofd klaar te zullen maken bij de edele wijn.

Het was vrijdag. Hij was in balans. Niet bang. Tevreden reed hij de parkeerplaats af en reed naar het noorden, naar zijn villa. Nu konden alle zeikerds het weekend vrij nemen en zich gedeisd houden tot maandag, dat was hij in ieder geval zelf wel van plan.

Een vrijdagavond zoals zovele. Ze praatten druk onder het eten. Hij prees haar kookkunst, zij prees zijn wijnkeuze. Hij vertelde van het gedoe bij de slijter en ze besloten daar in het vervolg niet meer op vrijdag heen te gaan, dan maar geen wijn. Hij zou zich niet weer zo laten bestoken als hij eindelijk de deur van zijn kantoor had dichtgetrokken en aan zijn vrije weekend begon.

Ze dronken koffie en zij vertelde een hilarisch voorval van haar werk. Ze lachten. Ze waren gelukkig. Ja, ze waren volmaakt gelukkig zonder erbij na te denken. Zo gelukkig als je bent vóór de catastrofe.

Zo gelukkig als je was. Zo gelukkig als je achteraf beseft dat je was. De problemen waren maar kleine rimpelingen in een prachtige, uitgestrekte zee. Ja, zelfs de problemen maakten deel uit van het geluk. De problemen gaven het gelukkige landschap zijn licht en schaduw, zodat er nog meer diepte in kwam.

Hun zoon Klas belde halverwege *Aktuellt*. Hij belde zomaar, maar hij klonk triest en even later vertelde hij zijn moeder dat hij gezakt was voor zijn laatste tentamen.

Daar praatten ze even over door. Zij vertelde dat ze zelf in 1974 voor haar rijexamen was gezakt, twee keer zelfs. En daar was hij immers voor geslaagd. Voor dit hertentamen zou hij ook slagen, ook al moest hij er dubbel zo hard voor studeren.

Ze bespraken ook nog wat andere zaken en dat akelige tentamen werd minder erg. Ze hingen op.

Even later ging de telefoon weer. 'Dat is vast Klas weer, die ook nog een paar woorden met zijn vader wil wisselen,' zei ze en ze gaf de telefoon aan hem, 'hij is wel heel erg de zoon van zijn vader.'

De stem was zacht en sissend, alsof hij eigenlijk niet gehoord wilde worden, maar hij kon ieder woord uitstekend verstaan.

'We hebben je in het vizier, klootzak. Je dacht dat je veilig was, hè? Je dacht dat je ons kon blijven dwarsbomen. Maar we waarschuwen maar één keer, dat had je inmiddels moeten weten, je ontkomt er niet aan, we hebben je in het vizier en je vrouw ook, je dacht dat je ons eronder kon krijgen, maar nu zullen we jou eronder krijgen!'

Hij was opgestaan uit de leunstoel. Wat was dit voor een ongelooflijk bombastische monoloog?

Hij was bij het raam gaan staan. Proberen jullie me nu weer bang te maken?

Verdomme! Die ellendelingen stonden bij hem in de tuin. Hij zag schaduwen bewegen en in zijn oor zei die rare stem met zijn gemaakte gangsteraccent: 'Mooi! Blijf daar maar staan! Nu ga je eindelijk naar de hel, klootzak!'

Zij keek weer naar *Aktuellt* en had maar vaag opgemerkt dat haar man onder het telefoneren was opgestaan. Het zou warmer worden, het beloofde stormachtig te worden met aan de westkust windstoten met orkaankracht. Wat een taalgebruik hadden die weermensen toch, hoezo 'beloven'? Maar wat was dat voor klap, een glas, sprong er iets in duizend stukjes? De bons op de vloer, die dreunde ervan, ze draaide zich om in haar stoel. Daar lag haar Anders languit op het parket, met zijn mond open en zonder een kik te geven.

Was hij flauwgevallen? Glassplinters, glanzend als kerstboomglitter? Zat daar iets roods op zijn voorhoofd geplakt? Het was rood, het was nat, het was bloed!

Ze schreeuwde en hij reageerde niet, de koude wind joeg door de ingeslagen ruit naar binnen en ze vloog naar hem toe en pakte hem vast en toch antwoordde hij niet, hij bewoog niet, loodzwaar, er kwam bloed uit zijn achterhoofd, een zee van nat bloed.

Hij had al een zee bij elkaar gebloed! Ze kon het niet geloven, niet geloven.

Ze kon het niet.

Kon het onmogelijk. Dit kon niet gebeuren.

Haar niet. Hun niet. Iedereen, maar haar en Anders niet.

Hun niet?

Derde deel

Je zag meteen dat er een man in Esters huis woonde. Na haar overlijden had het een tijdje leeggestaan. Ester had het altijd netjes gehad in en om het huis, maar nu waaide de wind uit een andere hoek en dat zag je ondanks de dikke laag sneeuw.

Het huis was waarschijnlijk in de jaren veertig gebouwd en het had een kelder en een ondergrondse garage. Het erf was flink omgewoeld en het stond vol met diverse voertuigen, verscheidene sneeuwscooters, een laadschop, een tractor, een minibus en een personenauto van een onbekend merk – ik had niet veel verstand van auto's.

Zodra ik mijn portier opende hoorde ik een ritmisch blaffen, dat was waar ook, hij had ook een hond, dat was ik vergeten, ik had alleen nog maar aan de kat gedacht waar Ingeborg over had verteld.

Er hingen gordijnen voor alle ramen, maar voor zover ik kon zien stonden er geen planten.

Niels deed met één hand de voordeur open, nog voordat ik aan had kunnen kloppen. Met de andere hand hield hij de blaffende jachthond vast, terwijl hij tegelijkertijd tegen hem schold en bulderde, maar daar trok de hond zich niets van aan, hij bleef zo hard blaffen dat je er doof van werd.

Ten slotte werd de hond rustig en Niels heette mij welkom, hij had mij vanuit zijn werkkamer boven zien aankomen en was meteen naar beneden gekomen. Nee, ik kwam niet ongelegen, hij wilde toch net pauze nemen, wilde ik koffie?

Dat hoefde ik niet. Ik kwam alleen even langs. Ik liet de hond aan me snuffelen en daarna kreeg ik kennelijk een soort toestemming om door te lopen, zodat ik mijn schoenen uit kon trekken en vrij het huis in kon gaan.

Toen Niels het nog een keer had gevraagd en ik weer nee had gezegd liep hij naar de keuken en ik hoorde meer dan dat ik het zag hoe hij voor zichzelf een mok poederkoffie opwarmde in de magnetron. Ik slenterde langzaam achter hem aan, terwijl ik om me heen keek.

Hier woonde een man. Geen vloerkleden, geen planten, maar een praktisch allegaartje. De hond hield goed in de gaten waar ik heen ging, maar beperkte mijn bewegingsvrijheid niet, aangezien zijn baas mij kennelijk had goedgekeurd.

Ik wierp een blik omhoog langs de steile trap die naar de bovenverdieping leidde. Op een van de traptreden lagen op een krant een paar vettige onderdelen, van een motor misschien, en op een andere tree lag een hele stapel spierwit kopieerpapier met voorgeponste gaatjes. Hoger, waar de trap een bocht maakte, zag ik verscheidene niet afgewassen koffiemokken. Dit was de trap naar Niels' werkkamer, ik vroeg me af hoe het er daarboven uitzag.

De benedenverdieping bestond uit een slaapkamer met een onopgemaakt bed en een stoel waar kleren overheen hingen, alsmede de woonkamer. Deze laatste was ingericht met leren meubels, een boekenkast met een tv en een heleboel boeken. De schilderijen aan de muur stelden berglandschappen voor. In een hoek zat een of andere opgestopte roofvogel hoog op een tak. De kleuren waren vaalbruin en de sfeer in de kamer deed me met een kriebelig gevoel denken aan mijn eigen jeugd. Waarschijnlijk had Niels niet opnieuw behangen toen hij hier kwam wonen. De leren meubels leken nieuw, maar waren ook bruin, en de woonkamer maakte al met al een sombere indruk.

Niels' koffie was in een mum van tijd klaar. De keuken was ook niet opgeknapt, maar had nog dezelfde geel-groene kleurstelling waarvan ik aannam dat die nog uit Esters tijd stamde. Haar had ik eigenlijk nooit gekend. De hond zat me op de hielen, ik voelde zijn snuit in mijn knieholtes. In de keuken was het gezelliger dan in de woonkamer, al had het meer weg van een kantine in een werkplaats dan van een keuken in een woonhuis. Het formica tafelblad was netjes afgenomen, maar er lag geen kleedje op, alleen een slordig geopend pak suiker en een hele stapel kranten. Niels volgde kennelijk de actualiteit. Kale wanden, geen vloerkleden, lege vensterbanken; Niels had niet de behoefte om zijn huis een persoonlijk tintje te geven. Voor het aanrecht stonden de etensbak van de hond en een bak water; aten de hond en de kat uit dezelfde voerbak?

Niels had geen erg gehad in mijn inspectie en leidde me nu rond, met de koffiemok in zijn hand. 'Eenvoudig, maar doelmatig', vatte hij samen en ik was het met hem eens. En klopte het dat hij een kat had? Ingeborg had zoiets gezegd.

Niels lachte en deed de deur naar de keldertrap open. 'Kom maar kijken.'

In de kelder was het rommelig en krap, de meeste ruimte was kennelijk in werkplaats veranderd, welk vermoeden werd bevestigd toen hij de deur naar de eigenlijke garage op een kier zette. Daar stond een grote Mercedes, waarvan de motor in een takel aan het plafond hing, er stonden gasflessen voor het lasapparaat en ook gasflessen die je op je rug kon dragen, gekoppeld aan een soort ademmasker. 'Ben je brandweerman?' vroeg ik.

'In deze contreien moet je van alle markten thuis zijn', antwoordde Niels en hij legde het zuurstofmasker of wat het ook was aan de kant, de rommel werd er niet echt minder door.

'Met de reparaties en wat verkoop voorzie ik in mijn onderhoud', ging hij verder. 'De internethandel doe ik puur voor mijn plezier.'

'O, valt daar niets mee te verdienen?' vroeg ik.

'Niet in de opbouwfase waarin ik nu zit', antwoordde hij. 'Maar ik hoop wel dat ik me binnen een paar jaar helemaal kan toeleggen op dat internetwerk, dat is wat ik wil en daar ga ik voor.'

De ruimte die eigenlijk washok was, stond minstens even vol, maar er bewoog iets in een doos op de grond. De hond wrong zich langs onze benen en snuffelde rond. Een geblaas en een haal met een witte poot deden hem terugdeinzen. We lachten.

De zwart-wit gevlekte kat had vier jongen die blind en hulpeloos lagen te piepen in de doos. Ik zakte op mijn knieën bij die betoverende aanblik, maar waarom liet hij die arme stakkertjes hier in het donker zitten?

Hij antwoordde dat de kat gemakkelijk de kelder in en uit kon door een luikje dat hij had gemaakt en hij had haar immers voor de ratten en de muizen. Hij was eerlijk gezegd niet zo dol op katten.

Wat ging er met de jongen gebeuren?

Die zou hij kwijt moeten zien te raken, hij had een advertentie gezet in het plaatselijke krantje, maar daar had niemand op gereageerd. Wilde ik er soms één?

De vraag overrompelde me. Het klonk alsof mij aangeboden werd om een ervan te redden. Ja, anders gingen ze inderdaad dood.

'Je kunt niet oneindig veel katten hebben', legde hij uit. 'Ik heb er maar één nodig. Nou? Zou een kat niet gezellig zijn, je bent toch bang voor muizen, of niet?'

Hun oogjes zouden gauw opengaan. Over een paar weken kon ik hem krijgen.

En ik zou gezelschap hebben, een wezentje om voor te zorgen en mee te praten. 'Ja, ik geloof dat ik er wel een wil', antwoordde ik. 'Leuk, een kat, over een paar weken dus.'

We lachten naar elkaar en ik stond op. Plotseling wankelde ik en hij pakte mij bij de elleboog. 'Oeps', zei hij.

Heel even keken we elkaar diep in de ogen. Hij hield mij nog steeds stevig bij de elleboog vast. Ik voelde me als gehypnotiseerd. 'Gaat het?' vroeg hij. Ik probeerde me te bevrijden uit zijn blik.

'Lage bloeddruk', antwoordde ik. 'Niets aan de hand.'

We stonden dicht bij elkaar. Hij stond nog net zo, ook al had ik mijn evenwicht hervonden.

'Hoe voel je je?' herhaalde hij. 'Is er iets niet in orde?'

Ik zei dat ik de vraag niet begreep, alles was toch goed? Waarom zou het niet goed zijn?

'Je maakt een gevoelige indruk', antwoordde hij. 'Stoer en tegelijkertijd gevoelig, ik snap je niet echt.'

'Ik heb gewoon een goed ontwikkelde intuïtie', zei ik en ik deed als toevallig een stapje opzij. 'Welke kat ga jij trouwens nemen?'

'Zo, dus jij hebt intuïtie, dat is niet mis', lachte hij zacht. 'Ik hoop dat die niet al te goed ontwikkeld is, want dan ziet het er waarschijnlijk slecht voor me uit. Wat zegt je intuïtie eigenlijk over mij?'

'Die staat nu niet aan', verklaarde ik gevat. Ik voelde hoe zijn onzichtbare armen mij probeerden te vangen, maar het was te vroeg, ik wist nog niet waar ik stond. En mijn intuïtie liet zich inderdaad niet horen. Ik voelde me gehypnotiseerd en ik was me fysiek bewust van zijn aanwezigheid, maar wat wilde dat zeggen?

'Zoek nu maar een kat uit', zei hij sussend. 'Een kroon moet ik ervoor hebben, niet meer en niet minder.'

Ik lachte en slaakte een zucht van verlichting. De geladen sfeer ebde weg en ik nam weer een kijkje bij de jongen.

Ik koos een grijs tijgerkatje met een witte bles, witte pootjes en de volmaaktste zoolkussentjes. Het jong piepte ongerust toen ik het optilde en haar moeder keek me kwaad aan, maar bleef liggen aangezien een paar van de andere jongen waren gaan drinken. Ik zette het poesje weer terug. Het begon ook te drinken. De anderen dronken tevergeefs, maar ze leefden nog. Het was een akelige gedachte.

'Ik haal de andere vandaag weg', zei Niels. 'Dan blijft alleen jouw jong over, dan krijgt het ook meer eten.'

Ik vond het niet prettig om te bedenken dat de andere jongen zouden sterven, ik had een beetje het gevoel dat het mijn schuld was. Het was ietwat immoreel dat ik het schattigste jong had uitgezocht. 'Hoe ga je het doen?' wilde ik weten.

'Ze doodmaken, bedoel je?' vroeg Niels. 'Ik zal proberen ze dood te slaan, tegen een steen of zo, ze zijn het niet waard om er patronen aan op te offeren. Het is waarschijnlijk het best om ze

naderhand voor de zekerheid te verdrinken. Katten zijn ongelooflijk taai, taaier nog dan mensen.'

Ik schrok van deze ongewone opmerking, maar ik wilde geen
verdere informatie over dit bizarre onderwerp en we keerden
terug naar de begane grond. Het kwam vast door Afrika, door
wat hij daar had gezien, oorlog en hongersnood, die wonden
moesten nog helen, hij had liefde nodig en een hartelijke vrouw.
Misschien was ik die vrouw. 'Heb je het boven al op orde?' vroeg
ik.

'Absoluut', antwoordde hij. 'Maar ik heb daar zoveel spullen
en toestanden liggen dat het geen goed idee is om daar nu heen te
gaan. Het is niets persoonlijks. Het is er alleen wat rommelig nu,
alles ligt her en der verspreid, dat werkt voor mij het prettigst, om
alles uit te spreiden, zonder dat ik erover na hoef te denken hoe
het eruitziet.'

'Nou, het hoeft niet', antwoordde ik. Die kleine teleurstelling
slikte ik. Ik had in ieder geval een beeld gekregen van Niels door
hoe hij woonde. Hij was rationeel en ordelijk. Misschien wat koel
en misschien wat geremd, maar zijn fantastische stem en de
fysieke spanning die ik beneden in de kelder had gevoeld, gaven
aan dat die koelte zou kunnen ontdooien.

Als ik het wilde. En als hij het wilde. En als we zover zouden
komen. Peinzend trok ik mijn schoenen aan.

De hond was in de kelder gebleven. Niels riep hem. 'Je hoeft
nog niet weg', zei hij. Maar ik voelde dat hij verder wilde met zijn
werk, dat ik hem hinderde, dat hij eigenlijk alweer op de bovenverdieping zat, waar hij zijn droombaan uitoefende.

Het was donker geworden. De afslag naar mijn huisje kron-
kelde geheimzinnig tussen de met sneeuw bedekte sparren door.
De maan was opgegaan en de schaduwen van de bomen maakten
strepen op de weg. Ik deed de koplampen uit en reed het laatste
stukje bij maanlicht. Ik ben vrij, dacht ik. Ik heb een huis dat straks
helemaal van mij is en ik heb een poes en een kelder vol aardappelen. Vrijheid, je bent het helemaal! Ja, zo was het maar net.

De maan verlichtte mijn bestaan. Ik was eenzaam en sterk. Ik hoefde de koplampen niet eens aan te doen als ik autoreed, ik kon doen wat ik wilde. Zoals de mensen hier dat altijd gedaan hadden, vooral de vrouwen. Eeuwenlang hadden ze zich zo goed en zo kwaad als dat ging door lange winters heen moeten slaan met kinderen en half verhongerd vee, terwijl de mannen na de slacht stad en land afzwierven op zoek naar met zout behandelde vellen, om met dat werk tenminste aan de kost te komen. Ook voor vrouwen was het gewoonte geweest om voordat ze getrouwd waren door diepe bossen te zwerven of door duistere steegjes, alleen om misschien een paar messen of scharnieren of de eigen werkkracht te kunnen verkopen. Daarentegen bijna nooit hun eigen eer en deugd. Hun gevoel van eigenwaarde was absoluut. Dat rondtrekkende leger van werkkrachten hulde zich in zijn eigen taal, die hun beschermende harnas werd. Hoe ver ze ook van huis gingen, vroeg of laat kwamen ze weer thuis en daar wachtte altijd iemand, want ze moesten op het eind weer allemaal bij elkaar komen. Iedereen moest de balans opmaken en op wie niet teruggekomen was werd nog gewacht.

Het was de taal, de lelijke, rauwe en hemels uitdrukkingsvolle en speciale taal, en het was de muziek, die een verlenging van die klanken was in hoorngeschal en gezang en geleidelijk aan ook verfijndere instrumenten. En het was de onsentimentele houding tegenover de overheid, die in deze streek waar wie iets minder arm was voor rijk werd aangezien, even onzichtbaar was als God. De taal zelf stopte bij iets wat zo onvoorstelbaar was als mensen die anders dan met 'je' aangesproken moesten worden. Was dan niet iedereen 'jij' of 'ik'? 'U' was meervoud, zo sprak je God, de Allerhoogste, niet eens aan. Zo vreemd en anders was Hij niet.

Ik was thuisgekomen. Ik reed met mijn auto door het maanlicht, dat mijn enige verlichting was. Ik was de laatste schakel in de rij van vrouwen die tientallen kilometers door bossen zwierven om te worden geconfronteerd met mensen van wie ze niets wisten. Misschien waren ze bang, maar het moest toch maar,

de angst moest worden overwonnen. Ik mocht er niet aan twij-
felen dat ik juist had gehandeld. Mijn eerste leven was afgelopen.
Nu was mijn nieuwe leven begonnen. Ik mocht niet bang zijn, ik
moest gewoon doorzetten. Ik zou werk vinden, ik kon altijd nog
pistemedewerker worden, dat kwam wel in orde. En ik zou iets
van dit nieuwe leven maken. Het was nu afgelopen met het
stompzinnig in mijn eentje voor de tv zitten breien avond aan
avond en, stomme koe die ik was, niet eens op het idee komen dat
hij misschien met iets anders bezig was dan met saaie
onderhandelingen en langdradige vergaderingen. Of met de
bestrijding van het nazisme! Rot toch een heel eind op!

Ik had een heel boerderijtje om mee aan de slag te gaan, ik zou
groente verbouwen en bloemen kweken en ik moest schilderen
en repareren. Wat ik niet kon, zou ik moeten leren; dan duurde
het allemaal maar wat langer. Ik had geen haast. Ik hoefde
nergens heen. Ik was er al. Mijn duffe gedachten en mijn droeve
gevoelens waren naweeën van het onnatuurlijke leven dat ik
hiervoor had geleid.

Dat het zo zou worden! Dat ik alleen verder door het leven zou
gaan.

Dat dit allemaal echt was gebeurd, was niet te bevatten.

Ik was geschokt. Het was allemaal zo snel gegaan.

Ik wilde net gaan slapen toen hij belde. Ik hoorde het pompen en
draaien van de wasmachine op de achtergrond, dus hij was in
ieder geval thuis. Dat wil zeggen in de flat, die nu van hem was.

Hij kwam meteen ter zake en verklaarde dat hij mij miste en
hij vroeg weer of ik hem niet kon vergeven en of we het niet
opnieuw konden proberen, een streep zetten onder het oude en
opnieuw beginnen?

Ik vertelde niet dat ik hem de vorige avond, of liever gezegd
nacht, had geprobeerd te bellen. Ik zei niets. Toen praatte hij
verder. Er was een gevoel van onwerkelijkheid over hem gekomen, hij kon er niet tegen om 's avonds alleen te zitten en daarom

ging hij maar uit, maar daar schoot hij ook niets mee op, het was alsof de kleur overal af was en alles alleen nog maar verschillende grijstinten had.

'Je verveelt je', merkte ik op.

Dat beaamde hij. Ja, hij verveelde zich.

'Je hebt geen fantasie', merkte ik op.

'O nee?' Dat wist hij nog niet. Nou, dan maar geen fantasie. Daar kon hij best zonder, maar hij kon niet zonder mij. We moesten elkaar ontmoeten om het uit te praten; als ik niet wilde komen, kon hij dan misschien naar mij toe komen?

'Geen denken aan. Daar komt niets van in. We hoeven het nergens meer over te hebben, behalve over wat ik op het lijstje had gezet, is dat al klaar?' vroeg ik neutraal.

Hij praatte tegen een muur, hij krabde eraan met zijn handen, ik was onneembaar. Hij kreeg geen poot aan de grond in mijn nieuwe bestaan, ik zou geen duimbreed wijken.

Ik hoorde het verdriet in zijn stem toen we ophingen. Ik had me er niet eens toe verlaagd om Ingela's naam te noemen. Ze was toch wel aanwezig, alles was van haar doortrokken. Hij had zijn handen niet thuisgehouden en die engelachtige juriste tot de zijne gemaakt. Nu mocht hij er de wrange vruchten van smaken. 'Ik bel je nog', zei hij.

'Nee,' zei ik, 'dat wil ik niet. We zijn uitgesproken.'

Het vuur knapperde troostend in de kachel. Morgen ging ik werk zoeken. Het telefoontoestel kroop in elkaar na het wegstervende gesprek, mijn hart wilde breken, hoe konden géén gevoelens zo verschrikkelijk veel pijn doen? Ik liep heen en weer van de ene kamer naar de andere, ik mocht niet huilen, hier werd niet gehuild, hier werd echt geleefd en er waren nog wel meer mannen, ik was immers met de schrik vrijgekomen. Als ik was gebleven, had ik mezelf daarmee veroordeeld tot chronische angst en ongerustheid en levenslange onderdanigheid. Als het nou alleen om haar uiterlijk ging, maar het was ook haar karakter en dat ze kundig was en hoog opgeleid en dat ze zich voor dezelfde dingen interesseerde als hij. Van zijn huilerige tirades aan de telefoon moest ik me niets aantrekken, dat was maar show, daar kon hij mee scoren als we uiteindelijk ook echt juridisch uit elkaar waren. 'Ik wilde het echt niet,' zou hij kunnen zeggen, 'maar er viel niet met haar te praten. Ik geef toe dat ik een misstap heb begaan, maar niemand is volmaakt, ze had er niet zo zwaar aan hoeven tillen.' En Åsa zou het met hem eens zijn.

Zo zou zijn geschiedschrijving worden, waarom zou ik aan dat toneelspel meedoen? Ik liep van de ene kamer naar de andere en bonkte met mijn vuisten tegen de deurposten.

Maar de tranen wonnen het, ze wonnen het van mij en braken door; ik lag een hele poos op bed te trillen en te snikken. Geen gesprekken meer. Ik praatte niet meer met hem. Ik had hem immers boven alles op de wereld liefgehad en bewonderd, hij was de interessantste persoon geweest die ik kende en bovendien mijn echtgenoot. Dat beeld was kapot. Hij kreeg niet de kans om mij weer pijn te doen.

De zachte gloeilamp verlichtte het hekje van de veranda en een stuk van het erf. Ik had veel te veel en veel te laat gegeten 's avonds, troosteten was het geweest en ik had het net zo goed kunnen overslaan; ik voelde me beroerder dan ooit. Ik had gedacht dat ik een geluid hoorde en was voor het raam gaan staan.

Er was natuurlijk niets. Ik probeerde het gevoel van onbehagen van me af te schudden. Ik had het gevoel dat ik vanuit het duister werd gadegeslagen, maar dat was absurd, ik was totaal uit mijn evenwicht.

Juist op dat moment meende ik een lichtje te zien, een zwak, dolend vlammetje dat achter de schuren verdween.

Ik had het vast verkeerd gezien. Ik beeldde het me maar in.

Ja, ik had een te levendige fantasie. Nu ik hier weer was, kwamen alle oude verhalen boven, waarvan ik had gedacht dat ik ze was vergeten, dat was heel normaal.

Het was vast een zogenaamd dwaallicht, dat ook verscheen als er iemand zou overlijden. De dood die nu op de agenda stond was die van de arme katjes bij Niels, God hebbe hun zieltjes, zo was het leven soms: hard en onrechtvaardig. Een andere dood was niet aan de orde, voor zover de spoken niet op mijn huwelijk doelden, maar zo diep dachten ze waarschijnlijk niet na. De dood was nuchter – wreed en hard.

Mijn moeder had verteld van de dwaallichten, dat er dolende vlammetjes waren gezien waar ze niet thuishoorden en dat er kort daarna iemand op die boerderij was overleden. Het kon ook zijn dat er een lichtje ergens ronddoolde waar al iemand was gestorven en dan was er iets aan de hand waardoor de dode geen rust vond en het aardse leven niet kon verlaten.

Dan was er iets niet opgehelderd, waarvoor de dode hulp nodig had van de levenden, voordat hij of zij vrede kon vinden en eindelijk van de eeuwige rust kon genieten.

Als kind had ik een reproductie gezien van een olieverfschilderij van Albin Amelin. Ik zat nu midden in die schildering, die een fabriek voorstelde aan een rivier. De lucht was onrustig, de rook uit de hoge fabrieksschoorsteen vloog als een zwarte wimpel over het schilderij en de scheefstaande fabrieksbeuken, die een schril contrast vormden met de verder landelijke bebouwing, spiegelden zich in het water van de rivier als de schilden van een oeroud vikingschip. Grove dukdalven staken als onheilspellende monsters uit het rivierwater omhoog, waartussen de houten kettingen zich kronkelden en wrongen en het water van de rivier was in beweging, evenals de bomen, de hemel en de hele schildering, er sprak ongedurigheid en onrust uit. Mijn moeder had verteld dat het schilderij de leerlooierij voorstelde waar mijn opa had gewerkt en dat Amelin dat op de oude hangbrug had staan schilderen, toen hij een keer een zomer in de streek vertoefde.

Nu zat ik zelf midden in die afbeelding. Het werd net licht en ik zat opgeprikt en zenuwachtig op een bank bij de receptie, ik wachtte op Jörgen Mickelsen himself, de baas. Hij zou zo klaar zijn. Intussen probeerde ik er nonchalant uit te zien. Verstrooid keek ik in een brochure waarin de producten van het bedrijf werden gepresenteerd, leer voor kleding, leer voor tassen, voor handschoenen, voor portefeuilles en leer in verschillende gradaties van zachtheid en in verschillende kleuren, volgens verschillende methodes geverfd.

In mijn handtas, die helaas van synthetisch materiaal was gemaakt, besefte ik nu, zat mijn hele arbeidsleven, netjes gekopieerd en zelfs gestempeld en van een referentie voorzien. Monica was me graag ter wille, ze mochten bellen wanneer ze wilden, had ze gezegd, die schat.

Wat had ik nu een spijt dat ik alle schepen achter me had verbrand, ik had toch een goede baan gehad in het tehuis, afwisselend en dankbaar werk. En gezellig – we hadden wat afgelachen! Zwaar ook natuurlijk, pies en kwijl en heel veel contact van huid en hart. Maar ik had mijn werk goed gedaan, dat bevestigde Monica. Hoewel er natuurlijk ook geen hok vol kinderen op mij had zitten wachten als ik 's avonds thuiskwam en ik tot rust kon komen en de blutsjes op mijn ziel de kans kregen om te genezen voor de volgende dag, wanneer deze zorgrace zonder nauwkeurig omschreven einddoel opnieuw van stapel ging.

Dit was een fabriek, geen verpleeghuis. Ik wist niet zeker of ik eigenlijk wel een fabrieksbaan wilde. Maar wat had ik te kiezen? Pistemedewerker? Waarom niet meteen jurist? Ha!

Het was een prettig gevoel geweest om mijn auto te parkeren naast een rij andere auto's en rook uit een paar pijpen te zien komen en ook uit de hoge schoorsteen. Het was een grote fabriek, maar naar het aantal auto's te oordelen werkten hier hooguit een man of dertig. De oude fabrieksbeuken maakten nu nog maar een klein deel uit van de grote leerlooierij, waarvan ik de lucht op deze koude ochtend al voordat ik uitstapte kon ruiken.

Die stond hier al toen het dorp er nog niet eens was, dacht ik. Toen hing die lucht er vast ook al. Honderdtien jaar geleden was Grönland een van de kleinere dorpen van de gemeente, er was geen stroom, geen straatverlichting, er waren geen auto's en er was niet eens een echte brug. Er stonden kleine grijze boerderijtjes langs wat nu de straten waren en in de zomer kwamen koeien en geiten met veel lawaai 's ochtends en 's avonds door de hoofdstraat, op weg naar en terug van grazige weiden. Dit dorp dat nu net deed of het een moderne grote plaats was, was jonger dan de fabriek die ik nu binnenging en waarvan ik de eigenaar zo meteen zou ontmoeten. Ik was zenuwachtig.

De jonge receptioniste in haar hokje tikte tegen het glas en glimlachte me vriendelijk toe, hij is nu vrij. Ze gebaarde dat ik een gang door moest lopen en daar aan het eind was het.

Hij stond meteen op van zijn bureau toen ik de al geopende

deur binnenstapte waar ik nog op had geklopt. Hij was lang en mager en waarschijnlijk een jaar of vijftig; hij zag er goed uit en was gekleed in een blazer en een overhemd dat open was aan de hals. Hij glimlachte niet, maar keek bedrukt.

We gaven elkaar een hand en stelden ons voor en hij bood me een stoel aan. 'Ja,' zei hij toen, 'jij komt dus solliciteren.'

Ik hoorde de toon, mijn helderhorendheid sloeg alarm over alle kanalen – hier dreigde gevaar! Ik begreep meteen wat er zou komen en ik greep me vast aan een strohalm die plotseling langsdwarrelde. 'Je vader,' zei ik, 'dat wil zeggen, meneer Mickelsen senior.'

Ik had hem al weten te stoppen, hij luisterde.

'Ik had niet zo lang geleden het genoegen – hoe droevig het ook was – om naar je vader te luisteren. Op de begrafenis van mijn tante. Een zeer gedistingeerde heer, mag ik wel zeggen, en dat voor zijn leeftijd, het is echt opmerkelijk. En ik kan het weten want ik heb vergelijkingsmateriaal; ik heb meer dan twintig jaar met bejaarden gewerkt.'

'Ach, is Ingeborg je tante? Ik bedoel "was". Wat erg dat ze zo plotseling is overleden! Maar… ik wist niet dat ze tantezeggers had.'

'Ik woon al sinds jaar en dag in Göteborg', antwoordde ik.

Hij was al overgegaan van de correct afwijzende naar een meer familiaire gesprekstoon, hij glimlachte zelfs. Ik was van een kartonnen poppetje in de massa een levende persoon geworden, hij luisterde.

'Je vader heeft zulke mooie woorden over tante Ingeborg gesproken op de begrafenis en zijn beeld van haar is ook het mijne. Vandaar dat ik haar huisje heb overgenomen, aangezien haar zoon, mijn neef dus, die mogelijkheid niet had. Ik ben namelijk sinds enige tijd alleenstaand, dus het kwam mij goed uit. Ik heb een dochter in Jönköping; behalve de band met haar heb ik steeds meer het gevoel dat de banden met hier de belangrijkste zijn die ik heb.'

'Ik begrijp het', zei hij aarzelend en hij keek mij peinzend aan. Ik glimlachte en liet hem denken.

De reden dat ik misschien wel erg snel hierheen was verhuisd, was dat er ingebroken was in het huis van tante Ingeborg, dat had ik heel naar gevonden.

'Ja', knikte hij. 'Bij mijn vader is ook ingebroken. Zo durf ik hem straks niet meer alleen te laten wonen in dat grote huis. Het was moeilijk om een vervangster voor Ingeborg te vinden. Ik bedoel – natuurlijk kan niemand haar vervangen! Maar om iemand te vinden die begrijpt waar hij hulp bij nodig heeft, zoveel is dat eigenlijk niet. Toch was het moeilijk, ondanks alle hoge werkloosheidscijfers, maar nu hebben we dan toch iemand gevonden, een vrouw uit Bosnië, en dat gaat heel goed.'

Ik vroeg me stiekem af of ze ook zwart werd betaald. Maar daar had ik niets mee te maken. Hij wipte met zijn stoel en staarde een poosje naar de lucht. 'Je gaat je hier dus permanent vestigen?'

Ik knikte. Ja. Nu alleen nog een baan. Ik had een fulltimebaan nodig. En de bergen trokken mij nou niet meteen. Ik wist dat het hoogseizoen binnenkort zou beginnen hier op de leerlooierij en aangezien mijn opa hier vroeger ook had gewerkt leek het me een goed idee om eerst hierheen te gaan.

Hij knikte. 'Traditie is een goede zaak. Daarom heb ik zelf het bedrijf teruggekocht. Ja, je weet misschien dat mijn vader deze leerlooierij al in 1945 had gekocht. Ik ben opgegroeid in de directeurswoning. Het was de bedoeling dat ik mijn vader zou opvolgen, maar voordat ik examen had gedaan aan de handelsschool ging het bedrijf door verschillende oorzaken failliet. Maar nu ben ik erin geslaagd de fabriek terug te kopen, uit sentimentele overwegingen, dat geef ik gerust toe, want erg lonend is ze niet. We spelen quitte, maar daar houdt het ook mee op. En ik doe hier zeker niet aan liefdadigheid.'

Ik voelde dat het gesprek de verkeerde kant op ging en dat ik niets meer kon doen om er een draai aan te geven. In gedachten zat ik alweer op het arbeidsbureau, ik moest het nog maar eens proberen, een parttimebaan in het verpleeghuis in Lima was beter dan niets, misschien kon ik een zwart schoonmaakbaantje vinden, nu ik me er niet meer druk over hoefde te maken wat Jan er wel van zou vinden.

In gedachten was ik al elders toen hij plotseling uitbarstte: 'Je krijgt de baan! We hebben mensen nodig bij nawerk. Je kunt maandag beginnen.'

Verbluft haalde ik de kopieën van mijn getuigschriften tevoorschijn, maar hij maakte een wegwuivend handgebaar, 'niet nodig, ik vertrouw je'. 'Ik zal de voorman hier roepen, dan kan hij je rondleiden en je laten zien waar je moet klokken en dat soort dingen. Als je hier je persoonsnummer even opschrijft, maken de meisjes alle formaliteiten in orde. Je krijgt natuurlijk een proeftijd en ik kan niets garanderen. Op dit moment is de orderportefeuille goed gevuld, maar dat kan veranderen.'

Ik knikte stom. Ja, dat begreep ik, de orderportefeuille, dat moest ik dan maar voor lief nemen.

Het liefst had ik het uit willen schreeuwen – had ik willen zingen en dansen – maar dat kon hier niet. 'Heel hartelijk bedankt', zei ik en ik stak mijn hand uit, nadat hij in de intercom geroepen had: 'Bertil Kun Je Komen.' 'Welkom bij het bedrijf', zei hij glimlachend en hij drukte mijn hand. 'Ik hoop dat je hier met plezier zult werken.'

De voorman, Bertil, was een donkere, gezette dertiger die energie uitstraalde. Wij maakten kennis en hij trok mij meteen mee door een zijdeur die direct toegang gaf tot de fabriek. 'We zitten te springen om mensen bij nawerk', zei hij. 'Ik roep al een paar weken dat we er iemand bij moeten hebben, dus je komt als geroepen. Ja, ik weet natuurlijk wie je bent, je komt toch uit Göteborg? En nu kom je hier wonen omdat je bent ge… ik bedoel, je hebt een huis gekocht in het bos, het huis van je overleden tante, zeg het maar als het niet klopt.'

Ik was met stomheid geslagen. Telepathie?

Nee, de tamtam. Een systeem dat nog steeds werkte in deze

streken, sociale breedbandtechniek, sneller en selectiever dan internet. De tamtam gaf een paar maal per dag de laatste stand van zaken aan op de driedimensionale sociale kaart, de kleinste beweging werd geregistreerd. Geborgenheid en gevangenschap tegelijk, was ik dan helemaal vergeten hoe het er hier aan toeging?

'Ja, ik ben van plan me hier te vestigen', antwoordde ik koppig. 'Ondanks de inbrekers en eventuele spoken.'

Hij lachte. 'Zo hoort het,' zei hij, 'je moet je niet laten wegjagen. En een dief wordt hier altijd ontmaskerd, vroeg of laat. Ik weiger mijn voordeur op slot te doen, alleen maar omdat er geboefte mee komt met de stroom toeristen.'

Daar ging ik niet op in. Ik had er geen mening over. We waren bij de kleedruimtes gekomen. Ze waren fris en licht, de doucheruimtes waren schoon en de garderobekastjes leken nieuw. 'Deze kun jij nemen', zei hij en hij wees op een leeg kastje.

'De vorige eigenaresse, Hilma Borge, de Noorse, heeft dit nieuw laten bouwen', legde hij uit. 'Voor die tijd stelden de personeelsruimtes niet zoveel voor.'

De kantine was gezellig. Iedereen leek een vaste plaats te hebben. In open vakken onder de tafels werden persoonlijke spulletjes bewaard, kranten, zakken snoep en wedrencoupons. Langs de ene lange kant van het lokaal stonden een fornuis, een koelkast, een vriezer en een magnetron. 'Iedereen neemt zelf zijn eten mee', vertelde mijn toekomstige voorman, Bertil. 'Je kunt hier niets kopen, daar is ons bedrijf te klein voor.'

Hij deed een deur open. 'Hier kom je 's ochtends binnen. Dan klok je daar in, ik zal vandaag nog een kaart voor je in orde maken, dan vergeet ik dat niet. Als je nu meeloopt, zal ik je het ergste het eerst laten zien. Je kunt alles maar beter gezien hebben, dan hoef je daar niet meer over in te zitten, iedereen heeft wel een mening over dit bedrijf, ook al weten ze er niets van, maar ik zal je laten zien hoe het er echt uitziet.'

We liepen naar buiten. Het was dag geworden. Een eindje verder stroomopwaarts kon ik vaag de brug onderscheiden. Er was weinig verkeer. Onze adem dampte, het was koud.

'Dit is het oudste deel van de fabriek', vertelde Bertil en hij wees naar iets wat eruitzag als een zeer solide gebouwde, enorm grote houten schuur. 'Honderdvijftien jaar oud en onovertroffen als opslagruimte voor de huiden, warm in de winter en koel in de zomer, daarbinnen blijven ze jaren goed. Maar nu moet je de zuiveringsinstallatie zien. Als we die niet hadden zou er tot aan de Botnische Golf geen vis meer in de rivier de Dalälv zitten. We verbruiken tweehonderdzestig kubieke meter water per dag.'

Er hing hier een verstikkende stank. Ik probeerde me groot te houden. 'Het ruikt niet zo lekker', informeerde Bertil mij, of misschien was het bedoeld als een soort verontschuldiging.

Hij liet zien hoe het verontreinigde water aan de ene kant de grote zaal werd binnengepompt en vervolgens door verschillende bassins werd geleid, totdat het helder en gezuiverd aan de andere kant naar buiten kon worden gepompt. Hij liet ook zien dat er continu monsters genomen werden, opdat er geen verhoogde concentraties van de gevaarlijke stoffen doorheen zouden slippen.

'En dit blijft er over.' Bertil liet een beklemmende derrie van dierenhaar en prut zien. 'Dit wordt vernietigd. Maar nu gaan we de eigenlijke productie bekijken en jouw toekomstige werkplek.'

Ik was blij dat ik weer buiten stond; tijdens de korte wandeling terug naar de eigenlijke fabriek haalde ik meermalen diep adem. Ik rook de geur van rotte eieren al niet meer, ik was er al aan gewend.

'Eland', verkondigde Bertil laconiek bij de stapels met honderden dierenvellen die we het eerst tegenkwamen.

'Van dit jaar en van vorig jaar.' Hij wees. Het verschil was duidelijk te zien; de huiden van dit jaar zagen er heel wat frisser uit, de pels glansde nog van wilde vitaliteit, terwijl de vellen van vorig jaar er dood en dof bij lagen. 'Zijn die oude echt nog te gebruiken?' vroeg ik voorzichtig. De vleeskant van de verse vellen was nog helderrood van het bloed en wit van het vet, terwijl de oudere huiden een egaal grijze tint hadden aangenomen. 'Geen probleem', antwoordde Bertil. 'Ze zijn allemaal gezouten. Nu moet je eens kijken hoe de haren verwijderd worden.'

De bedrijfsruimtes waren groot, sommige waren ijskoud en maakten een ouderwetse indruk, ze leken niet te worden gebruikt. Hier en daar stonden pallets met huiden, kennelijk gezouten in afwachting van verdere behandeling.

'Hier kalken we de vellen.' Bertil wees naar een grote trommel met een platform eromheen. Het bovenluik was open, de installatie deed in de verte denken aan een wasmachine, een bovenlader. 'Voordat de Noorse het overnam, hadden we hier nogal wat ratten, vanwege de vleesresten en zo, snap je. Er is genoeg te eten', vervolgde Bertil.

'O ja?' Ik huiverde.

'Het grappige van die ratten', ging Bertil doodleuk verder, 'was dat ze kaal werden – over hun hele lichaam! Geen haar meer op hun lijf, dus. Dat kwam door de kalk uit deze vaten. Zo effectief onthaart die. Verder ging het goed met de ratten, ze waren zo vet als biggetjes.'

Ik wilde niet misselijk worden, ik wilde het leuk hebben, ik moest hier immers werken? 'Skinheads, met andere woorden', probeerde ik verschrikt te grappen.

'Ja, precies', lachte Bertil. 'Ze zagen er niet uit. Maar nu hebben we de rattenplaag godzijdank onder controle. Zo leuk was het nu ook weer niet.'

Toen hij de deur naar de volgende afdeling opende, was ik snel over de drempel, ik wilde weg van alle rattenfantasieën, skinheads of niet.

Ik belandde bijna in de armen van een grijzende veertiger. 'Oeps', riep hij en hij staarde Bertil vragend aan. 'Daar heb je de looier zelf', informeerde Bertil mij. 'Hans Scheuer, Siv Dahlin', stelde hij ons snel aan elkaar voor. 'Ze komt op de afdeling nawerk.'

Hans Scheuer gaf me geen hand, maar knikte naar me. Ik

knikte terug alsof ik dat ook een normale manier van kennis-maken vond. 'Met hem heb je niet zoveel te maken, hij houdt zich vooral bezig met het eigenlijke looien, puur chemisch', verklaarde Bertil. 'Ja ja,' protesteerde de looier met een onmis-kenbaar Duits accent, 'maar je vergeet erbij te zeggen dat ik je baas ben.'

'Hij kan geen enkele machine bij nawerk bedienen', fluisterde Bertil luid en hij trok me mee de zaal in. Die looier met zijn kapsones – in welke eeuw leefde hij? – liep met zijn neus in de wind verder de andere kant op.

'Dit is zijn domein, hier vindt het eigenlijke looien plaats', vertelde Bertil en hij wees omhoog naar de reusachtige vaten. Die waren minstens tweemaal zo groot als de grote kalkkuip die ik net had gezien. Twee van de grote vaten draaiden langzaam met een dof geluid rond, terwijl het derde stilstond. Kleine dwergmensjes bevonden zich zowel op de vloer als op een platform aan de bovenkant van de vaten.

'Hier heb je het eindproduct van dit proces, *wetblue*', zei Bertil en hij wees naar grote stapels vellen, allemaal in dezelfde grijs-blauwe tint en allemaal ook meer of minder nat. Een handjevol mannen was bezig met de huiden, ze wrongen het water eruit in machines, ze sorteerden huiden en vellen op grootte en spanden ze op droogrekken. 'Dit is eland en dit is rund', wees Bertil. Ik zag geen verschil en ik begreep ook niet dat hij dat wel zag. 'Wetblue', zei hij. 'Dat is de grondstof. Wat er daarna met de huiden gebeurt hangt helemaal af van wat het eindproduct moet worden. Dit zijn huiden, van rund of van eland dus, er is verschil tussen huiden en vellen. De huiden worden meestal gebruikt voor kleding, voor jassen en jacks, broeken en pakjes. Kleinere vellen – vellen, dus – van bijvoorbeeld geiten, worden gebruikt voor handschoenen en petten, portefeuilles en tassen, alles is te gebruiken. We looien hier alleen geen schoenleer en ook geen meubelleer, je kunt niet alles.'

Ik probeerde me de kuddes runderen voor te stellen die geslacht waren en de reusachtige hoeveelheid elanden die geschoten waren om al deze huiden bij elkaar te brengen. Alsof hij mijn gedachten kon lezen voegde Bertil eraan toe: 'Geen enkel dier schiet zijn hachje erbij in omwille van ons. Echt niet. Waar wij mee werken, dat is eigenlijk puur een afvalproduct, deze huiden en vellen zouden anders weggegooid zijn. Je hebt er toch nog nooit van gehoord dat er op elanden gejaagd zou worden vanwege het leer? En bont, daar werken we hier helemaal niet mee.'

Hij ging me voor een kleinere ruimte in. 'Hier bewaren we de chemicaliën', zei hij.

Er stonden grote jerrycans en vaten in verschillende uitvoeringen met een waarschuwende tekst erop. 'Hier hebben we zwavelzuur,' zei hij en hij wees op enkele jerrycans, 'en dit is mierenzuur.' Er zaten rode plastic bandjes om de plastic verpakking gewikkeld, sommige jerrycans zaten nog ingepakt. 'Hier hebben we zwavelnatrium', legde hij uit en hij wees op een pallet met volle zakken. 'Het is het zuur in combinatie met het zwavelnatrium dat de lucht veroorzaakt, ruik je die? Het ruikt een beetje bedorven, vind je niet? Sommige winkeliers in het dorp klagen, maar ik zeg altijd dat het dan tenminste niet gevaarlijk is. Zolang je de zwavelwaterstof ruikt, die dus in een bepaald stadium van het proces ontstaat, hoef je je geen zorgen te maken. Het is pas een probleem als de concentratie te hoog wordt. Dan ruik je het niet meer. Dan ga je dood.'

'Leuk gespreksonderwerp', antwoordde ik truttig. Hij lachte. 'Er is nog nooit een ongeluk mee gebeurd, je hoeft je totaal geen zorgen te maken. Een tijdje terug is hier zowel mierenzuur als zwavelnatrium verdwenen, maar nu zijn we erachter dat er twee keer afgevinkt moet zijn, zo gaat dat met te veel stuurlui aan boord. Nu kun je zien hoe we de chemicaliën in de vaten pompen. Alles is computergestuurd.'

We gingen een trap op en plotseling bekeken we de hele, grote fabriekshal van boven. Bertil leidde me over een wankele loopbrug naar de grote draaiende trommels. Het lawaai was hierboven harder. De verste trommel stond stil. Hij gebaarde naar mij dat ik mee moest lopen die kant op. 'Hier zijn ze aan het vullen', schreeuwde hij en hij wees naar leidingen en kranen en het toetsenbord van een computer.

Het luik van het reusachtige roestvrije vat stond open. Dat was zo zwaar dat het alleen met behulp van een motor gesloten kon worden, alles was groot en behoorlijk aan de maat in deze fabriek, die zo totaal anders was dan de naaigarenfabriek waar ik zelf in mijn jeugd korte tijd had gewerkt.

Ik keek voorzichtig in de kuip. Hij was half gevuld met huiden, waarvan er diep beneden honderden in een ondefinieerbare vloeistof dreven.

Het was een paar meter tot aan de inhoud van de trommel, even kreeg ik het idee dat de gistende huiden daarbeneden net drijvende menselijke lichamen waren en ik moest denken aan beelden van massagraven uit de Tweede Wereldoorlog. Het licht werd naar beneden toe steeds zwakker gereflecteerd tegen de roestvrije buikige wanden met hier en daar een spant voor de stevigheid, en het blauwgrijze materiaal daarbeneden in de vloeistof leek nog te leven en te bewegen.

Ik zag niet meer scherp, het duizelde me. Ik deed een stap naar achteren en trapte bijna op de tenen van een jongeman die vlak achter mij was komen staan zonder dat ik het had gemerkt. 'O, sorry,' bracht ik uit, 'ik had je niet gezien.'

De man, die ongeveer de helft jonger leek dan ik, wreef met een pijnlijk gezicht over zijn voet en begon te hinken. Bertil lachte. 'Zo kan het wel weer, Bengan. Ik maak geen schaderapport op, wat je ook probeert.'

De jongeman lachte vrolijk en knipoogde naar mij. Zijn blonde haardos stak alle kanten op, ik vergat mijn ellendige gedachten en werd opeens vrolijk – waarom werd ik vrolijk?

'Kom je hier werken?' vroeg hij. Ik knikte. Hij zag mijn vraag. 'Het is hier prima', verzekerde hij. 'Het zijn ongevaarlijke gekken.' Hij knikte naar Bertil, die als reactie zijn vuist balde. 'Soms gaat het hard tegen hard,' ging hij verder, 'maar dat hoort erbij. Ik heb het hier naar mijn zin', verzekerde hij en vervolgens begon hij iets in te tikken op de computer.

Toen we ons weer op de fabrieksvloer bevonden kwam er een heftruck zo hard aanrijden dat we opzij moesten springen. 'Verdomme, Måns!' schreeuwde Bertil. 'Idioot, op een goede dag komen er nog eens ongelukken van, zoals jij rijdt!'

Maar de jonge heftruckchauffeur luisterde niet, of wilde het commentaar op zijn prestaties niet horen. Met zijn pet in zijn nek en een gespierde arm op de deur van de heftruck leek hij niet onder de indruk. Hij remde abrupt en loste een pallet natte vellen, waarna hij keerde en verdween. Ik kon nog net een uitdrukkingsloos gezicht zien en ik zag dat hij van Åsa's leeftijd was, net zoals die jongen, Bengan, die ik net had ontmoet.

Bertil trok me binnensmonds vloekend mee naar de volgende afdeling, waar een rij machines stond en waar mannen en vrouwen bezig waren de verschillende vellen te behandelen. Hij liet me een zijdezachte huid aaien, nog warm na een ronde tussen twee trommels in, waarin de kleuring werd gestabiliseerd met behulp van warmte en druk. 'We werken met levend materiaal, iedere huid is anders.' Bertil gaf uitleg uit en ik probeerde het te volgen. De arbeiders wierpen ongeïnteresseerde blikken op me en gingen door met hun werk.

Ik was vol van alle indrukken en vroeg me af waar we uiteindelijk terecht zouden komen, waar mijn eigen werkplek zou zijn.

Ten slotte gingen we een tamelijk grote zaal binnen. Daar stonden machines van het type dat ik net had gezien, maar ook grote werktafels waar vrouwen omheen stonden die bezig waren met vellen die ze van grote bokken haalden.

Hier was het lichter en warmer dan in de rest van de fabriek. Ik voelde me meteen beter. De vrouwen keken ook vriendelijk naar me, sommigen glimlachten zelfs. Hun handen vlogen als leeuwerikvleugels over de verschillend gekleurde vellen en met scharen en messen haalden ze rap de rafelige randen en de onbruikbare delen van de vellen, die ze vervolgens op pallets legden.

In een grote bak in het midden van de zaal lag een berg resten die deze vrouwen weggesneden hadden. 'Lijkt het je wat?' vroeg Bertil.

'Jawel', antwoordde ik dom. 'Kom ik hier?'

Hij knikte en tilde een handjevol resten uit de bak. 'De meisjes zullen het je wel leren', zei hij. 'Je mag niet te veel wegsnijden, dan verspil je de inkomsten van het bedrijf, dan krijg je met mij te maken.'

'Zo, en dan moet je bang zijn', was het commentaar van een zwaar gepermanente, blonde vrouw. 'Dit is Katarina', stelde Bertil haar voor. 'Ze is de enige hier die geen respect voor mij heeft, ze weet niet beter. Maar ze is wel snel, en ik hoop dat je dat van haar overneemt, maar dat andere niet.'

Ik keek om me heen. Ik had geluk gehad. Het was droog en warm hierbinnen en ook niet zo lawaaiig. Er zoemden en draaiden machines voor afschaven, conditioneren en meten waarin de vellen rondtuimelden, maar het was er ruim en in dit lokaal rook ik voor het eerst de lekkere geur van leer dat helemaal klaar was, de geur die ik in mijn jeugd tijdens bezoeken in de streek had leren koppelen aan geborgenheid en gezelligheid.

De meeste vrouwen waren van mijn leeftijd. Er waren er niet zoveel, zag ik nu, ze waren maar met zijn vieren en er waren er maar twee die de vellen afrandden, de anderen bedienden de machines.

Katarina zag er goed uit, ze was lang en slank, haar lange krullende haar was getoupeerd en losjes opgestoken. Grote oorhangers bungelden aan haar oren alsof ze op weg was naar een nachtclub en haar mond en ogen waren stevig opgemaakt. Bovendien kauwde ze kauwgum alsof haar leven ervan afhing.

Ik ging staan kijken hoe ze werkte. Het leek niet zo moeilijk. 'Je leert het snel', zei ze. 'Kijk, je hoeft er minder af te halen dan je denkt.'

'Weet je iets over het loon?' fluisterde ik.

'Bertil,' schreeuwde ze, 'hebben jullie haar niet verteld wat ze gaat verdienen?'

'O jee', barstte Bertil uit. 'Dat ben ik vergeten, kom mee.'

We gingen naar zijn kantoortje, dat vol lag met mappen en lijsten.

Onderhandelen was niet aan de orde, besefte ik, ondanks de nieuwe tijdgeest, hier golden vaste afspraken en tarieven. Hij noemde een vast maandloon, zonder stukloon of akkoordwerk. Dat zou niet werken, legde hij uit, dat zou oneerlijk uitpakken aangezien het aanbod aan werk zo ongelijk was door het jaar heen.

Ik besefte dat het niet veel zou afwijken van het maandinkomen dat ik in Göteborg had gehad.

Niet slecht. Ik ging er in ieder geval niet op achteruit. Mijn salarisontwikkeling was gelijkmatig en weinig sensationeel geweest, net als de streep op de monitor van iemand die zojuist was overleden. Er zat niet veel leven in de Zweedse collectieve gedachte; die moest levenloos zijn, dat was het hele idee.

Ik was bijzonder dankbaar voor dit werk en ik was niet van plan mijn salaris ter discussie te stellen, niet voor ik onmisbaar was.

Dat kon nog wel even duren.

'Welkom in het oudste beroep van de wereld', grijnsde Bertil toen we afscheid namen. Ik schrok.

'Sorry, ik bedoel natuurlijk het op één na oudste beroep. Bij die groep hoor jij nu. Wat deden Adam en Eva toen ze in de appel hadden gebeten? Precies, ze bedekten zich. En in die tijd deden ze dat met leer, dat ze met hun eigen spuug al kauwend hadden gelooid. Die werkwijze hoef jij nu niet meer toe te passen.'

Dat was Katarina dus aan het doen, dacht ik geamuseerd op weg naar buiten. Daarom kauwde ze zo!

Wat een grap. Ik moest er zelf hard om lachen. Ik had nu al plezier in mijn nieuwe baan.

De jackpot!

Ik had een baan bemachtigd! Was het echt waar, had ik mijn grootste probleem nu al opgelost? Het kon niet waar zijn, het was te mooi, waar moest ik heen met al mijn blijdschap?

Ik trok het portier dicht, draaide de contactsleutel om, zodat de motor begon te pruttelen en toen schreeuwde ik het uit: 'Jaaa!'

Ongedeelde vreugde was halve vreugde, dit wilde ik vieren. Nu geen centen of calorieën tellen.

In de theeschenkerij op de benedenverdieping van het Lisellse Huis verkochten ze heerlijke broodjes garnaal en vers gebak. Ik keek op de klok, het kon nog mooi voordat ze zelf hun middageten gingen klaarmaken.

Zodra ik thuis was belde ik Niels en Marianne en nodigde hen uit voor een geïmproviseerde housewarmingparty en toen dekte ik de keukentafel met een tafelkleed en servetten.

Toen de gasten arriveerden knetterde het vuur in de kachel, lange kaarsen brandden in hun standaards op de gedekte tafel en ik had zelfs nog tijd gevonden om een jurk aan te trekken en nette schoenen – het was feest!

Ze straalden allebei en gingen zitten. 'Wat een verrassing, zulke luxe broodjes', barstte Marianne uit. 'Wat een geluk dat ik nog geen verhuispap had gekookt om mee te nemen voor je. En ook nog taart, van de bakker nog wel. Je pakt het groots aan.'

'Is er iets te vieren?' vroeg Niels. Dat had hij goed gezien.

Ik vertelde dat ik een baan had, het kwam er bijna giechelend uit, ik zou maandag beginnen.

Ze feliciteerden me allebei. 'Dus dan blijf je hier voor vast?' vroeg Niels.

'Dat weet je toch', antwoordde ik. 'Ik ben toch al verhuisd, ik krijg nog het idee dat je het liever niet had, dat je zou willen dat dit huis leeg bleef staan. Zoals jij bromde en zo negatief als je de zaken afschilderde.'

Niels verzekerde me dat dat helemaal niet het geval was. Hij was heel blij voor me. En ook voor zichzelf. Als je goed keek, kon je 's avonds vanuit zijn huis door de bomen heen zien dat hier licht brandde, dat was gezellig.

Marianne wilde details weten over het sollicitatiegesprek. Wat had ik voor indruk van hem gekregen, van Mickelsen jr.?

Ik zei dat mijn opa altijd had beweerd dat Mickelsen senior, die helemaal aan het eind van de oorlog uit Noorwegen was gekomen, niet helemaal zuiver op de graat was. Maar dat wisten ze toch wel?

Ik wist zelf niet zoveel en was nieuwsgierig. Marianne en Niels waren het er niet over eens hoe het eigenlijk zat met Mickelsen en er was ook weinig hardop over gesproken. Ten slotte waren ze het erover eens dat het niet echt gezond voor hem geweest zou zijn als hij aan de andere kant van de grens was gebleven toen het vrede werd. Hij had in het begin hulp gekregen van de toenmalige eigenaar van het Lisellse Huis. Ze waren heel goed bevriend geweest, ze hielden er dezelfde ideeën op na en ze waren wat deftiger dan andere mensen. 'Jij komt toch zelf uit die familie?' merkte Marianne op. 'Zeker', antwoordde Niels. 'Dat zal ik niet ontkennen. Ik ben alleen wat minder deftig. Nog wel.'

Daar moesten we hard om lachen. Over zelfspot gesproken!

Toen schoot me te binnen dat mijn opa een keer had gezegd dat het geld waarmee Mickelsen de leerlooierij had gekocht voortkwam uit in beslag genomen Joodse bezittingen in Noorwegen.

Marianne en Niels keken elkaar aan. Dat waren maar praatjes. Die moest je niet verder rondstrooien. Het was best mogelijk dat hij voor die tijd al rijk was geweest; zijn manier van leven wees er immers ook op dat het een deftig man was die naar deze gemeente gekomen was.

Maar hij was geen goede zakenman en toen het in de leerindustrie achteruitging ten gevolge van buitenlandse import slaagde hij er niet in de boel vlot te trekken. Het faillissement was een zware slag voor de familie Mickelsen, die tegen die tijd bij de notabelen van de gemeenschap was gaan horen.

Ik zei dat zijn zoon me aardig leek en dat hijzelf me ook wel in orde leek en dat het mooi was dat hij op Ingeborgs begrafenis was geweest.

'Hij was een aanhanger van Quisling', zei Marianne. 'Maar hij heeft spijt gekregen, dat weet ik.'

'Ja,' bevestigde Niels, 'hij heeft zelfs in de media uitgehuild, een paar jaar geleden. Hij werd geïnterviewd over zijn houding ten opzichte van de Noorse verzetsbeweging en hij vertelde toen dat hij tijdens de bezetting aan de verkeerde kant had gestaan en nu aan al zijn landgenoten zijn excuses wilde aanbieden voor de eventuele schade die hij had aangericht.'

Marianne keek Niels een hele poos aan en knikte. Dat klopt.

'Maar nu nemen we taart', verbrak ik de gedrukte stemming. 'We zouden het toch vieren! En als ik dan een tonnetje rond word, dan moet dat maar. Jullie hebben er geen idee van wat voor enorme tonnen ik vandaag heb gezien.'

En toen vertelde ik van de rondleiding door de fabriek van die ochtend en ze luisterden allebei geïnteresseerd. Ze konden mijn verhaal zelf aanvullen met anekdotes over de leerlooierij. Mariannes vader had er immers jarenlang gewerkt en Niels vertelde dat hij er in zijn jeugd ook een kort gastoptreden had verzorgd, als eerste onthaarder, bij het kalken dus, maar hij was er snel achter gekomen dat dit onmogelijk het eindstation van zijn leven kon zijn, dus toen had hij een opleiding autotechniek gevolgd en op dat spoor zat hij nog steeds. We zaten druk te praten en te lachen, Niels en Marianne waren vandaag allebei spraakzaam en lieten zich van hun beste kant zien.

Zo was het leven, dacht ik. Zo hoorde het te zijn, ik was op de goede weg.

Niels' zoon was op bezoek geweest, vertelde hij schoorvoetend toen Marianne ernaar vroeg. 'Jij ziet ook alles', merkte hij op. Ja, Mikael was gisteren geweest, maar hij had haast, hij was vanmorgen vroeg weer weggegaan, hij ging nog bij een paar vrienden langs.

'O', zei ik beteuterd. 'Ik had het leuk gevonden om kennis te maken met je zoon.'

'Dat moet een andere keer maar', antwoordde Niels. 'Hij heeft het druk. Hij is jong, hij kan ook veel werk aan.'

Zijn zoon reisde rond om onderhoud te plegen aan computernetwerksystemen. Die informatie wist ik met enige moeite van hem los te krijgen. Niels ging er niet verder op in en ik wist er te weinig van om door te vragen.

Toen ze weggingen en in de hal stonden met hun jas aan, legde Niels ogenschijnlijk achteloos even een arm om mijn schouders. 'En,' vroeg hij, 'wat zegt je intuïtie je nu?'

Ik beantwoordde zijn glimlach en deed net of ik naar mijn innerlijke stem luisterde. 'Nu zegt mijn intuïtie me dat er goede dagen komen.'

'En nachten?'

'Nog betere!'

'Hoe bedoel je? Wat wil je daarmee zeggen?' vroeg hij streng. Ik schaterde het uit en Marianne schoot ook in de lach. 'Je weet heus wel waar ik het over heb, maar ik zeg alleen maar: het gaat nu allemaal de goede kant op!'

'Is dat je laatste woord, is dat alles wat je te zeggen hebt?' vroeg hij nogmaals. Ik knikte.

'Ik wist dat ik op je kon vertrouwen', glimlachte hij. Toen stak hij zijn duim naar me op, voordat hij door de deur verdween.

Ik werd wakker van het wrede spelletje dat mijn onderbewuste met mijn arme uitgehongerde lichaam speelde, met het steeds nijpender gebrek aan lichamelijk contact. Ik had gedroomd dat ik met Niels lag te vrijen! Op klaarlichte dag hadden we bij hem op de bovenverdieping seks gehad, midden tussen de motoren en de computers.

De opwinding maakte snel plaats voor schaamte en ik ging

rechtop zitten. Het was er heet aan toegegaan in mijn droom, die nu snel wegebde. De nacht en de stilte in mijn huis waren daarentegen zwijgzaam en somber.

Zulke warme gevoelens had ik toch niet voor Niels?

Ik vond het toch wel een beetje leuk dat ik niet over Jan had gedroomd. Als ik niet oplette, in mijn slaap dus, kon alles op zijn kop gezet worden.

Zuchtend stond ik op om wat water te drinken, ik had dorst van het garnalenfestijn van de vorige dag.

Toen zag ik het weer bij de schuur. Het lichtje, het dwalende vlammetje!

Wat niets bovennatuurlijks was en geen droom, maar heel goed van een gewone zaklamp afkomstig kon zijn?

Het kon de dief zijn, die naar de plaats van zijn misdaad teruggekeerd was, ook al woonde ik hier inmiddels! Hij was niet bang. Des te meer reden voor mij om dat wel te zijn. In ieder geval was voorzichtigheid geboden.

Trillend deed ik de deur van de keuken naar de hal dicht, zodat het licht niet naar buiten zou sijpelen. Daarna deed ik de lamp in de hal aan en draaide het nummer van de politie dat in de plaatselijke telefoongids stond.

Een vrouw nam op. Ik legde uit dat er waarschijnlijk iemand bezig was in te breken in mijn schuur, in ieder geval bevond zich iemand zonder toestemming op mijn erf. Ze vroeg waar ik woonde en toen ik uitlegde hoe je moest rijden, werd me duidelijk dat mijn telefoontje naar Falun was gegaan. Dat was honderdzestig kilometer hiervandaan en de agente die opnam had er geen idee van hoe het er bij mij in de buurt uitzag, nog minder hoe ze mij meteen zou kunnen helpen. Ze legde ook uit dat de dichtstbijzijnde politiepatrouille zich in Vansbro bevond. Voelde ik me op de een of andere manier bedreigd?

Het politiebureau hier was onbemand. Het was toch ook geen noodgeval waar ik voor belde? Ik verkeerde toch niet direct in gevaar? Niet in die mate dat de dichtstbijzijnde politiepatrouille er zeventig, honderdveertig of tweehonderd kilometer voor hoefde te rijden, toch? Nee, zo erg was het niet. Ik verontschuldigde me voor de storing en hing op.

Toen deed ik de lamp uit en ging terug naar de keuken. Nu zag ik het dwaallichtje niet meer.

Ik zou natuurlijk mijn jas moeten aantrekken en buiten moeten gaan kijken wat het was. Het was twee uur, het was misschien gewoon... Ja, wat?

Ik schaamde me dat ik me zo aanstelde. Ik had te veel Amerikaanse detectives gezien op tv, ik zat vol negatieve verwachtingen. Stel je voor dat het iemand was die te veel had gedronken, die verdwaald was en nu na een overdosis alcohol laveloos in mijn schuur in slaap was gevallen en daar morgen doodgevroren lag! Wat moest ik dan tegen de politie zeggen? Moest ik liegen en ontkennen dat ik hen zelf om twee uur 's nachts had gebeld omdat ik ongerust was? Ze hadden het gesprek bovendien vast opgenomen.

In deze jeneverstreken, waar het alles of niets was met de alcoholconsumptie, had iemand het misschien in zijn hoofd gekregen om die nieuwe uit Göteborg een bezoek te brengen. In beschonken toestand van het ene huis naar het andere zwerven was een even diep gewortelde traditie als nachtvrijen – stel je voor dat het dat was! Zuiplappen waren ongevaarlijk, maar lastig en zeurderig. Ik herinnerde me plotseling meer van zulke incidenten van de bezoekjes die ik als kind aan mijn opa en oma had gebracht.

Twee soorten angst vochten om de heerschappij over mij.

Uiteindelijk ging ik naar buiten. Bang en boos op mezelf. Ik marcheerde zwijgend naar de schuur, rukte de deur open en scheen met mijn zaklamp in het rond. Niets.

Ik scheen ook op de grond. Daar liepen een heleboel sporen, ik was druk bezig geweest, het was niet te zien of er sporen bij waren die er niet thuishoorden.

Toen de ochtend gloorde en ik een paar uur had geslapen,

waren de gebeurtenissen van de nacht omgeven door een onbetrouwbaar waas. Ik weet het allemaal aan mijn eigen verwarde psyche. De scheiding, de verhuizing en nu de nieuwe baan, het was niet zo gek als ik er min of meer van ging hallucineren.

Ik besloot er tegen niemand over te praten. Dan maakte ik een bangige indruk, de vrouw uit de grote stad die niet durfde te slapen in het bos. Ik kon beter mijn mond houden.

Het was zaterdag en er waren aardig wat mensen op de been in het dorpje. Ik koos de supermarkt waar in mijn jeugd de pas geopende Epa had gestaan. Ik verkneukelde me toen ik terugdacht aan die keer dat Jan met me mee was gegaan; we waren toen pasgetrouwd. We hadden een oude mevrouw ontmoet, die nu dood was, en zij had me toevertrouwd dat er een nieuwe bezienswaardigheid was geopend in het dorp, ze was er zelf al geweest, het heette 'Epea'; ze had elke letter afzonderlijk uitgesproken. Jan verstond haar niet en had mij verbaasd gevraagd wat ze eigenlijk had gezegd.

Nu was ook de Epa weg en er was veel veranderd, maar de winkel zelf zag er net zo uit als overal in Zweden. Net als overal in heel Europa, trouwens, straks was het enige verschil nog de wijn en de drank die ontbraken op de schappen. Wanneer dat ook geregeld was, konden ze de rest van de bevolking bij elkaar vegen en bleven er nog minder over dan nu. Vrij verkrijgbare alcohol zou voor veel mensen de dood betekenen en het zou een eenvoudig middel zijn om het probleem van de dun bevolkte gebieden op te lossen, daar was ik van overtuigd.

'Siv, ben jij het?'

Ik draaide me snel om. Ik kende de man niet. Of wel? Hij glimlachte breed naar me, hij leek vriendelijk, maar afgemat. Hij had een droeve blik, maar zijn glimlach was oprecht, dat zag ik wel.

'Ken je me niet meer?' Er klonk een verwijt door in die vraag. Wie was hij? Wanhopig doorzocht ik mijn geheugen. Olle?

Ja. Verdraaid, het was Olle. We begroetten elkaar hartelijk.

Het was immers zo lang geleden. Ja, het was heel lang geleden, dacht ik, dat we op zijn knetterende brommer over de buitenwegen crosten, lang geleden dat we van elkaar hielden zoals je van elkaar houdt als je jong bent: vurig en grenzeloos. Godzijdank was het ook lang geleden dat ik hem had gekwetst en van alles was weggelopen.

Hij leek niet gekwetst, maar doodop. We spraken met geen woord over het verleden.

Ik vertelde snel hoe het kwam dat ik hier was. Hij leek alles al te weten. Ik vertelde van de dood van Ingeborg, van mijn verhuizing en dat ik al werk had op de leerlooierij.

'Daar werkt mijn zoon ook', zei hij. 'We hebben twee jongens, mijn vrouw en ik – misschien ken je haar nog wel, Sylvia, bruin haar, nogal fors? De oudste heeft in Karlstad gewoond, daar zat hij op school, daar had hij zijn vrienden en alles, maar je kent dat wel, hij wilde terug naar huis en zodoende werd het de leerlooierij. Hij heeft ook een vriendin, ze wonen zelfs al samen.'

Met behulp van Olles beschrijving meende ik te weten dat ik zijn zoon had gezien, het moest de vrolijke jongen zijn die ik bij de vaten had ontmoet. 'Dat klopt', zei Olle. 'Daar werkt onze Bengan, in het nathuis.'

Olle zelf was werkloos, hij was tussen wal en schip gevallen. Hij was te jong om met pensioen te gaan, maar al op een leeftijd dat niemand hem nog in dienst wilde nemen. Ja, hij had het ook geprobeerd bij de leerlooierij, maar het personeelsbestand daar was stabiel, zeker aan de mannenkant, je kwam er niet tussen. Ik had geluk gehad.

En contacten, dacht ik beschaamd. Als tante Ingeborg niet voor de oude directeur had gewerkt, was ik er ook niet binnengekomen. 'Hoe kom je de tijd door?' vroeg ik en ik wilde de vraag meteen weer inslikken, maar Olle leek er geen aanstoot aan te nemen. 'Ik heb een computer aangeschaft', antwoordde hij, 'en ermee leren omgaan. Dan gaat de tijd snel. Het is leuk uit te vogelen hoe het werkt, het is niet zo moeilijk als je zou denken, het zit allemaal logisch in elkaar. Soms zit ik de halve nacht te surfen, ik kan overal ter wereld mensen en plaatsen bezoeken, het is eigenlijk ongelooflijk. Ik weet vooral meer van wat er in Zweden gebeurt, je komt overal achter, ja, zelfs dingen die hier in de buurt gebeuren.'

Zijn enthousiaste uitleg deed de oude vonk weer opgloeien in zijn ogen. Ik werd weemoedig en vrolijk tegelijk. Hij had nu een baard, een grijsgestreepte baard. Een buikje had hij ook, net als ik. We gingen bijzonder vriendschappelijk uit elkaar. We waren het erover eens dat we elkaar vast nog wel vaker tegen zouden komen, het was zo'n klein dorp.

Pas bij de kassa zag ik de krantenbulletins, ze hingen met de tekstkant naar binnen. Een bekende gemeentepoliticus uit Bergslagen was doodgeschoten, de verdenking ging uit naar neonazi's.

Die man had eerder een onderscheiding gekregen omdat hij tegen onrecht in opstand durfde te komen, hij was een nationale bekendheid.

Een gevoel van onbehagen bekroop me. Ik betaalde en liep snel naar buiten, ik wilde naar huis.

Het lokale nieuws was net begonnen toen ik de radio aanzette. Het was maar twee uur hiervandaan met de auto. Het was binnen de provinciegrenzen gebeurd. Hij was bekend in heel Zweden vanwege zijn moed en zijn open houding. Hij had de dialoog gezocht, hij had geweldloze oplossingen gezocht, hij had de jeugd op de school van zijn kinderen tot de orde geroepen, hij kende ze immers, ze waren in wezen niet slecht, vond hij, en hij had ze op de koffie gevraagd en zelfgebakken cake aangeboden. Ze hadden elkaar voor de pers een hand gegeven.

De daders waren niet bekend en het verband was er misschien niet, maar de verdenking ging onvermijdelijk in een bepaalde richting.

Hij was in zijn eigen huis neergeschoten, voor de ogen van zijn vrouw.

Bellen. Nee.

Ja, wel bellen. Nee, toch maar niet.

Ik wist niet wat ik voelde. Maakte ik me zorgen over Jan of wilde ik gewoon zijn mening horen over wat er was gebeurd, hij wist er veel meer van dan ik, hij was geïnteresseerd en geëngageerd, hij was belezen en misschien kon hij me geruststellen en uitleggen dat mijn ongerustheid irrationeel was?

Maar wat had ik eigenlijk met die zaak te maken? Mijn gevoel van onbehagen sloeg nergens op. Het was gewoon vergezocht en onwaarschijnlijk. Ik zat immers goed, ik woonde nu ver van de centra van het geweld, want die lagen in de grote steden. Dat dit nu hier gebeurd was, was maar een uitzondering in een heel duidelijke trend – neergeslagen, verkracht en vermoord werd je in steden als Stockholm, Göteborg en Malmö. Hier niet. Hier deden de mensen hun deuren nog steeds niet op slot. Het kwaad van de wereld was hier nog niet doorgedrongen.

Toen het avond werd had ik Jan nog niet gebeld en daar feliciteerde ik mezelf mee. Ik had daarentegen wel een lang gesprek gehad met onze dochter en ze beloofde dat zij en haar Lars bij mij op bezoek zouden komen, als het er niet eerder van zou komen, dan in de vakantie. Ze was nog steeds verontwaardigd over de scheiding, maar ze begon bij te draaien. We konden niet zonder elkaar en ze zei nadrukkelijk dat ze mij niet overal de schuld van gaf. Misschien wist ze inmiddels uit eigen ervaring hoe moeilijk het kon zijn om met iemand samen te leven.

Ik wilde Jan bellen. Dat gaf ik aan mezelf toe. Maar ik vertrouwde mezelf niet. Ik was ten prooi aan mijn eigen onopgehelderde, irrationele behoeften en waarschijnlijk greep ik maatschappelijke problemen en gebeurtenissen aan om met hem te kunnen praten.

Wat wist ik eigenlijk van Jan? Hij had een onbekende kant, die mij volledig vreemd was. Hoelang had hij zijn dubbelleven kunnen leiden als ik hem niet had betrapt? Ik kon niet begrijpen hoe hij door had kunnen gaan met zijn leven met mij, als hij verliefd was op een ander. Zelf zou ik meteen weggegaan zijn!

143

Zij was juriste en slank! De tranen brandden achter mijn oogleden en het broodje dat ik net naar mijn mond wilde brengen werd plotseling ook vet en onappetijtelijk. Ik gooide het in de afvalbak.

De avond was nog jong. Ik trok mijn jas aan en ging naar buiten.

Bij Niels brandde achter alle ramen licht. Ik was nog niet bij de voordeur toen de hond als een bezetene begon te blaffen.

Ik liep door en klopte aan. Niels deed net als de vorige keer de deur met één hand open, terwijl hij met de andere hand de woest blaffende hond vasthield. Hij keek op zijn horloge en glimlachte toen naar me. 'Kom binnen, goed dat je bent gekomen, anders had ik de halve nacht doorgewerkt.'

De hond werd stil op een soort onzichtbaar commando. Hij hield me nog even in de gaten totdat hij het uiteindelijk wel best vond en in zijn mand onder het aanrecht ging liggen.

Ik kreeg een biertje aangeboden, maar bedankte. Niels leek blij me te zien. 'Wil je je katje zien?' vroeg hij.

We gingen naar de kelder. Mijn aanstaande kat had nu haar moeder voor zich alleen. Die keek me met een kille, ondoorgrondelijke blik aan alsof ze me volledig had doorzien.

Hij had zich van de andere ontdaan. Dat was maar beter ook. Ik vroeg niet hoe hij het had gedaan. Het was immers waar wat hij zei, dat mijn katje nu des te meer eten zou krijgen. Over een paar weken was ze van mij. Voorzichtig tilde ik haar op. De oogjes waren halfopen, een dun vlies beschermde het hoornvlies nog. Ze jammerde klaaglijk. Ik legde haar terug. Mijn hart stond wijd open. Het was geweldig, prachtig gewoon.

Dit keer mocht ik zonder probleem mee naar de bovenverdieping. Hij had zeker schoongemaakt sinds de vorige keer.

Zijn werkkamer was licht en keurig opgeruimd. Er hingen reclamefoto's van motoronderdelen en prijslijsten van accessoires aan de muur en naast de computer stonden dikke mappen met bekende logo's op de rug; hier werkte een professionele verkoper in de internethandel met het nieuwste op het gebied van graaf-machines en tractoren. Niet zonder trots deed Niels uit de doeken wat voor een revolutie de automatisering was. Nu kon je grote hoeveelheden gegevens op een heel andere manier sys-tematiseren dan vroeger en je kon plaatjes toevoegen, bestanden koppelen en deelbestanden maken, je kreeg overzicht en je kon sneller reageren, dat wil zeggen een artikel aanbieden. Hij liet me een scanner zien, hij scande foto's en ook tekst in, je moest snel zijn, anders verloor je het van de concurrentie.

De sfeer tussen ons was goed. Ik voelde geen verboden vibra-ties en ons gesprek had geen verontrustende dubbele bodem, ik zat hier gewoon gezellig.

Toen we voor de tv zaten verkenden we elkaars privéleven nog wat verder. Ik vertelde over Jan, over mijn huwelijk en over de scheiding. Ik vertelde ook van de pijn, het gevoel dat ik een amputatie had ondergaan, ook al had hij mij gekwetst. Ik gaf ook toe hoe vernederd ik me had gevoeld dat ik overtroefd was door Ingela Katz, zo'n glamourjuriste.

Was ze Jodin? wilde hij weten. 'Ja, dat kon toch met zo'n achternaam?' verduidelijkte hij.

Daar had ik feitelijk geen idee van.

Haatte ik haar?

Dat kon je rustig stellen. Of liever gezegd: haat was niet het gevoel dat ze bij me opwekte. Eigenlijk kende ik haar niet, het grote probleem zat bij Jan. Maar waarom was hijzelf gescheiden?

In hun geval was er geen sprake geweest van ontrouw, niet dat hij wist in ieder geval. Ze waren alleen steeds verder uit elkaar gegroeid, totdat ze uiteindelijk ieder aan een kant van een af-grond naar elkaar hadden staan schreeuwen. Het kon zo niet langer. Ze hadden totaal verschillende opvattingen over allerlei dingen. Hij had op zich met het huwelijk door kunnen gaan, maar zij had de zaken op de spits gedreven en toen hoefde het voor hem ook niet meer. Hun zoon kon ze hem niet afnemen, die was op zijn hand. Ze hadden dagelijks contact via internet.

Ik vroeg me stiekem af waar ze het zo over oneens geweest waren, maar aangezien hij er zelf niet verder op inging, vroeg ik er niet naar. Ik wilde niet nieuwsgierig overkomen, ook al was ik dat nou juist wel.

De avond eindigde met gegiechel toen hij mij op zijn sneeuw-scooter thuisbracht en hij voor mijn deur een zoen op zijn wang kreeg als dank. We waren goede vrienden. Misschien zou het nooit méér worden. We konden het beter kalm aan doen. Maar hij was er en hij scheen geen partner te hebben, er was niets wat daarop wees. Hij werkte waarschijnlijk zoveel dat er geen tijd geweest was om er eentje op te duikelen. Of misschien waren vrouwen voor hem niet zo belangrijk.

Ik was opgetogen door het ritje op de sneeuwscooter, het eerste van mijn leven. Ik voelde me een beetje licht in mijn hoofd. Fluitend haalde ik de sleutel uit mijn zak en draaide het nieuwe slot van mijn nieuwe huis open.

Na twee weken werken in de leerlooierij besefte ik hoe weinig het had gescheeld of ik was erin verzopen. Alles om mij heen was in beweging geweest, ik had nergens benul van gehad en mijn zenuwen hadden aan me gevreten zonder dat ik het echt had beseft.

Nu had ik weer vaste grond onder de voeten. De wet van de zwaartekracht werkte weer naar behoren, de dingen vielen op hun plaats en ik kon 's nachts goed slapen. Er was geen dwaallicht meer verschenen en dat zou ik trouwens ook niet merken, aangezien ik om tien uur al helemaal van de wereld was, zoals dat tegenwoordig heette. Dan was ik in diepe rust na weer een dag van eerlijk en redelijk vermoeiend lichamelijk werk.

Ik prees mezelf gelukkig dat ik op nawerk was beland, waar het droog en warm was. Soms liep ik wel eens over de kalkafdeling en het nathuis van de fabriek waar de vaten stonden en waar met wetblue werd gewerkt, de natte vellen. Dat was een mannenwereld; in dit geval was ik blij met het gebrek aan gelijkheid tussen de seksen. Vochtig en koud, dat was niets voor mij. Ik praatte nu vaak met Bengan, de zoon van Olle. Hij had een opgewekte natuur en was een vlotte prater en ook herkende ik de Olle van vroeger onder die blonde haardos. Olle was gevoelig en kwetsbaar geweest, daar had ik toen waarschijnlijk niet mee om kunnen gaan. Zijn zoon was vast ook gevoelig, maar hij was vooral snel van begrip en moest altijd het laatste woord hebben, maar dat vergaf iedereen hem omdat hij zo aardig was. De eetpauzes waren je reinste vermaak, waar het ontleedmes werd gezet in actuele gebeurtenissen en persoonlijke tekortkomingen, scherp maar goedmoedig.

Katarina was ook scherp, wij waren maatjes geworden. Katarina was mijn verbinding met de omgeving, ze wist alles van iedereen en ze velde categorische oordelen over deze en gene, terwijl de stapel snijresten tussen ons groeide.

Mijn beeld van de streek bleek enigszins geromantiseerd. De oude cultuur die ik me herinnerde bestond nauwelijks meer. Als Katarina vertelde wie van wie gescheiden was, met een ander getrouwd, weer was gescheiden en welke kinderen allemaal tussen de brokstukken van de diverse vergane liefdes waren blijven zitten, dan moest ik wel lachen, hoe triest het onderwerp ook was. In dit dunbevolkte gebied leidden de mensen een drukker en afwisselender leven dan de filmsterren in Hollywood, maar dan zonder het economische potentieel van die laatsten. Dat hield in dat veel mensen er nu financieel belabberd voor stonden en het eindresultaat was een verward volk dat nog droomde van de eeuwige liefde, terwijl het inmiddels eigen kinderen en stiefkinderen had en zonder geld zat, maar wel met het probleem wie nu wanneer wie waarheen zou brengen. En waarom? Ze wilde heus niemand veroordelen, ze was zelf gescheiden en had twee halfvolwassen kinderen en ik was immers ook gescheiden, dus we konden elkaar allemaal een hand geven. Maar wat was er fout gegaan?

Daar konden we het hele dagen over hebben en die vlogen dan ook voorbij. Als ik thuiskwam was ik zo moe dat de dagelijkse klusjes alleen maar etappes waren op weg naar het tijdstip van de avond waar ik naar verlangde: bedtijd.

In het begin kreeg ik zere vingers en kloven in mijn handen van de vellen; ze hadden stugge randen en de grote huiden waren zwaar en moeilijk te hanteren. Maar het wende snel, na een tijdje ging het werk op routine en het werd nooit echt saai, omdat het vellen van verschillende dieren waren die op verschillende manieren waren behandeld en geverfd. Ik leerde iedere dag wel iets over de vellen en ik vond de geur prettig. Die geur van verse, pas gelooide vellen. En die speciale glans. Het zijdezachte suèdegevoel aan de vleeskant, en de kleuren, vooral de rode kleur. Ik fantaseerde erover om ooit nog eens een jurk te naaien van dit dieprode, glanzende leer. Katarina kon leer naaien, ze had er een opleiding voor gevolgd. Als het zover was, zou ze me helpen. Over een paar jaar zou ik zo'n echt mooie leren jurk voor mezelf naaien, als ik geld had.

Ik leerde ook Måns een beetje kennen, ook al was hij niet bepaald een vlotte prater. Meestal zat hij achter het stuur van zijn heftruck, hij reed een paar keer per dag pallets met huiden en vellen naar onze tafel. Als er een wedstrijd had bestaan in wie de meeste pruimtabak onder zijn lip kon stoppen, dan had hij die met glans gewonnen. Misschien zei hij daarom zo weinig; hij was vast bang dat hij wat van dat kostelijke goedje kwijt zou raken.

Er heerste een soort rivaliteit tussen Måns en Bengan en het ging er soms nogal luidruchtig aan toe in onze pauzes, maar dan kwam er altijd een van de oudere arbeiders tussenbeide en gebood een wapenstilstand; ze wilden rustig kunnen eten. De discussies waren hetzelfde als op alle werkplekken die ik kende, het ging over sport, tv-programma's en problemen met buitenlanders. Het onderwerp buitenlanders kon tot pijnlijke situaties leiden. Johan, die verantwoordelijk was voor het drogen van de vellen, wat secuur werk was, was namelijk getrouwd met een Puertoricaanse. Dan voerde Måns altijd aan dat hij natuurlijk niet doelde op de mensen die zich aanpasten en geen misbruik maakten van de voorzieningen. Waarop Bengan vroeg of allochtonen niet ziek mochten zijn, kind, oud of gehandicapt. Moesten we alleen hoogproductieve mensen toelaten, wat was dat voor mensbeeld? 'Ze willen alleen maar overal van meeprofiteren', antwoordde Måns en toen steeg het volume zo dat een oudgediende weer met de vuist op tafel sloeg en vroeg of het nu echt nog geen vijf minuten rustig kon zijn na het eten.

'Het is net als in Zuid-Afrika', herinnerde ik me dat Jan altijd zei. 'De mensen die onderaan stonden, namen de eerste plaats in op de lijst van discussie- en gespreksonderwerpen; er was geen blanke die geen mening had over de zwarten als groep. Zelden als individuen. Zo is het hier nu ook', had Jan gezegd. 'Bandieten en rovers vind je in alle sociale groepen, in alle landen en culturen, maar die culturen zouden ten onder gegaan zijn als er geen normen en waarden waren geweest. De mens is rationeel. En het is rationeel om ervoor te zorgen dat het de groep goed gaat. Geweld en criminaliteit zijn maar voor een enkeling gunstig.'

Ik vond zijn idealisme geweldig, ook al las ik zelf niet en miste ik de energie, of wat het ook was, om me er zelf in te verdiepen. Zijn humanisme en zijn vermogen om over bittere afgunst heen te kijken hadden mijn wereldbeeld stabiel gemaakt en ik trok me van de dwaze uitvallen van Måns niets aan. Ik vond dat hij degenen van wie hij vond dat ze zich schuldig maakten aan uitkeringsfraude maar moest aangeven. 'Ja, geef ze aan, als je durft', provoceerde Bengan. 'En al die asielzoekers die het zo goed hebben, laten we ze hier op de koffie nodigen om eens van hen te horen of ze inderdaad vijfentwintigduizend in de maand krijgen van de sociale dienst, zoals jij zegt, plus een gratis sneeuwscooter. Trouwens, we hebben zelf een baas die asielzoeker is, in ieder geval zijn vader.'

'Dat telt niet', antwoordde Måns. 'We hebben meer gemeen met Noren dan met Stockholmers, en er wordt heel wat over de grens getrouwd. Hij mocht hier best komen en hij heeft immers voor werkgelegenheid gezorgd.'

'Dat had iedereen gekund die geld had', ging Bengan verder. 'En je hebt gezien hoe het ging toen de tijden slechter werden. Het is nogal gemakkelijk om de grote baas uit te hangen zolang je de wind in de zeilen hebt. Waarom vluchtte hij pas toen de afloop van de oorlog vaststond? Je weet wat ze zeggen.'

Daar antwoordde Måns niet op. Hij had zijn baan op even ondoorgrondelijke wijze gekregen als ik en het was duidelijk dat hij veel dankbaarheid verschuldigd was aan Mickelsen junior of senior.

En ik kreeg Mimsan!

Nu werd het moeilijk om naar het werk te gaan. Ik vond het zo zielig voor haar, de hele dag alleen thuis. Maar als ik 's middags de deur opendeed rekte ze zich uit en maakte zich zo lang als een hermelijn. Ze had de hele dag geslapen en had nog net tijd gehad op de bak te gaan en wat kattenvoer te eten. 's Avonds was ze des te gezelliger, dan kwam het dak naar beneden en lagen de vloerkleden als worsten opgerold.

Ik was niet meer alleen. Het ging steeds beter met me. Mimsan lag bij me in bed. Het laatste wat ik hoorde voordat ik in slaap viel, was haar lieflijke gesnor, ze spinde zo dat de trillingen door het dekbed heen te voelen waren. Soms werd ik midden in de nacht wakker en voelde het lichte gewicht van haar lichaam. Voorzichtig draaide ik me om en ze pareerde mijn bewegingen met tegenzin, om vervolgens zelf weer verder te slapen. Ze rustte en genoot van het bestaan en ze sliep kennelijk twintig uur per dag. Ze was een voorbeeld, ze gedroeg zich volgens de wetten van de natuur, ik moest tot rust komen en proberen meer te zijn zoals zij, gewoon genieten van het bestaan en de dag nemen zoals die kwam.

Het was een geluk om een kat te hebben. Een lust voor het oog – ze was gewoon volmaakt, ik kon mijn ogen niet van haar afhouden, ze was mooi als ze at, als ze speelde, als ze zich waste, als ze sliep en zelfs als ze op de kattenbak zat. Een lust voor het oor – haar gespin. Voor de neus – de frisse geur van een gezonde kat die zich goed schoonhoudt. Voor de huid – Mimsan aaien was net als je eigen huid uitnodigen voor een feestje. De zachte vacht met het brommende, snorrende lichaam eronder zorgde voor stromen endorfine, of wat voor morfine het ook was die mijn hersenen aanmaakten, zodat ik volledig ontspannen en rustig werd. Een lust voor de tong was Mimsan daarentegen godzijdank niet, en ze was een roofdier. Dat was haar schoonheidsfoutje. Ze zat op de keukentafel naar de vogeltjes te kijken en raakte steeds opgewondener. Onwillekeurig kreunde ze zacht, haar snorharen trilden, ze begon met haar tanden te klapperen en ten slotte maakte ze een tijgersprong. Recht tegen de ruit!

Ik kon mijn lachen niet inhouden en op mijn harde geschater begon Mimsan meteen haar vacht te fatsoeneren en haar pootjes te wassen met gespreide klauwtjes. Natuurlijk, daarom moest ze zo snel naar die ruit, dan kon ze het beter zien als ze haar toilet maakte!

Het was een geluk om een kat te hebben en niet meer alleen te zijn. En om werk te hebben. En hartenpijn gaat over, hij wordt minder. Je kunt toch een goed leven hebben, zonder die alles-omvattende liefde; ik had een nieuwe dimensie ontdekt van de liefde – de liefde voor het leven. Ik plande en fantaseerde hoe ik mijn huis zou schilderen en repareren, bovendien wilde ik de bossen verkennen en oude meubels opknappen en wanten brei-en, die ik op de ouderwetse manier wilde borduren. Saai had ik het helemaal niet, ik had voor de rest van mijn leven genoeg te doen, zolang ik in mijn onderhoud kon voorzien en iedere maand een paar honderd opzij kon leggen voor verf, materiaal en garen.

Daarnaast staken Niels en ik onschuldige bezoekjes bij elkaar af. Meestal kwam Niels bij mij. Tegen de avond kwam hij langs, bleef even een kopje koffie drinken, vroeg hoe het met me ging en of ik alle spullen van Ingeborg al had opgeruimd en zo. Ik zei dat er nog dozen en kisten, zakken en oude koffers stonden. Het was voornamelijk rommel wat daarin zat, maar je kon nooit weten. Ik gooide het niet zomaar weg. Daar was Niels het mee eens. Je moest goed kijken om te zien dat hij het goed bedoelde. Hij was geen man van veel woorden, maar dat vond ik wel charmant. Zijn zwijgzaamheid werd gecompenseerd doordat hij attent was, hij haalde een partijtje hout als hij toch bezig was en de ontste-king van de auto afstellen was een kleinigheid, niet de moeite waard. Bovendien hield hij de weg sneeuwvrij voor mij, want het sneeuwde geregeld. Ik werd steeds meer afhankelijk van Niels en ik waardeerde het dat hij zich niet opdrong. Hij liet mij praten en zat maar wat te brommen terwijl hij koffiedronk. Ik wist niet altijd wat hij dacht, maar hij leek mij wel aardig te vinden. En er zat ergens een prikkelende spanning, die lag op de loer, misschien was het gewoon zijn stem, ik was nog steeds weg van zijn stem.

Het kwam er niet op aan wat hij zei, als hij maar iets zei, soms moest ik de woorden uit hem trekken. Soms leek het of hij met zijn gedachten heel ergens anders was.

Op een zaterdag stond Karl-Erik bij me op de stoep. Hij had een klus in de buurt van Oslo en hij vond dat hij zo dichtbij was dat hij net zo goed even bij mij langs kon gaan.

Hij keek goedkeurend om zich heen. Het was te zien dat het hem beviel dat het huis weer tot leven gekomen was. Nu pronkten er weer potplanten voor alle ramen, het was schoon en netjes, er lag een tafelkleed op tafel, ja, ik vond zelf ook wel dat ik de geest van Ingeborg levend wist te houden.

Karl-Erik en ik waren ook bijna klaar met de overdracht van het huis. Het was een goede koop. De prijs was erg laag, maar niet onredelijk. We waren ons er allebei van bewust dat hij misschien jaren had moeten wachten op een draagkrachtiger koper, die nou net in dit object geïnteresseerd was. En wat zou zo'n periode van wachten niet ook aan zenuwen gekost hebben.

Mijn maandlasten zouden goed op te brengen zijn. Ik gaf Karl-Erik een kneepje in zijn arm toen hij me de papieren aanreikte.

'En hier heb ik de inhoud van de kluis', zei hij en hij hield een plastic zak omhoog. 'Hou jij dit maar, ik heb het even doorgekeken toen ik thuiskwam, maar het zijn voor het merendeel oude documenten die bij het huis horen, dus daarom dacht ik dat jij ze maar moest hebben.'

Daar bedankte ik hem voor. Karl-Erik bleef lunchen en ik was blij dat ik zoute haring had gekocht die uitgelekt klaarlag. Ik paneerde hem in roggemeel en bakte hem, maakte een bloemsausje en kookte er Ingeborgs lekkere aardappeltjes bij. Het zou lang duren voor Karl-Erik weer zo'n maaltijd kreeg. Hij liet het zich goed smaken en was vol lof over het eten en ook over de frisdrank die ik erbij had uitgezocht, die er zo goed bij paste, maar daarna kreeg hij haast om weer te vertrekken. Hij hoefde geen koffie, daar had hij geen tijd voor, zei hij. Hoewel tijd waarschijnlijk niet hetgeen was waaraan het hem ontbrak.

Ik zag hem denken toen hij het huis bekeek: lieve hemel, hoe heb ik het hier al die jaren uitgehouden. En ik dacht het omgekeerde: lieve hemel, hoe was ik door de scheiding heen gekomen als ik dit huis niet had kunnen kopen!

Ik zwaaide de auto na. Hij knipperde met zijn waarschuwingslichten, maar draaide zich niet om. Een hoofdstuk was definitief afgesloten en een nieuw blad werd omgeslagen; Karl-Erik was opgelucht. Het deed me pijn dat hij zo weinig gevoel had voor de streek en voor alles waar zijn moeder voor stond, maar ik besefte tevens dat het niet anders kon. Hij werd Europeaan, hij kreeg misschien kinderen die niet eens Zweeds zouden spreken. Er was een nieuw tijdperk aangebroken en Karl-Erik zat in die trein.

Maar ik niet. Het nieuwe dat kwam, daar deed ik niet aan mee. De maatschappelijke veranderingen gingen buiten mij om.

En daar was ik blij om.

Ingeborg had alle documenten die zij belangrijk vond in het kluisje gestopt. Arme Ingeborg! Ze dacht dat er nog eens een crisis zou komen – oude distributiebonnen voor meel, graan en zeep! Die waren nu bijna antiek. Net als een paar oeroude brieven uit Amerika, van de ooms van mijn oma. Met verbazing las ik de sierlijke regels, formeel en onberispelijk, alsof de ooms bang waren geweest om hun mond voorbij te praten. Ze vertelden over goede oogsten en over ziekten en over andere maateenheden, maar helemaal onderaan in de brieven stonden ze: de verstolen woorden van verlangen, 'doe iedereen de groeten en we denken dagelijks aan jullie', 'we hopen dat moeder weer beter is'. De pijn als je je van alle wortels hebt losgerukt en opnieuw wortel probeert te schieten. Misschien ook spijt; tussen de regels door las je iets van spijt, misschien was het toch beter geweest om thuis te blijven en half te verhongeren dan van heimwee te verkommeren in dit vreemde land.

In het stapeltje uit de kluis zaten ook oude met de hand geschreven overdrachtsdocumenten die bij het huis hoorden dat nu van mij was en er waren ook akten die de zomerboerderij betroffen die langgeleden verkocht was vanwege het bos. Het was een geluk dat de voorvaderen niet konden opstaan uit hun graf en niet konden zien wat er van al hun zwoegen terecht was gekomen, hoe weinig dit boerderijtje nu waard was, ondanks alle opofferingen en moeite die ze zich getroost hadden om het te kunnen betalen en hun broers en zusters uit te kunnen kopen bij de boedelverdeling. Het was maar goed dat ze niet konden zien hoe het er nu met hun weilanden voor stond. De meeste waren verdwenen onder het opschietende geboomte en het berkenbos, alleen de greppels getuigden nog van de ijver waarmee de magere zandgrond ooit was bewerkt, waar nooit genoeg te grazen was geweest als ze het vee niet het bos in hadden kunnen drijven waar het zelf eten kon zoeken. En de zomerboerderij, de fantastische voederoplossing voor de arme boeren, die in heldere zomerdagen de last had verlicht. Nu zakten de daken in en het bos drong de oude schuren binnen; grove stammen groeiden er door de vloer heen.

Onder in de stapel, onder alle dunne, bruine blaadjes lag een blinkend wit vel, een vel kopieerpapier met gaten erin, misschien had Karl-Erik dat er per ongeluk in laten zitten?

Maar wat er gekopieerd was, was oud geweest, misschien niet zo oud als de oudste juridische documenten over de zomerboerderij, maar het handschrift was krullerig, pedant en ouderwets. De inhoud zei me niets. Een hele rij namen, met de initialen erachter? Gösta Olof Sundström – GoS, Erik Eskilsson – Ee, Mats Bergman – Mb. Een lange lijst, misschien twintig namen, wat had dat te betekenen? Bovenaan stond alleen het woord 'Informatie' met een dubbele punt erachter.

Wat stom van me dat ik Karl-Erik had laten vertrekken voordat ik de stapel doorgebladerd had, hij wist er misschien meer van. Wat waren het voor namen, wat was het voor informatie? En waarom was dit oude document gekopieerd? In ieder geval moest Ingeborg het zelf in de kluis gelegd hebben. Of had Karl-Erik de lijst met namen en afkortingen gekopieerd? Maar waarom dan?

Toen het avond werd en Niels opdook was ik alles vergeten, maar ik dacht eraan toen ik van Karl-Eriks bezoek vertelde. 'Dus jullie zijn nu klaar met alles?' wilde Niels weten. 'Ja,' antwoordde ik, 'en ik heb alle oude documenten gekregen die ze in haar kluis bij de bank bewaarde.'

Hij vroeg niet wat het voor documenten waren, maar was daarentegen benieuwd of het een groot model kluis was geweest.

Ik zei dat ze een gewone, kleine, platte kluis had gehad.

'Dus er zat niets bijzonders bij?' vroeg hij. 'Alleen oude distributiebonnen,' bevestigde ik, 'oude koopakten en ander antiek materiaal, ze bewaarde alles en daar deed ze waarschijnlijk goed aan.'

Om de een of andere reden zei ik niets over de kopie van de namenlijst. Ik wist zelf niet waarom niet.

Mimsan was aan het keet schoppen op het linoleum en ik was ervan in de ban. Niels lachte mee, maar ik had wel door dat hij niet echt warmliep voor de speelse woelwater die als een razende tekeerging. Zonder hem had ik haar echter niet gehad, ik was hem dankbaar.

Plotseling hoorde ik een auto het erf op rijden. Ik keek naar buiten, maar de auto kwam me niet bekend voor, het kon een huurauto zijn.

En wie stapte er uit – Jan!

Mijn hart stopte met kloppen. Ik werd loodzwaar. Vervolgens voelde ik dat de huid van mijn gezicht ging gloeien toen hij naar de deur kwam lopen en aanklopte.

Ik deed open. God! Het was Jan. Mijn Jan.

We keken elkaar aan. Recht in elkaars binnenste. Maar dat duurde maar even.

'Wat doe jij hier?' vroeg ik. 'Kom binnen.'

'Ik ben onderweg naar Sälen,' zei hij, 'naar een conferentie. En toen bedacht ik dat ik even bij jou langs wilde.'

Niels was opgestaan. Ik stelde hen aan elkaar voor. Ze gaven elkaar een hand. 'Ik wilde net weggaan', zei Niels.

'Blijf toch gewoon', zei ik. 'Jan moet zo weer verder, dat is geen probleem. Wil je koffie, Jan?'

Maar Niels zette zijn muts op en trok zijn jas aan, zei gedag en in no time waren we alleen.

We hadden elkaar meer dan een maand niet gezien en nu was alles anders. Onze scheiding was bijna helemaal rond en er werd geen bedenktijd van ons gevraagd, aangezien ons beider kind volwassen was.

Wat was het voor conferentie?

Hij mompelde iets onverstaanbaars. Wat het ook was, het klonk niet belangrijk. 'Je hebt zeker haast', probeerde ik, want de situatie had iets beklemmends, ik wilde hem niet zo dicht bij me hebben nu alles net de goede kant op ging met mij.

'Dus jij hebt alweer een nieuwe man?' vroeg hij.

'Hoezo?' antwoordde ik. 'Gaat jou dat wat aan? Is Ingela niet mee, trouwens?'

'Het is toch uit! Ik heb je al duizend keer bezworen dat het uit is, dat het nooit wat geworden is verder. Het ging uit op de dag dat zij er net als jij achter kwam dat ik had gelogen. We zijn niet eens vrienden meer, ze is razend op me.'

Ik geloofde hem. Ik kende hem door en door. Maar nu was het allemaal te laat. In een vlaag van verstandsverbijstering had hij ons gemeenschappelijke leven verwoest en ik kon hem niet vertrouwen. Ik had zelf iets op poten weten te zetten, ik was niet langer afhankelijk van Jan, hij kreeg niet de kans me nog eens onderuit te halen.

Ik vroeg of hij iets wilde eten.

Hij zei dat hij niet was gekomen om te eten, maar om met me te praten. Alles was zo snel gegaan. Hij had het gevoel dat we een kolossale vergissing begingen, werd het geen tijd om ons te bezinnen, konden we niet proberen ons als volwassen mensen te gedragen en weer lijmen wat kapotgegaan was? Hij had toch zijn verontschuldigingen aangeboden, wat kon hij nog meer doen? Het was natuurlijk onvergeeflijk wat er was voorgevallen, en als hij het ongedaan had kunnen maken zou geen moeite hem te veel geweest zijn, maar nu was het niet anders. Hij had overal spijt van, kon ik het hem niet vergeven?

Ik zei dat ik warme broodjes kon klaarmaken, ik had ham en tomaat in huis. Waar hij het verder over had, dat was helemaal zijn probleem. Hij maakte geen deel meer uit van mijn leven. We waren volwassen mensen, dat klopte. Het was fijn dat hij dat eindelijk besefte.

Hij probeerde het nog eens, maar hij had geen schijn van kans. 'Je bent zo verdomd trots', zei hij ten slotte. 'Dat is je grootste tekortkoming, dat er niet redelijk met je te praten is. Je weet dat ik niemand anders wil, waarom denk je dat ik hierheen rijd en mezelf zo verneder?'

'Hou toch op!' Nu verhief ik mijn stem. 'Misschien ben ik wel trots, maar dom ben ik niet. Je wilt mij helemaal niet, maar een superslanke glamourjuriste, en dan hoef ik niet zo nodig de tweede viool te spelen. En je hebt dat stuk niet voor mij gereden, maar voor de conferentie. Je kunt misschien beter nu doorrijden, dan mis je het welkomstdrankje niet.'

Toen ging hij weg. De achterlichten verdwenen achter de bomen.

Mijn schouders zaten vast achter mijn oren. 'Ontspan', zei ik tegen mezelf. 'Die klootzak, ontspan!'

Mimsan kwam tegen mijn kuit duwen. Zij was ontspannen en aanhalig na een intensief speelkwartier met een tafeltennisballetje en een prop papier.

Ik ging op de bank zitten en nam de kat op schoot. Die klootzak!

Maar mijn tranen begonnen ongecontroleerd te stromen. Het hielp niet, wat ik tegen mezelf zei.

Mimsan was verstoord. Ik kon de golf niet stoppen die over me heen spoelde, de pijn kwam in schokken naar buiten – moest je mij hier zien zitten, ik had geen enkele controle over mijn eigen gevoelens. Ik huilde alsof mijn hart zou breken. Waarom kwam er geen barmhartige engel des doods mij halen, zodat ik dit allemaal niet meer hoefde te voelen?

Ten slotte sprong Mimsan van mijn schoot en ze ging op de grond zitten. Geïrriteerd begon ze haar vacht te likken, snelle, stroeve halen met haar tong over haar rug, de staart bewoog met rukjes. Ze genoot er niet van, het was gewoon wassen.

Het smaakte zeker zout.

Het toneel naar het volk! Hij was een van de weinige overleven-
den van de linkse golf uit de jaren zeventig. Het establishment
luisterde medelijdend naar zijn tirades, maar ze lieten hem begaan, omdat over zijn acteertalent niet te twisten viel; hij schitterde gewoon, waar hij zijn tanden ook in zette, en theaters en
filmmaatschappijen dongen naar zijn gunsten en wilden hem
dolgraag bij verschillende projecten betrekken.

Hij koos zijn rollen vanuit zijn eigen politieke overtuiging en
bleek met zijn interpretatie van klassieke werken die men goed
meende te kennen, onverwacht een nieuw geluid te kunnen laten
horen.

'Het toneel naar het volk' hield in de hedendaagse vercom-
mercialiseerde markt in dat hij zijn diensten met regelmatige
tussenpozen beschikbaar stelde aan het Rijkstheater. Geen pres-
tige ter wereld kon het gevoel overtreffen dat hij had in een
tochtig cultureel centrum in Sveg of Munkfors als het applaus
weggestorven was en hij de reacties van het publiek door de
dunne decorstukken heen hoorde, als ze dachten dat verder
niemand luisterde. Dat was hem alles waard. Dan kon hij zelf
vaststellen dat hij echt overbracht wat hij wilde overbrengen. De
mensen werden geraakt, ze waren blij dat ze gegaan waren, dat ze
niet voor de tv waren blijven hangen, ze begonnen de moraal van
het stuk te bespreken nog voordat ze de rij uit waren – ze dachten
na over hun eigen leven! Het was geweldig.

Helaas kwam het steeds minder vaak voor dat de echt kleine
plaatsen geld hadden om de voorstellingen te kopen. Tegenwoordig speelde hij meestal in middelgrote steden. De dunbevolkte gebieden gingen reddeloos ten onder.

Enige compensatie bood het internet en de eigen website die
hij had laten ontwerpen. Hij had ook een eigen gastenboek
geïnstalleerd, waardoor hij weer in contact kwam met het pu-

bliek. Ze schreven hem over zware en minder zware onderwerpen, werkloosheid en recepten, liefdesperikelen en immigratiebeleid en hij probeerde alle reacties te beantwoorden, ook al moest hij er soms tot 's ochtends vroeg voor zitten. Maar het was ook zo leuk. Dat brede raakvlak had een hele poos gefunctioneerd, maar sinds een paar weken was alles verpest. Hij had zijn gastenboek moeten sluiten. Hij wist precies wanneer het begonnen was, het verband was zonneklaar.

Een jongeman met een teveel aan testosteron had hem vanaf de voorste rij zitten aanstaren. Op het T-shirt van de jongen was een symbool gedrukt dat maar één ding voor kon stellen.

Hij was de draad kwijtgeraakt. Hulpeloos had hij zijn armen laten hangen en eerlijk gezegd: 'Ik kan niet spelen. Het gaat niet. Want ik voel me persoonlijk aangetast en bedreigd door een van jullie.'

Er was onrust ontstaan onder het publiek. De meeste mensen in de zaal hadden de jongeman niet van voren gezien.

'Ga eens staan,' had hij hem gemaand, 'dan kan iedereen je boodschap zien en tevens begrijpen waarom ik hier vanavond niet kan spelen zolang jij in de zaal zit.'

Het schandaal was besproken in de krant en in vurige debatten: bestond er geen vrijheid van meningsuiting meer in dit land en wat had het communisme niet voor offers geëist? De zeer atletische jongeman had de zaal onder boegeroep en gefluit van het publiek moeten verlaten. Maar bij de uitgang had hij zich omgedraaid en geschreeuwd: 'Het laatste woord is hierover nog niet gezegd – Witte Zweden Eerst!'

En hij had zijn arm voor zich uit gestoken.

De eerste e-mails gingen nog wel. Hij wond zich er niet heel erg over op en reageerde met de vraag wat ze voor idioten waren dat ze hun mails niet durfden te ondertekenen als ze hem uitmaakten voor 'vuile jood' of wanneer ze schreven dat Hitler gelijk had, 'maar wat jammer dat jouw ouders ontsnapt zijn'.

Hij had zichzelf nooit als Jood beschouwd. Hij was Jood,

natuurlijk, het was een deel van zijn identiteit en daar kon en wilde hij niets aan veranderen.

Maar het e-mailbombardement was erger geworden en had ten slotte dusdanige vormen aangenomen dat hij het gastenboek moest sluiten. Hij had aangifte gedaan en de politie stelde hem in het vooruitzicht dat ze misschien de afzenders konden opsporen via de Amerikaanse server waar de website was ondergebracht.

Het was vervelend dat er zoveel mailtjes kwamen, dat ze verhoudingsgewijs goed gesteld waren en dat ze zo lang waren. Iemand had er veel tijd en moeite in gestoken om hem te bedreigen en te belasteren. Misschien waren het wel meerdere personen.

Wat hem raakte was de energie. De doelbewuste haat.

Ja, ze haatten hem echt. Ze wensten hem niets goeds toe. Ook al begreep hij rationeel dat het zo werkte bij het fascisme en het nazisme, toch raakte het hem. Niet dat hij geliefd wilde zijn bij zulke klootzakken, maar toch bezorgde die haat hem een schrijnend gevoel. Die vormde een soort doffe ondertoon.

Hij was meer na gaan denken bij alles en hij vertelde nooit meer klakkeloos privédingen aan de media, bijvoorbeeld waar zijn kinderen en hun moeders woonden en waar de kinderen op school zaten. 'Het belangrijkste is dat het goed met hen gaat, we hebben een goed contact', zei hij altijd wat ontwijkend als de journalisten ernaar vroegen.

Hij was op zijn hoede en zelfs een tikkeltje bang, moest hij toegeven. Niet zozeer voor zichzelf, maar sommige e-mails hadden zijn kinderen genoemd en hij had ook een kleinkind. Zoiets zou hij niet aankunnen, hij moest er niet aan denken. Wat moest hij dan doen? Zelfmoord plegen? Zijn kinderen waren zijn alles, daar mocht niemand aan komen.

Hij was bepaalde voorzorgsmaatregelen gaan treffen en hij overlegde tegenwoordig voor grotere optredens altijd met de politie. Die hielden een oogje in het zeil en beloofden in te grijpen zodra het beeld dreigender werd.

Hij kon er niet goed tegen om bewaakt te worden. Tegelijkertijd was hij natuurlijk dankbaar en de discrete bewaking varieerde afhankelijk van waar hij was en hoe de omstandigheden waren.

Het Stadstheater van Karlstad, omgebouwd tot muziektheater, was oud en het was er zwaar spelen, maar er zat meer dan honderd jaar uitvoerende kunst in – als de muren konden praten! Hij was er graag. Hij hoefde ook niet te zingen, maar zijn zeer prozaïsche toneelstuk was met verwachting begroet in de lokale Värmlandse pers.

Hij had zich ook in tijden niet zo vrij gevoeld. Zijn medewerkers logeerden in Hotel Scandic en hijzelf officieel ook. Maar in het Stadshotel logeerde Lars Johansson.

Lars Johansson, dat was hijzelf, incognito. Hij had ingecheckt in Hotel Scandic, alles was in orde. Niemand wist van dit arrangement, alleen zijn medewerkers en de veiligheidsdienst. Toen hij een kamer had geboekt op naam van Lars Johansson, had hij gezegd dat hij laat zou zijn. Dat was geen probleem, was het antwoord, de receptie was dag en nacht bemand.

Ze speelden voor een uitverkochte zaal. De voorste rijen gaven zelfs een staande ovatie, het publiek stampte met de voeten en floot op een ronduit mediterrane manier.

Dit was de Beloning. Het Geluk. Het Doel van al het zwoegen. Het was een van de absolute topoptredens van zijn tournee geworden en hij had hoogstandjes laten zien waarvan hij geen idee had gehad dat hij ze in zich had, maar die uitgelokt waren door de weerklank, de respons vanuit de zaal.

In zijn kleedkamer stonden bloemen en er lagen briefjes op hem te wachten, een doos chocola en een flesje mineraalwater dat hij meteen leegdronk, want hij was compleet uitgedroogd tijdens de voorstelling.

Hij voelde zich geliefd. Hij werd niet gehaat, maar hij was populair! Het leven liep op rolletjes.

Toen hij zich had afgeschminkt, gedoucht en opgeknapt en ze

bij elkaar waren gekomen voor de gebruikelijke nazit was het al middernacht.

Het gebruikelijke dilemma van de toneelspeler die net klaar was met werken en zo fris was als een hoentje, terwijl de rest van de bevolking al in bed lag. Dan had hij Stockholm toch liever. Daar verkeerde altijd wel iemand in dezelfde omstandigheden als hijzelf, met wie hij een glas kon drinken en een paar uurtjes kon doorbrengen totdat hij langzaam weer met beide benen op de grond gekomen was.

Maar nu waren ze in Karlstad. Het was nacht. Een geluidloze zachte sneeuwval dwarrelde om de straatlantaarns heen en in het schemerduister achter de schouwburg nam hij afscheid van de medewerkers, die ook zijn vrienden waren, alsof ze echt snode plannen smeedden daar in het struikgewas. Ze grinnikten vrolijk en sloegen elkaar op de schouders, het was goed, het was oké.

Toen gingen de anderen naar Hotel Scandic, terwijl hijzelf in tegengestelde richting liep, de brug over.

Hij bleef even staan kijken naar het zwarte water dat pal onder de brug vrij stroomde in de voor de rest met ijs bedekte Klarälv. Hij fantaseerde over het leven in de stad honderd jaar geleden. Toen was Selma Lagerlöf hier misschien langs komen lopen met haar manke been, na een overnachting in het Stadshotel, op doorreis van haar werk als onderwijzeres in Blekinge naar haar ouderlijk huis in Östra Ämtervik; of was het toen al verkocht, het oude Mårbacka? En haar vader had zich toch dood gedronken? Misschien was die tragische achtergrond de motor geweest van haar begenadigde schrijverschap, maar dat wist hij niet goed meer. Zeker was het evenwel dat ze naar Karlstad was gekomen, misschien rechtstreeks met de trein of met een stoomboot over het wijde Vänern om vandaar verder noordwaarts te reizen, waarschijnlijk ging ook het grootste gedeelte van die reis per schip. Of was het spoor al doorgetrokken naar de Frykenmeren? Zijn kennis van de geschiedenis was fragmentarisch en de jaartallen ontglipten hem. Een periode van honderd jaar was niets.

Toch vergaten de mensen snel.

Hij liep verder over de brug, kwam langs het beroemde beeld *Sola in Karlstad*, van de serveerster met een servet over haar arm, en stapte het roemruchte hotel binnen.

De nachtportier was jong, misschien een student die wat bijverdiende. Diens schalkse blik verkondigde dat hij was herkend. Nou ja, wat maakte het ook uit? Hij nam een broodje ham en een flesje bier mee naar boven en nam de lift naar de derde verdieping waar hij zijn kamer had.

Het was koud. Hij draaide de radiator zo ver mogelijk open en ging in de fauteuil zitten eten en drinken, terwijl hij langs de verschillende tv-zenders zapte.

Hij had geluk. Er begon net een Belgische film die hij niet had gezien toen die een paar jaar geleden in de bioscoop draaide en hij wreef in zijn handen. Ja – dit werd een perfecte afsluiting van de avond! Morgen was hij vrij, hij kon zo lang uitslapen als hij wilde, het volgende optreden was pas de dag daarop.

Het was een naturalistische film, documentaireachtig en zeer aangrijpend, waarder dan de waarheid, net als alle grote kunst. Hij ging volledig op in het verhaal, maar werd een half uur later weer het heden in getrokken. Een geweldige film! dacht hij en toen de telefoon ging nam hij die verstrooid op; niemand wist immers dat hij hier was, het zou de portier wel zijn.

Ja, het was de portier die zich afvroeg of hij zin had om een potje te komen biljarten.

Dat sloeg alles. 'Nee, dank je', snauwde hij en hij smeet de hoorn erop. Godsamme, hij betaalde ervoor om met rust gelaten te worden. Wat had je toch een idioten, als er een hotelenquête ergens in een map zat zou hij die eens invullen. Hij had een marathon gelopen, hij had zijn rust nodig! Niemand begreep hoe vermoeiend zijn werk was, hij gebruikte zichzelf als materiaal en als brandstof, continu. Daarom bewonderde hij de acteerprestaties op het tv-scherm waar hij op dit moment getuige van was, het was zo goed dat hij er bijna van moest huilen!

Toen hij eindelijk de draad weer te pakken had en opnieuw verzonken was in het verhaal werd er op de deur geklopt.

Ik ben niet gauw boos, dacht hij. Maar nu ben ik het zat. Die enquête stuur ik persoonlijk naar de directeur van het hotel en als hij een greintje verstand heeft, zorgt hij ervoor dat die sukkel in de portiersloge wordt vervangen, dit kan zo niet.

'Wie daar?' Hij kwam in zoverre tot zichzelf dat hij de deur niet openrukte.

'Ik ben het, de portier. Ik kom u alleen een biertje aanbieden, omdat ik u zonet stoorde. Dat was niet mijn bedoeling.'

De tv-film ging verder, hij hoorde dat de spanning steeg. Het zou meer tijd kosten om het af te wimpelen dan om het aan te nemen. En die portier met zijn lage EQ-score wilde immers alleen maar aardig zijn.

Het bier was van hetzelfde merk als wat hij zonet had gekocht. Hij reikte naar het flesje, zei dankjewel en wilde tegelijkertijd met zijn andere hand de deur dichttrekken.

De portier deed een stap naar voren en toen nog een, zodat hijzelf achterover de kamer in struikelde.

Toen stapten de beide anderen naar binnen.

Glimmend gelakte honkbalknuppels in hun hand. Ze waren niet gemaskerd. Ze deden de deur achter zich dicht. De glimlach die ze meenden tentoon te spreiden was in werkelijkheid een grimas. Een grimas van haat en triomf, want nu had zijn laatste uur geslagen. Niemand kon hem helpen en hij kon geen kant op. Hij zou pas laat in de ochtend worden gevonden. De portier zou niets hebben gehoord of gezien; de muren waren dik in dit oude, solide gebouw, waarin nu bovendien maar weinig gasten verbleven.

Ze bereikten precies wat ze hadden gehoopt. Ze kregen zijn angst te zien. Zijn pure, naakte angst, ze konden tot de bodem kijken. Ze zagen de wildheid in hem.

Nu was het zover. En hij wist het.

Maar ze durfden hem niet te laten schreeuwen, want dan

ontsnapte hij in zekere zin toch nog.

De slag trof zijn achterhoofd. Hij zakte door zijn knieën en viel toen zwaar op zijn zij, hij was al buiten kennis.

De portier verdween na de eerste klap, hij was bang om bloedvlekken op zijn kleren te krijgen. Niet het minste of geringste spoor mocht naar hem leiden, hij zou nergens iets van weten.

Ze zouden zijn schedel inslaan.

Het is toch nog een heel ding om de schedel van iemand in te slaan, heel anders dan hoe het in films beschreven wordt, en misschien hadden ze spijt toen ze beseften hoe moeilijk het was om hem dood te krijgen. Hem de schedel inslaan was niet gemakkelijk. Zijn hersenen raakten vast en zeker meteen onherstelbaar beschadigd, maar was hij dood? Ze raakten bezweet en buiten zichzelf na zeker twintig uitzinnige slagen en verscheidene trappen. De menselijke trekken van het gezicht waren veranderd in een bloedende vleesklomp. Ze voelden slechts walging en woede. Ze haatten dit verrekte Arabierenvriendje, deze onmens, Untermensch, nu was hij toch wel dood? Ze hadden nog zo veel adrenaline in hun lichaam dat ze tot slot het meubilair te lijf gingen. Toen de hotelkamer één grote ravage was, konden ze niet meer. Ze keken elkaar aan. Ze stapten over het bloed en de wrakstukken van de meubels heen en haastten zich geruisloos naar beneden via een achtertrap naar een veilige schuilplaats waar ze zich van top tot teen verkleedden.

De kans dat ze gepakt zouden worden was minimaal.

De kans dat andere praatjesmakers hun mond zouden houden was daarentegen groot.

Ik had Ingeborgs stekjes van de geranium in een pot gezet. Ze deden het goed, ze werden met de dag groter in het licht van de zon, die steeds meer kracht kreeg. Ik zou ze voor de zomer nog een keer verpotten.

Ik had wilgentakken binnen gezet die begonnen uit te botten. Dat had Ingeborg ook altijd gedaan. Weemoedig keek ik naar de glimlachende nawinterzondag. De zon stond hoog aan de hemel, er vielen druppels van het dak omdat de dakgoten vol sneeuw lagen en bij de vogeltafel was het een drukte van belang. Het was allemaal prachtig geweest als Ingeborg nu tegenover me had gezeten!

Ik voelde haar aanwezigheid, ze was er in alles, ik kon haar stem zo oproepen als ik wilde. Wat zou ze hebben gezegd?

'Naar buiten, kind. Op zo'n mooie dag moet je niet binnen blijven zitten. Ga even langs het kerkhof, je weet dat ik van wilgenkatjes houd. Het is lente. Knap de boel wat op!' Dat zou ze hebben gezegd.

De paden over het kerkhof waren glad en glibberig. Ik schaamde me toen het tot me doordrong dat ik er sinds de begrafenis niet meer was geweest. Ik wist niet eens meer zeker waar het graf lag. Ik was toen ook zo verscheurd geweest door verdriet. En de lichtval was toen anders, het was immers midden in de winter en de zon stond midden op de dag ook laag.

Het graf was gemarkeerd met een bijna volledig ondergesneeuwde paal met de naam, de geboorte- en sterfdatum. De steen kon vast niet geplaatst worden voordat de vorst uit de grond was.

Ik schepte losse sneeuw weg met mijn handen, tot ik op vaste sneeuw stuitte. Daar zette ik mijn vaasje met wilgentakken op. Dat had ze mooi gevonden.

Ze had gewild dat ik hier kwam. Dat ik daar niet eerder aan

had gedacht! Het zou wel van het voorjaar komen en dat ik hier vroeger wel vaker in die tijd van het jaar kwam.

Een eindje verderop was een man met een donkere overjas en blootshoofds, bezig kransen te verplaatsen. Er was een begrafenis geweest. Hij kwam op hetzelfde moment overeind als ik. Ik zag dat hij jong was, maar toch discreet gekleed in overjas en met stropdas, zijn witblonde haar viel over zijn voorhoofd. Hij vroeg zich af wat ik daar deed, dat was duidelijk. We bevonden ons beiden op een pas in gebruik genomen gedeelte. Hij en ik waren de enigen op het hele kerkhof.

Ik had geen haast. Ik wilde hier zijn.

De donker geklede man was klaar met zijn bezigheden. Toen hij bij mij langsliep bleef hij staan. 'Ze is maar vierenzeventig geworden, dat is niet zo oud tegenwoordig.'

Ik keek naar hem op. Hij wilde praten. 'Nee, dat is niet echt oud', antwoordde ik. 'Maar zo gaat dat soms; sommigen bezwijken al als ze in de zestig zijn, dat is ook niet echt uitzonderlijk. Hebt u haar gekend?'

'Ik had haar onder mijn hoede', zei hij niet zonder trots en even kreeg ik het idee dat hij van de politie was.

Het bleek dat hij begrafenisondernemer was. De beroepstrots straalde van hem af. Ingeborg was een speciaal geval, aangezien zij… hij maakte zijn zin niet af. Sorry dat hij het vroeg, maar wie was ik trouwens?

Ik stelde me voor en vertelde dat ik Ingeborgs huis had overgenomen. Hij knikte en ik begreep dat hij dat al ergens had gehoord. Nu wist hij ook welk gezicht erbij hoorde.

'Ik kan er wel tegen', merkte ik op. 'Ik heb tientallen overledenen afgelegd in het verpleeghuis waar ik werkte. We deden altijd ons best om het meeste werk al gedaan te hebben voordat het personeel van het uitvaartbedrijf kwam en ze waren altijd tevreden. Dus, wat maakte Ingeborg dan tot een speciaal geval?'

Ja, het feit dat ze bijna diepgevroren was. Niet helemaal, maar wel bijna. Hij moest haar eerst laten ontdooien voordat hij haar enigszins recht kon trekken, of liever: duwen. Er was natuurlijk ook rigor mortis, lijkstijfheid, opgetreden. De dokter had naar haar gekeken, maar haar zoon wilde geen lijkschouwing. Toen die zoon later was gearriveerd, was hijzelf er trots op dat ze keurig languit op haar rug lag, in een lijkkleed en netjes gekamd. Niemand wist wat voor geweld er aan dit serene tafereel voorafgegaan was. Ze was immers gewoon in elkaar gezakt en in die houding blijven liggen totdat ze werd gevonden. Als een bultje.

'Hij heeft het over mij', hoorde ik de stem van Ingeborg. 'Hij weet niets van me en hij weet niet hoe het is gegaan. Daar lag ik, hij moest mij rechttrekken en uitkleden, hij heeft mijn kleren vast opengeknipt en mij toen in dat dunne witte hemd gewikkeld, zodat ik toonbaar zou zijn. Maar dat was een valse vertoning. Ik ben niet vredig gestorven, rustig op een bed. Ik ben buitenshuis gestorven, op het cruciale moment was er niemand bij me en ik heb daar een hele poos moeten liggen, urenlang. Een beetje meer respect voor de overledene! Die overledene was ik!'

'Was er verder nog iets bijzonders?' vroeg ik. 'Behalve de stijfheid, bedoel ik. Wat had ze aan?'

'Haar kleren waren niet veel bijzonders. Van haar zoon mocht ik ze weggooien. Ze had versleten rubberlaarzen aan en een oeroude jas die veertig, vijftig jaar geleden vast in de mode was geweest. Ze had een muts op, een blauwe geloof ik, en ze had een nette jurk aan en een schort voor. En een hemd en onderbroek natuurlijk. Ik heb alles weggegooid. Ze was alleen maar aardappelen gaan halen, daarvoor kleed je je natuurlijk niet mooi aan.'

'Maar als ze had geweten dat de man met de zeis stond te wachten had ze dat vast wel gedaan', zei ik en dat was Gustav Bergman, zo heette hij, met mij eens. 'Er was één aardappel in haar jaszak terechtgekomen,' merkte hij op, 'en ze hield een rood bandje in haar hand.' Een plastic bandje, dat had ze zo stijf vastgeklemd dat hij haar vingers een voor een los had moeten wrikken. Niet van dat plastic tape waar je skiroutes mee markeert, maar van dat harde spul waarmee dozen bijeengebonden worden, het is meestal zwart of wit, rood had hij nog nooit gezien.

Ik probeerde Ingeborgs stem weer op te roepen, maar nu zweeg ze. Het was doodstil.

Grijze sneeuwwolken waren aan komen drijven. De mooie nawinterdag was voorbij. Huiverend zette ik mijn capuchon op, ik bedankte voor het gesprekje en liep naar de parkeerplaats.

De jonge begrafenisondernemer, Gustav Bergman, verdween in tegengestelde richting. Ik besefte dat hij me als een collega had beschouwd en dat zijn ontboezemingen een erkenning waren geweest van mijn eigen competentie in het afleggen van overledenen. Hij had het niet kwaad bedoeld. Het was eigenlijk ook niet erg wat hij over Ingeborg had verteld.

Toch hield ik er een naar gevoel aan over.

's Avonds belde ik Niels om te vragen of hij thee bij me kwam drinken. Ik voelde me niet echt lekker, wat hangerig. Zou ik ziek worden? In dat geval had het nog niet doorgezet, maar was ik vast besmettelijk. Dat verdrong ik echter, want ik wilde gezelschap.

Het was een opluchting toen hij kwam.

We gingen voor de tv zitten. Het feit alleen al dat er iemand bij me was verjoeg een deel van mijn somberheid. Soms was het leven moeizaam, dat was gewoon zo. Maar je moest erdoorheen. Dan werd het daarna weer beter. Ik had verder immers ook nergens gebrek aan.

We kletsten wat over de sneeuwval en over de komende feestdagen en luisterden met een half oor naar het nieuws.

Plotseling zat Ingela in de studio. Ze werd geïnterviewd door de anchorman zelf. Ingela droeg een bruin colbertje van een zachte stof met daaronder een zijdeachtig truitje in een wat donkerder bruin. Haar vuurrode, glanzende haar leek een natuurlijke slag te hebben, maar het was vast op de een of andere manier behandeld, haar prachtige ogen waren opgemaakt op een manier die je haast niet zag, maar die haar heldere, scherpe blik accentueerde, en haar welgevormde lippen waren bedekt met een dun laagje lipgloss. Haar tanden, waar je een stukje van zag, waren spierwit en ze was hooguit vijfendertig, ze sprankelde en schitterde en zat daar heel ongedwongen, geconcentreerd en competent en sprak zich in welgekozen bewoordingen uit over wat het ook was voor onderwerp waarvoor ze haar als expert in de studio voor commentaar hadden uitgenodigd.

Het ging over nazisme, natuurlijk, dat was haar specialisme. Het klonk alsof er weer iets ergs was gebeurd. Ze hadden het over moord en mishandeling en Karlstad werd genoemd.

'Is ze dat?' vroeg Niels zachtjes. 'Is dat Ingela Katz?' Ik knikte zwijgend.

Ik vertrok geen spier, maar in mijn binnenste was een complete oorlog uitgebroken.

'Ik zou nooit op zo'n vrouw kunnen vallen', zei Niels. 'Is ze wel echt? Het lijkt wel of ze uit een tijdschrift is geknipt, zo onnatuurlijk. Nee, ik wil een echte vrouw, die je vast kunt pakken. Anders hoeft het voor mij niet.'

In mij woedde de oorlog voort, maar zijn woorden, al dan niet gemeend, hadden het ergste alarm gedempt. Ik had er immers niets mee van doen! Ik was nu hier! Ik kon me niet druk maken om onopgevoede bendeleden en linkse artiesten, ik had genoeg aan mezelf. Mocht je dan nooit leven? Moest je altijd maar produceren en consumeren en je engageren? En nooit gewoon leven? En anderen laten leven. Als iedereen dezelfde instelling had als ik, dan was er geen ruzie; ik gedroeg me netjes. Dat anderen zich niet konden gedragen ging mij niet aan zolang ik mijn belasting betaalde en nooit ziek was.

Dat mens met haar bruine jasje. Ze kon de pot op!

Mimsan sprong bij me op schoot. Het was even wat duwen en trekken. Ik had mijn breiwerk weg moeten stoppen, ze had het al een paar keer in de war gemaakt en ik had er uren voor nodig gehad om dat ellendige garen weer uit de knoop te krijgen.

Mimsan was echt het gouden randje om mijn bestaan.

Ik was sokken met een patroontje aan het breien voor Åsa en haar Lars, ik hoopte dat ze ze mooi zouden vinden. In ieder geval bleven hun voeten er warm in.

Warm was ook de hand van Niels die hij op mijn arm legde. Hij zei: 'Niet zo sip! Jij bent duizend keer meer waard dan die barbie.'

Dat was natuurlijk onzin, maar hij stond in ieder geval aan mijn kant. Ik zou een trui voor hem kunnen breien als hij dat wilde, iets terugdoen. Hij kon misschien de wol zelf betalen en dan mocht hij het patroon uitzoeken. Ik zou een warme en hopelijk mooie trui voor hem breien. Dat was het minste wat ik voor hem kon doen, nu hij zo aardig tegen mij geweest was.

Zijn hand was warm geweest, ik had de aanraking door de stof heen gevoeld. Hoe had ik zo triest kunnen worden van de aanblik van Ingela op tv?

'Als je wilt kunnen we dit weekend de Berg op gaan. Als het net zulk mooi weer is als vandaag.'

Hij deed echt zijn best. Hij was sympathiek. Nu wilde hij me een dagje mee uit nemen naar de Berg, want dat was een heel eind, wel een paar uur met de sneeuwscooter naar de top. Misschien werd het wel heel mooi weer, het was al maart.

Ik glimlachte naar hem. 'Dan zorg ik voor een lunchpakket', zei ik.

Toen keken we naar een film. Er stak een lijk uit de modder. Het stroomde van de regen. Politiemensen liepen langzaam heen en weer achter neergelaten jaloezieën, het was donker en streperig, maar de ondertiteling was daardoor des te beter te lezen. Ze dronken koffie. Agenten reden door de regen in hun patrouillewagen. Ze aten een hamburger. Een boef verdween in een steegje, ze reden achter hem aan en er viel een hele stapel dozen boven op hen en het steegje liep dood, maar de boef klom via een ladder op het dak en de politie bleef hem achtervolgen, de ene was te dik en de andere was een knappe vent en toen ik terugkwam met vers gezette thee zaten alle agenten samen in een café te drinken en zongen karaoke en ik had het idee dat ik het allemaal al eens eerder had gezien, maar de titel was in ieder geval nieuw.

'Ik mis Ingeborg zo ontzettend', zei ik. 'Vreemd genoeg wordt het erger. In het begin moest er van alles worden geregeld, maar nu moet ik aldoor aan haar denken. Dat is toch raar?'

Niels bromde dat het misschien niet zo gek was. Ik woonde immers in haar huis en ik had er niet erg veel in veranderd, het leek nog steeds het huis van Ingeborg. Misschien moest ik er even tussenuit, naar mijn dochter bijvoorbeeld?

Dat idee wees ik meteen van de hand, enerzijds was het te ver weg voor een weekend en ik wilde er geen vrij voor nemen, anderzijds wilde ik me uit principe niet opdringen, zeker niet bij Åsa. Lars en zij waren nog hevig verliefd, daar konden ze geen oude moeder bij gebruiken.

Niels was gewoon attent. Ik kon hem wel in vertrouwen nemen! 'Het is net of ze iets van me wil', zei ik. 'Soms denk ik dat.'

'Je mist haar', zei hij eenvoudig. Ik knikte ernstig.

'Ik kan haar stem bijna horen, ze is druk bezig commentaar te geven, maar als ik me omdraai naar die stem wordt het helemaal stil.'

'Wat is er, Siv?' Hij legde zijn warme hand weer op mijn arm en keek me ernstig aan. 'Maak je je ergens zorgen over?'

'Nee', antwoordde ik naar waarheid. 'Ik ben gewoon wat van slag. Ik heb vandaag de begrafenisondernemer gesproken, die Ingeborg had afgelegd. We troffen elkaar op het kerkhof en we kwamen van het ene onderwerp op het andere. Hij vertelde wat ze aanhad en zo, toen ze bij hem werd gebracht dus.'

'Natuurlijk doet dat je iets', zei Niels. 'Vertelde hij verder nog iets?'

'Het was moeilijk om het lichaam te fatsoeneren, omdat ze al een poos zo had gelegen.'

Niels zuchtte. 'Ik weet het. Ze was helemaal in elkaar gedoken.

Ze had een blauwe muts op en wat oude kleren aan, ze ging immers maar naar de kelder. Ze was helemaal stijf toen ik haar naar binnen droeg. De radio stond aan. Die had vast de hele nacht aangestaan. Je hebt immers altijd hoop, ik wist niet dat ze er al zo lang had gelegen.'

'Het was aardig van je', zei ik, 'om haar naar binnen te brengen. Heb jij ook gezien dat ze een bandje in haar hand had, een rood bandje – hoewel ze anders nooit rood zijn, maar zwart of wit of doorzichtig, een plastic bandje?'

'Nee', antwoordde Niels. 'Dat heb ik niet gezien. Dat had ze niet. Anders had ik het wel gezien. Je kunt hem niet altijd geloven, die meneer Gustav Bergman. Onder ons gezegd en gezwegen, hij drinkt. Niet zo verwonderlijk misschien, met zo'n baan. Waarom zou ze een plastic bandje in haar hand houden? Daar kan ik me niets bij voorstellen. Vergeet het, Siv, hij kletst maar wat, hij was vast dronken, dat is hij bijna altijd, ook al zie je het niet aan hem.'

Daarop stak hij zonder verder iets te zeggen zijn armen naar mij uit en kuste me lang en hevig. Hij ademde luidruchtig door zijn neus en kuste me zoals ik sinds mijn puberteit niet meer gekust was. Ik was totaal overdonderd, maar ik kreeg niet de kans om iets te zeggen, hij kuste me keer op keer en hij duwde zich tegen me aan totdat hij bijna op zijn knieën voor me lag. Het uurwerk ratelde, het loodzware gewicht viel licht zwevend pijlsnel naar de grond, mijn adem stokte. 'Siv', fluisterde hij. 'Siv, nu zijn we toch wel zover, wil je mij hebben? Kijk me aan! Ik weet dat je naar me verlangt, ik zie het in je ogen, we zijn te oud om te huichelen! Laten we elkaar gelukkig maken, we willen het toch beiden.'

Op dat moment ging de telefoon.

Toen nam ik mijn besluit.

Ja, het ging prima met me, zei ik terwijl ik mijn kleren rechttrok en blozend naar Niels gluurde, die nog op het kleed zat, ook al glimlachend en verfomfaaid. Maar ik kon niet praten, want ik had bezoek. Was er iets bijzonders?

Ja, ik had gehoord van een geval van mishandeling en moord, maar ik had niet meegekregen om welke acteur het ging. O, was hij dat, wat erg. Ja, ik had Ingela wel op tv gezien, en ze wist zich heel goed te presenteren. Elegant en beschaafd, dat was ze. Zoals gezegd. Ze had er ook heel goed uitgezien, echt waar. Maar nu moest ik stoppen, het beste, dag.

Daarna gaf ik mezelf – zoals dat vroeger heette – aan Niels. Hij bleef tot de volgende ochtend half zes, toen mijn wekker afging. Dat wil zeggen mijn wekkerradio.

En we waren meer dan wakker, zoals de goede Cornelis zong.

En ik was niet verliefd.

En toch werkte dat voortreffelijk.

Vierde deel

Tijdens ons eerste weekend samen maakten we het uitstapje naar de Berg, precies zoals hij had voorgesteld. Het werd een onvergetelijke, prachtige dag. De zon glinsterde in de kristallen aan de bomen en het blauwe pad dat we volgden hield bij de hoogstgelegen zomerboerderij op. Vanaf dat punt was het puur wildernis. Het oerbos was beschermd natuurgebied en je moest oppassen voor omgevallen bomen die gewoon van ouderdom doodgegaan waren en maar moesten blijven liggen totdat ze vanzelf zouden vergaan.

Het uitzicht was nog heftiger dan ik me herinnerde. De gemeente had er een afdakje laten neerzetten en daarvoor was een barbecue gebouwd, bedekt met knisperende witte, ongerepte sneeuw, die glansde als een dik altaarkleed.

We hadden droog hout bij ons en toen het vuur knapperde en we van onze hete koffie nipten en uitkeken over de bossen, kwamen er engelen aanvliegen uit de zeven kerkdorpen en ik voelde liefde, een grote liefde – voor dit land. Zo groot, zo sober, zo dunbevolkt. Mijn land. Uitgestrekte bossen, wilde meren, groepjes kleine mensjes die zich angstig aan elkaar vastklampten in de dalen en aan de kust. Maar er was vooral veel bos, wildernis en verlatenheid. Hier was ruimte, hier had je bewegingsvrijheid!

Ik was zelf nog iemand, ik voelde mijn eigen kracht nog en ik wist nog wie ik was en wat ik vond.

De tien bij tien kilometer wildernis zong onder ons in alle richtingen, je had je zo de diepte in kunnen werpen om enkele korte seconden in volstrekte symbiose met het heelal te leven en vervolgens gespietst te worden op een boom beneden in de diepte of tegen de grond te pletter te slaan.

Het was een mooie dag. Onze mooiste. We praatten en zwegen, net hoe het uitkwam. Niels kwam echt los en ik genoot ervan om naar hem te luisteren – dat speciale idioom en zijn stem die klonk alsof hij deel uitmaakte van het grandioze landschap.

'Jouw stem, Niels, zou mij ertoe kunnen brengen jou overal te volgen.'

'Overal?' Hij boog dichter naar me toe. 'Meen je dat?' Hij keek me vorsend aan.

'Ja, overal.'

Hij kuste me en we hadden geen woorden meer nodig.

Nog openhartiger ging ik verder: 'Vanwege die stem zou ik je kunnen volgen naar – waar het rijk van de duivel begint!'

Hij was een man. Zijn huid rook naar man. De sneeuw glinsterde wit. We waren de woorden voorbij en onze kleren zaten ons in de weg. Ik voelde aan mijn warmte dat het zou kunnen. En hij reageerde.

Ja, hij was er.

De ene werkdag na de andere ging voorbij op de leerlooierij. De vellen kwamen en gingen door mijn handen. Ik had sterke knuisten gekregen. Ik had mijn plekje gevonden, ik leefde voor het plezier tijdens de pauze en de ongedwongen omgang met mijn collega's; ik hoorde erbij.

Ik leefde voor het lichte in het leven, voor Mimsans escapades, want ze ging erop uit sinds de sneeuw zich had teruggetrokken. Het was nat op het erf, maar hoogst interessant met al die vogels. 'Foei!' zei ik, maar ik lachte toen ze vergat uit te kijken voor het water omdat een kwikstaart plagerig met de staart zat te wippen. De vogel vloog elegant op en Mimsan kreeg plotseling haast om weer de veranda op te gaan, waar ze haar pootjes ging zitten wassen.

De kwikstaarten waren er. Het was lente.

Tot mijn verrassing viel het werk in de fabriek mij lichter dan mijn vroegere baan in de zorg, ik kwam niet meer zo afgepeigerd thuis. Mijn armen en schouders deden wel wat zeer, maar ik hield meer dag over dan vroeger.

Wat een treurnis was dat geweest, als ik er nog eens over

nadacht. Daar zat ik dan alleen, avond aan avond half slapend voor de tv of verdiept in een handwerkje. Als de bejaarden van alles voorzien waren, was er van mij niet veel over. En voor Jan was geluk niet het samenzijn met mij geweest, maar een eigen leven en honderd procent inzet voor het werk.

En daar had hij Ingela ontmoet!

Ik was begonnen met het opruimen van de schuur, iedere zaterdag moest ik een paar keer naar de vuilstort. Niels hielp mij veel meer dan had gehoeven. Maar hij wilde bij mij zijn, beweerde hij. En dat was best, zeker omdat hij ook nog over een aanhangwagentje beschikte.

Ik kon maar niet beslissen wat ik met de oude kapotte meubels aan moest; zou ik eigenlijk ooit de tijd krijgen om ze op te knappen of stonden ze alleen maar in de weg? En landbouw-werktuigen, oude ploegen, dorsvlegels en mestvorken met zelf-gemaakte handgrepen – waren die soms antiek? 'Gooi die troep toch weg', zei Niels. 'Je moet dat spul niet bewaren. Papieren, die moet je bewaren, oude documenten en boeken, dat kan iets zijn, laat ze me maar zien dan help ik je wel, ik heb er kijk op.'

Maar meer documenten dan die uit de kluis kon ik niet vinden. Wel een heleboel vloerkleden met rattenkeutels erin, oude dekbedden en oude ski's. Ingeborg had ingeslagen voor zware winters en was erop voorbereid dat zowel het geld als de brandstof op zou kunnen raken. Ja, je kon ook nooit weten.

Nee, ik was niet verliefd, maar Niels had een speciaal plekje bij me verworven en er was een nieuwe levensfase aangebroken.

Mijn bestaan als alleenstaande vrouw was afgesloten. Dat had kort geduurd. Ik was niet meer alleen. Maar ik was ook niet verloofd of getrouwd of zelfs maar samenwonend. Ik was alleen niet meer alleen. Ik had iemand. Misschien had ik een soort lat-relatie.

We waren het erover eens dat we het kalm aan zouden doen. Er was geen haast, we hadden alle tijd van de wereld. En we hadden allebei ons eigen werk. Vaak zat Niels de halve nacht achter zijn computer. We zouden elkaar regelmatig ontmoeten, maar geen van ons beiden zat te springen om een gemeenschappelijk leven.

Ik wist niet wat het zou worden. Misschien bleef het wel zo. Ik wilde ook niet bij hem gaan wonen, en trouwen al helemaal niet; mijn vrijheid, het op mezelf wonen, daar hechtte ik aan.

En belangrijk was dat ik niet verliefd was, dat had ik aldoor al geweten en dat besef maakte me ontspannen. Maar ik voelde me wel tot hem aangetrokken, bijna gehypnotiseerd; hij was in één stap vlak bij me gekomen. Was dat alleen vleselijke lust? Dat hypnotiserende, zijn stem, zijn handen en alles wat hij niet zei? Het nog onuitgesprokene?

Langzaam verloor ik mezelf en naarmate mijn drempel lager werd, kreeg hij meer te vertellen. Ik merkte het niet, later kon ik niet begrijpen hoe het zo gekomen was.

Mijn leven was op alle fronten veranderd. Ik had het naar mijn zin, met de kat, met mijn werk, mijn boerderijtje, met Niels en met het bos en de natuur zo dichtbij. We praatten in wezen nooit echt serieus met elkaar, we lachten en hadden het gezellig. Ik had het naar mijn zin terwijl mijn principes langzaam afbrokkelden. Hij was overal bij betrokken, hij lag tegen mijn huid aan gedrukt, en mijn huid had het zo lang zonder aanraking moeten stellen.

De scheiding was nu helemaal rond en het was ook alweer een hele poos geleden sinds ik voor het laatst een kort, formeel telefonisch contact met Jan had gehad. Hij leidde nu zijn eigen leven, hij had mij uitgekocht uit het appartement. En ik had mijn eigen leven. Onze dochter kwam mij met Pasen bezoeken samen met haar Lars. Ze vond dat ik het mooi voor elkaar had, kritiek bleef uit. Weer wist ik de rol van competente moeder te spelen, het was een gezellig weekend. Niels kwam even langs, maar hield zich vervolgens diplomatiek op de achtergrond. Ze vroeg niet naar hem en ik zei niets. Hij was mijn buurman en goede vriend.

Door de bomen zag ik vaag het licht op zijn bovenverdieping als ik soms 's nachts op was.

Toen ik haar voor de tweede keer op tv zag was mijn eerste reactie ergernis en een sterk gevoel van onbehagen – alweer!

Deze keer was het een foto, en face genomen, het lange haar los als altijd. Ze keek ernstig en recht in de camera, misschien was het wel een pasfoto.

De juriste Ingela Katz, die zich had geprofileerd als een compromisloze aanklager in zaken tegen bekende nazi's was sinds gisterochtend verdwenen. Ze was om half negen voor het laatst gezien toen ze voor haar huis in een taxi stapte, waarschijnlijk om naar het gerechtsgebouw te gaan waar om negen uur een zitting zou zijn, maar sindsdien had niemand haar meer gezien. Nu vroeg de politie de kijkers om contact op te nemen als ze de vermiste hadden gezien, of andere inlichtingen konden geven die verband konden houden met haar verdwijning, die als onvrijwillig werd gezien zolang er geen andere berichten binnenkwamen die op het tegendeel wezen.

Ik zette de kat op de vloer, stond op en liep naar de keuken. Mijn mand voor het brandhout was leeg. Ik trok mijn laarzen aan en ging naar buiten. Het was nog licht ook al was het acht uur. Bijna alle sneeuw was verdwenen, het rook naar voorjaar, rotte eieren en verse zuurstof; ik leek wel gek om binnen te zitten. De vogels kwetterden dat het een lieve lust was en de lucht was violet.

Ik zette de volle mand op de trap en ging ernaast zitten.

Wat kon er met haar gebeurd zijn? Was ze gekidnapt door nazi's, misschien om de rechtszaak van vandaag te verhinderen? Of was ze gewoon weer de hort op met een getrouwde man? Maakte ze weer een huwelijk kapot door met haar goed gemanicuurde rode nagels te knippen?

Of was er echt iets vreselijks met haar gebeurd? In films was het slachtoffer meestal mooi en schaars gekleed als het gevonden werd. Zo was het waarschijnlijk in het echt niet. Haar schoonheid zou haar beschermen, niemand wilde zo'n charmante verschijning toch kwaad doen?

Dat ze de verdwijning op tv uitzonden, wat betekende dat? 'Weer zo'n rare buitenlandse naam', zou Niels hebben gezegd. Ja, wat kon je ervan zeggen?

Wat wist je ervan? Misschien was het één groot complot. Je kreeg alles pas achteraf te horen. Achter de façade zag het er heel anders uit, daar kon geen soap tegen op. De werkelijkheid was veel erger, wat wist je er eigenlijk van? Misschien was het niet zo ernstig gesteld met Ingela. Ik kende haar immers ook niet. We hadden elkaar nooit ontmoet behalve die keer dat ik haar op het dek van de Stena Danica had gezien, toen ze mij niet zag, maar mijn man kuste. Of liever gezegd, toen hij haar kuste. Alsof ze de enige vrouw op de wereld was.

Maar het knagende gevoel van onbehagen werd alleen maar sterker. Ik dwong mezelf ertoe op de trap te blijven zitten en ik probeerde van de schemering te genieten, maar als haar nu echt iets was overkomen? Niemand verdiende het om van zijn vrijheid beroofd te worden zonder enige vorm van proces. En als er iets nog ergers was gebeurd? Ze lag tenslotte in de clinch met een gevaarlijk slag mensen, ook al was dat dan haar werk. Stel je voor dat ze haar hadden geslagen, mishandeld, misschien zelfs vermoord?

Mijn sterkste en tevens mijn zwakste punt was mijn al te levendige fantasie, die ik op plechtige momenten mijn 'intuïtie' noemde. Ik stond op en ging naar binnen. Het programma was afgelopen. Ingela was verdwenen, meer wisten ze niet, voor de rest waren het gissingen.

Toch belde ik Jan op. Ik had er geen moeite mee om zijn nummer in te toetsen op mijn nieuwe toestel en ik voelde me niet zwak dat ik hem belde. Ik wilde het gewoon zeker weten.

Hij nam meteen op.

Ja, hij had het nieuws ook gezien. Hij had al een hele poos geen contact meer met haar gehad en hij had geen idee wat er aan de hand was. Hij hoopte vurig dat haar niets ergs was overkomen.

Ik vroeg of hij misschien wist of ze alweer een nieuwe geheime affaire had. Jan liet me niet uitspreken, maar schreeuwde: 'Dat was het dus! Je belt om de spot met mij te drijven. Snap je niet dat dit ernstig is! Er kan van alles gebeurd zijn. Dit gaat wel over iets meer dan jou en mij en belachelijke wraakgevoelentjes.'

Hij wilde de hoorn erop gooien. Snel riep ik: 'Sorry, Jan, sorry. Ik bel niet om je te pesten, zo'n kreng ben ik niet, dat weet je toch! Ik bel omdat ik me zorgen maak. Er gebeuren immers aldoor dingen, je weet niet wat erachter zit, ik maakte me gewoon zorgen.'

Hij kalmeerde snel. Het gebeurde bracht ons een beetje nader tot elkaar. We konden bijna weer praten zoals vroeger, toen we niet alleen minnaars waren geweest, maar ook vrienden.

Ooit waren we elkaars beste vrienden geweest. Ook nog.

Hij vertelde hoe het met hem ging, hij had het druk, hij had niet zoveel tijd om na te denken. Dat was maar goed ook. Kwam ik nog wel eens in de buurt als ik bij Åsa op bezoek ging of zo? Dan kon ik misschien langskomen?

Dat Ingela verdwenen was, was beangstigend. En er was meer, dingen waar ik me geen zorgen over moest maken. Nee, meer wilde hij niet zeggen. Maar als er problemen zouden ontstaan – er waren anderen die in net zo'n gevaarlijke situatie verkeerden als Ingela – zou ik dan bereid zijn iemand een paar dagen onderdak te bieden? Iemand die moest onderduiken?

Ik had rondgelopen met de nieuwe, draagbare telefoon tegen mijn oor aan gedrukt, maar nu plofte ik op de keukenbank neer. 'Onderduiken? Hier?'

Ja, het lag mooi afgelegen. Niemand zou de onderduiker vinden.

'Dat valt hier meteen op', probeerde ik ertegen in te brengen. 'Iedereen weet hier alles, het gaat niet, dat snap je toch wel?'

'Wil je niet?'

'Natuurlijk wil ik wel. Ik bedoel, als iemand in gevaar is of zo.

Maar het zou opvallen als ik bezoek kreeg.'

Het zou misschien maar voor korte tijd zijn. Gedurende die tijd kon de persoon in kwestie binnen blijven en de telefoon niet opnemen. Mijn hulp kon veel betekenen en ik zou voor mezelf niets hoeven te vrezen. Zou ik dat willen overwegen?'

'Goed dan,' antwoordde ik, 'als er een noodsituatie is dan sta ik klaar. Als het absoluut noodzakelijk zou blijken te zijn.'

Toen ik had opgehangen voelde ik me opgelucht, hoe zwaar onze gespreksonderwerpen ook geweest waren.

Ik betrapte mezelf erop dat ik voor het keukenraam stond te neuriën. Het dagelijkse populaire repertoire op 4, waar ik mee volgestopt werd sinds ik op de leerlooierij werkte, kwam nu als een potpourri over mijn lippen, het swingde, ik swingde, wanneer had ik voor het laatst gedanst? Het was tegenwoordig alleen maar ernst en plichten wat de klok sloeg! Straks werd het zomer, dan zou ik me laten gaan, ik was niet met Niels getrouwd, ik was met niemand getrouwd, ik kon me amuseren met wie ik maar wilde.

De zomer is kort. Het kortst is hij als je een baan hebt weten te bemachtigen in een gemeente waar datgene wat eeuwenlang hét middel van bestaan is geweest, is verdwenen en waar niets nieuws voor in de plaats is gekomen. Waar mensen zich druk maken over deskundigheidsbevorderende cursussen in vliegvissen en het maken van houten hekken op de traditionele manier. Om maar te zwijgen van hoe druk ze zich maken over succesvolle immigranten die in mooie auto's rijden. En niet te vergeten de frustratie die de immigranten opwekken die helemaal niet geslaagd zijn, maar op een roestige fiets rijden en alleen steun trekken. Kortom, immigranten. En van die types die het te goed hebben en een beetje sportvissen op kosten van de belastingbetaler. En anderen. Misschien ook vrouwen uit Göteborg?

Ik nam de twee weken vrij dat de fabriek dichtging. De rest van de tijd werkte ik en daar was ik nog dankbaar voor ook. Bengan vrolijkte mijn dagen op met zijn invallen en Måns reed op zijn heftruck, zwijgend en met zijn mond vol pruimtabak. Het ging allemaal prima. Vroege, geurige zomerochtenden, ochtenddauw en vogelzang. Met zo'n begin gaat de rest van de dag vanzelf.

Katarina en ik kletsten maar door terwijl de radio jengelde en de vellen werden weggewerkt. Veel werd geëxporteerd, maar een gedeelte werd gebruikt door plaatselijke leerateliers die alle crises hadden weten te overleven en een niche hadden gevonden in de leermode met eigen ontwerpers en die zich nu vastklampten aan de rand van een grote krater.

Grijs was ironisch genoeg erg in de mode geweest, maar daar leek nu eindelijk een eind aan te komen; ik kreeg pallets vol bloedrode vellen om onder handen te nemen. Ik had geen nagellak nodig gehad. 'Bloed aan mijn handen', siste ik en ik dreigde Bengan ermee, die weer eens een praatje bij ons kwam maken over hoe de zaken ervoor stonden en hoe het nou eigenlijk zat tussen mij en Niels?

Ik trok een onnozel gezicht en begreep absoluut niet waar hij het over had. Katarina kauwde heftiger dan ooit en grijnsde met haar hoofd gebogen over het snijwerk.

Hij had anders gehoord dat we verkering hadden, dus vandaar.

Ik bedankte hem voor die informatie, had ik misschien ook een miljoen gewonnen waar ik niets van wist? Of was er iets anders dat ik moest weten?

Hij zei alleen maar dat ik moest oppassen voor Mikael, Niels' zoon. Dat was alles.

Ik vroeg wat hij bedoelde.

Hij bedoelde niets. Hij zei het alleen maar. Aan Mikael zat echt een schroefje los.

Toen ging hij weer. Wat had dit te betekenen? Niels had zo trots geleken op zijn zoon. Ze hadden een goed contact, ze mailden en belden elke dag. Het was puur toeval dat we elkaar nog niet hadden ontmoet, maar dat zou nog wel komen, vroeg of laat.

Toen vergat ik het gesprek. Katarina en ik bespraken familie-problemen, opnieuw. Gescheiden als we allebei waren, hadden we de conclusie getrokken dat een scheiding voor de mensen van nu hetzelfde was als tbc vroeger. Je raakte erdoor uitgeteerd, zowel gevoelsmatig als financieel. We hadden tientallen voor-beelden in onze onmiddellijke omgeving – vooral in die van Katarina, zij kende de meeste mensen – werkloosheid, maat-schappelijke misère en ook zelfmoord.

'"Ik ben volledig uitgeblust"', deed Katarina een van haar talloze vriendinnen na. 'Dat heb ik ook wel eens gezegd', ging ze verder. 'En dan was het alleen maar ik, ik, ik. Over gebrek aan fantasie gesproken. Niemand die de kinderen iets vraagt – zijn zij ook uitgeblust? Nee, niemand vraagt de kinderen of zíj wel willen scheiden! Ik kan niet begrijpen hoe een ouder vrijwillig afstand doet van het voorrecht bij zijn of haar kinderen te zijn, dag en nacht en weken achtereen. Dat is immers nou net het fijne van kinderen hebben, dat je samen de dag doorbrengt, dat je door dik en dun bij elkaar blijft. Ik zou nog met de duivel geslapen hebben – met liefde zelfs – als het alternatief was dat ik mijn eigen kleine druktemakers niet meer mocht zien. Ja, alleen niet met die idioot met wie ik toevallig mijn kinderen gekregen heb, natuurlijk', voegde ze er zachtjes aan toe.

Ik giechelde. Katarina was recht voor z'n raap, dat was zo leuk aan haar.

'En als je dan eindelijk door die langverwachte scheiding heen bent', ging ze verder, 'dan zegt de Vrijheid "bedankt" en smijt de deur voor je neus dicht. Je moet twee keer zo hard werken, aangezien je met de helft minder bent om de huur en de telefoon-rekening en dergelijke te betalen. Door de week zien de kinderen alleen die ene ouder die tegelijkertijd honderd procent moet werken, waardoor ze als laatsten van de crèche gehaald worden. Dat is de moderne slavernij! En het is allemaal de schuld van die verdomde echtscheidingen, het is veel te gemakkelijk om uit elkaar te gaan. Ze zouden bemiddeling verplicht moeten stellen.

Echte dwangbemiddeling zoals vroeger toen de mensen in het beklaagdenbankje moesten staan en zich moesten schamen. De maatschappij zou heel veel geld moeten vrijmaken voor het redden van de huwelijken die nog te redden zijn en dat zijn er negen van de tien, heb ik gelezen. Dat zou nog eens kinderopvang zijn en je had dan eindelijk eens een wet die ook voor de kleintjes goed zou zijn.'

'Maar niet voor de vrouwen', piepte ik en ik deed net of ik opzij wilde springen. 'Stel je voor dat je gedwongen wordt getrouwd te blijven met een man die nooit ziet dat er schoongemaakt moet worden, die misschien niet schoon is op zichzelf en die misschien drinkt of op paarden gokt, of nog erger, die helemaal geen interesses heeft, maar voor de tv zit te slapen!'

'Daar heb je dan zelf voor gekozen!' zei ze plechtstatig. 'Als je een tandenborstel koopt, kun je die ook niet terugbrengen alleen omdat die wat harder blijkt te zijn dan je dacht! Je hebt hem al in je mond gehad en dan zit je eraan vast!'

We staarden elkaar aan en lagen toen dubbel van de lach. Onze handen vlogen als leeuwerikvleugels over de rode vellen. 'Aan de andere kant houden tandenborstels altijd hun mond', proestte Katarina ten slotte. 'Verdere overeenkomsten daargelaten.'

In de pauze leerde Måns mij wat BMI betekende. Hij deed aan krachttraining en was geobsedeerd door spieren en voeding. BMI was geen auto en ook geen rijksinstelling, maar een indicatie van hoe dik je was. Je vermenigvuldigde en deelde en dan kreeg je een index die aangaf of je ondergewicht, een normaal gewicht of overgewicht had, of moddervet was, om het zo maar te stellen. Tot mijn stomme verbazing belandde mijn eigen index in de categorie 'normaal'. Ik vroeg Måns het nog een keer na te rekenen, ik was nogal kort van stuk, merkte ik op. Maar de uitkomst bleef gelijk. Er moest iets fout zijn. 'Nee', zei hij. Dit was een wetenschappelijke methode en ik had echt geen overgewicht.

Ik weigerde het te geloven. Ik hoefde immers maar in de spiegel te kijken.

Toch ging het goed met me. Ik was niet meer piepjong. Het rooien van jonge boompjes en het grasmaaien, het van onder tot boven afkrabben en verven van mijn huis en mijn zwerftochten door het bos hielden me in vorm. Slank zou ik nooit worden, ik moest mezelf accepteren zoals ik was.

Bengan zat er zwijgend bij. Hij had geen problemen met zijn lichaam, zei hij. Hij werd meer door andere problemen geplaagd en hij wist niet wat hij ermee aan moest. Moest je zeggen wat je wist en dan een klap krijgen of moest je het maar op zijn beloop laten? 'Voor de draad ermee', moedigde ik hem aan, 'en spreek niet in raadselen.' Maar dat wilde hij niet.

'Jij kunt me niet helpen', zei hij. 'Het gaat erom de waarheid uit de as te rakelen zonder zelf te verbranden – ik weet niet hoe ik dat voor elkaar moet krijgen.'

'Dan moet je het zelf maar weten', zei ik. 'Mensen die maar wat mompelen vind ik het ergste wat er bestaat. Als je a zegt moet je ook b zeggen en mij niet zo verschrikkelijk nieuwsgierig maken.'

Toen glimlachte hij flauwtjes. Hij had zorgen. Ja, wie niet?

En ik moest naar de bibliotheek, aangezien er de een of andere viezigheid op mijn bessenstruiken zat, een soort spint. Op het werk hadden ze me aangeraden boeken over het onderwerp uit de bibliotheek te halen, dat hadden anderen ook wel gedaan.

Ik was er nog niet eerder geweest. Het was een lelijke ruimte, de bibliotheek zat in een oude winkel, maar een vriendelijke bibliothecaresse wees mij meteen de plank met tuinboeken en daarvan stonden er genoeg. Ja, een heleboel, kon ze mij niet even helpen om een boek uit te zoeken?

Daar was ze graag toe bereid, maar dan moest ze iets beter weten wat ik zocht.

Ik vertelde dat ik problemen had met ongedierte op mijn bessenstruiken, ik beschreef ook waar ik woonde, aangezien zij aan haar spraak te horen uit de streek kwam. En inderdaad. 'Jij bent een nicht van Ingeborg, wat leuk. Stel je voor, ze is hier vlak voor haar dood nog geweest. Ja, echt.

Ze was onderweg naar de bank, maar ze wilde eerst iets kopiëren – "Jullie hebben hier toch zo'n kopieerapparaat?" vroeg ze. En ik heb haar geholpen want het is een log apparaat en zelfs voor iemand die het gewend is moeilijk te bedienen.

Ja. Het was een oud papier dat ze kopieerde, herinner ik me, en toen betaalde ze keurig voor de kopie en ging door die deur naar buiten. Dat was de laatste keer dat ik haar heb gezien.'

O, sta stil, ogenblik! Ik wilde meer horen over Ingeborg! Plotseling voelde ik haar aanwezigheid weer, het gat in het bestaan waar zij had gezeten.

'Zei ze nog iets?' vroeg ik. 'Waar hadden jullie het over?'

'Ach, niets bijzonders, niet dat ik nog weet. We hadden het over het kopiëren natuurlijk, op welke knoppen je moest drukken en zo. Niet omdat ik dacht dat ze dat zou onthouden, maar gewoon als praatje. Ik weet niet wat het voor een papier was dat ze kopieerde, maar ze zei dat het haar levensverzekering was.

Maar dat was het niet. Zoveel kon ik er in ieder geval wel van zien.

Het was gewoon een lijst met namen. Dat viel me op toen ik haar hielp.

Een levensverzekering was het absoluut niet.

Gewoon een lijst met namen.'

Ik droomde dat ik me in een betegelde gang bevond. In een soort ziekenhuis. Ik moest rechtdoor lopen, gewoon rechtdoor in een gelijkmatig tempo, er liepen mensen achter me en ik wist dat er ook mensen voor me liepen in deze geheel betegelde witte gang.

Er stonden deuren open, maar ik moest gewoon doorlopen, doorlopen. Een arts joeg me vriendelijk maar beslist voor zich uit en er doken ook verpleegsters op met witte jassen aan en een soort witte tulband op hun hoofd en ze hielpen mee om mij rechtdoor, almaar rechtdoor te laten lopen door de galmende gang.

De arts hield een vel papier in zijn hand, het was mijn levensverzekering, daar was iedereen het over eens. Dit was niets bijzonders. Ik moest gewoon doorlopen, dan kwam het allemaal goed. Alles was schoon en netjes en niemand praatte hard, maar ik moest doorlopen, onverbiddelijk. En ik wist niet waar mijn tocht door deze betegelde gang zou eindigen.

Hoewel, eigenlijk wist ik het heel goed. En ik wist ook dat de besluiten al genomen waren en niet meer te veranderen. Nu was ik aan de beurt.

De arts was mager en correct, zijn witte jas hing open en ik zag dat hij er een vest en een stropdas onder droeg. Ik kon niet terug, ik moest doorlopen en ik wist dat ik aan de beurt was. Het ging al zo lang zo, het stelde niets voor, dat vond iedereen. Nu was het mijn tijd.

Ik werd door een zware droefheid overvallen. Wat was het moeilijk. Zo onherroepelijk. Ik wilde niet. Maar ik wist dat dat niet hielp. Deze keurige verpleegsters, deze rustige man die zo vriendelijk correct was, maar totaal geen gevoel voor mij had, alleen onverschilligheid. Ik deed een halfslachtige poging om te smeken, maar hij glimlachte slechts terug met een blik van 'helaas' en zei dat het zo voorbij was, ik hoefde me nergens zorgen over te maken, ze verstonden hun vak en ze wisten precies wat ze deden. Het zou allemaal goed gaan. Het ging snel. Het was maar een simpele handeling, een van de vele.

Ik bleef in de rij en schoof steeds verder naar voren, met lood in de schoenen. Ik werd verder geduwd als in een darmstelsel, ik kon niet omkeren. Ik zou uitgestoten worden.

Binnenkort was ik alleen nog een afvalproduct. Ik zou toch wel begraven worden of zo? Of zelfs worden verbrand? Want ik werd toch doodgeschoten? Ik werd toch niet levend begraven?

Ik werd in doodsangst wakker, badend in het zweet. Het was drie uur. Nee, hè?! Niels was naast mij in slaap gevallen in het smalle bed, dat was het enige wat ik nog wist, maar nu was hij weg en over een paar uur moest ik opstaan.

Terugval. Terugval in de angst. Dit kreeg ik ervan omdat ik strijd leverde en echt mijn best deed om een idyllisch en harmonieus leven te leiden. Nu hadden de demonen me weer te pakken.

Het zou wel aan de herfst liggen. Dat het herfst werd. Het werd iedere dag donkerder en de zomer liet het afweten, de toeristen waren uitgedanst op alle dansvloeren en het zwemwater was koud geworden.

Ik bleef wakker liggen totdat de wekkerradio begon te spelen en dat aanvaardde ik gelijkmoedig. Ik zou de verloren uren slaap de volgende nacht wel inhalen, zo verging mij dat altijd, dat was niet zo raar. Ik zou door angst overweldigd zijn waar ik ook geweest was en hoe mijn omstandigheden ook waren geweest. Dat had niets te betekenen. Nachtmerries waren er om uit wakker te worden. Ik had het goed.

De weg naar Sälen was vrij toen ik aan kwam rijden, geen auto te zien zover het oog reikte en het was nog niet helemaal licht. Nee, nu was het echt laagseizoen, de bomen verkleurden geel en de ochtend was grijs en stil. Er zouden zware tijden komen, vanaf nu duurde het lang voordat het weer de goede kant op zou gaan, ergens in februari, maart.

Ik voelde de wurggreep van de afgelopen nacht nog. Mijn ongerustheid zat vlak onder de huid.

Ik was een neuroot, ik had te veel fantasie, dat was alles!

Ik begreep meteen dat er iets vreselijks was gebeurd. Het was niet moeilijk om dat in te zien. Blauwe zwaailichten op een rode auto waar REDDINGSDIENST op stond, ook nog een politieauto en een ambulance en mensen die niet op de leerlooierij thuishoorden, er was iets ernstigs gebeurd en ik speurde naar rook, ik dacht dat er brand geweest was. Maar er stonden geen brandweerauto's, alleen de auto van de reddingsdienst, de politieauto's en de gapende, knalgele ambulance?! Dan was er zeker iets misgelopen op chemisch gebied. Als er per ongeluk chemicaliën geloosd waren, kon dat desastreuze gevolgen hebben.

Ik parkeerde mijn auto en liep talmend naar de deur om in te klokken. Geen mens te zien in de kantine of in de kleedkamer.

Ik liep schoorvoetend de fabriek binnen. Ik wist niet wat ik te weten zou komen, mijn bloed bonkte dof in mijn hoofd, verder was het onheilspellend stil. De welbekende stem van de fabriek zweeg. De machines bromden niet, er waren geen ratelende heftrucks of dreunende vaten te horen en er klonk geen geroep van mensen. Het was stil. Je hoorde nu het gefluister van de ventilatoren, die had ik nooit eerder gehoord. Ik ging het nathuis binnen en ik begreep dat daar iets ergs aan de hand was.

Er staat een brancard met uitgeklapt onderstel midden in het lokaal, dat is het eerste wat ik zie. Leeg.

Maar dat is geen opluchting. Het volgende dat ik zie is Hans Scheuer, de looier. Hij staat bij de ingang van het chemicaliëndepot en er hangt iets onheilspellends om hem heen, hoewel hij tegen de deurpost geleund staat met zijn armen nonchalant voor zijn borst gekruist.

Langs de wanden staan mijn collega's in groepjes bij elkaar; huilen ze? Ja, sommigen huilen. Anderen kijken weg. Niemand komt naar me toe zoals ze anders zouden doen.

Wat is er gebeurd? Waarom wil niemand iets zeggen? Waarom mag ik niets weten? Misschien wil ik het ook niet weten. Waarom ben ik zo bang om de waarheid te horen over wat er is gebeurd?

De brancard staat glimmend midden in de grauwe omgeving, als de kribbe van Jezus op een schilderij. Een eindje verderop staat Hans Scheuer, de looier, als God de Vader zelf, onbeweeglijk, en houdt een wakend oog op het hele gebeuren.

Er is iets vreselijks gebeurd, een ongeluk. Ik kijk om me heen, de meesten zijn hier. Maar er zijn er ook een paar niet, sommigen hebben een late dienst en sommigen beginnen eerder dan de anderen. Waar is Sandström, hij is altijd de eerste, hij komt al om vijf uur, om het proces op te starten.

Op hetzelfde moment krijg ik hem in de gaten, hij komt aanstrompelen – is hij dronken? Een soort ziekenbroeder ondersteunt hem, en Mickelsen, de chef, loopt er met gebogen hoofd naast. Sandströms gezicht is knalrood en vertrokken, die arme man, ik heb eerder nooit zoveel erg in hem gehad, hij hoort bij het meubilair, maar nu huilt hij openlijk en zijn lichaam vecht en beweegt spastisch door de ongewone gevoelens, waar is hij zo kapot van, waarom reageert hij zo?

Ze lopen naar de uitgang. Scheuer volgt hen met zijn blik, zijn gestalte is donker, geladen met energie. Sandström wordt weggebracht. Waarheen? Waarom? Waarom huilen er zoveel?

Ik doe een paar stappen in de richting van het dichtstbijzijnde groepje. Mannen die normaal gesproken druk bezig zouden zijn met de stapels vochtige, blauwgrijze huiden die om ons heen liggen.

Een van hen wijst zwijgend naar boven, naar de bovenkant van de vaten. Nu zie ik dat er zich daarboven meer mensen bevinden, ambulancepersoneel en politiemensen. Ze zijn druk bezig en het werk concentreert zich rond een van de drie stilstaande vaten.

Ik zie er een ladder uit steken, ja, ze hebben een lange uitschuifbare aluminium ladder in het kennelijk open vat gezet en het reddingspersoneel staat over de opening gebogen.

Mijn god!

Mijn god! Is er iemand in gevallen?

Hij knikt. Op gedempte toon vertelt hij het. Sandström was in actie gekomen toen de trommel nog steeds bleek te draaien toen hij om half vijf vanochtend aankwam. Eerst was hij behoorlijk giftig geweest. Hij had het een stomme streek gevonden van de nachtploeg om gewoon weg te gaan zonder de boel netjes achter te laten en ervoor te zorgen dat alles goed ingesteld stond, dat wil zeggen zó dat de snelheid van het vat rond drie uur 's nachts werd teruggebracht naar ongeveer één omwenteling per twee minuten. Maar de trommel draaide op topsnelheid en hij was bijna door het lint gegaan, want hij was bang geweest dat de hele lading verwoest was, voor rond een half miljoen kronen aan huiden.

Maar toen hij had gecontroleerd wie de laatste dienst had gedraaid, had hij ontdekt dat de collega in kwestie niet uitgeklokt had.

Wie was het?

Bengan. Die blonde jongen.

Bengan? Nee toch zeker?

Toen rook Sandström al onraad. Hij belde naar Bengans huis om hem in het beste geval uit te schelden. Maar zo ging het niet.

Hoe dan?

Zijn verloofde was vreselijk ongerust. Hij bleef 's nachts nooit weg en hij had al rond middernacht klaar moeten zijn. Ze had talloze keren naar zijn mobiel gebeld, maar hij had niet opgenomen.

En de hele tijd draaide dat verrekte vat maar rond, rond, rond en dan ook nog eens op topsnelheid.

Toen Sandström de computer checkte en besefte welke chemicaliën er in het vat geloosd waren vermoedde hij dat er iets vreselijks was gebeurd.

Stom genoeg wachtte hij niet op de dagploeg, maar stopte zelf de trommel en drukte toen op de knop waarmee het luik werd bediend. De motor daarvan startte en het luik ging open.

Het eerste wat hij toen zag was Bengan, die daar beneden in

het vat op zijn rug dreef, hij herkende hem aan zijn kleren.

En toen bleef er niet veel meer van Sandström over. Hij had in ieder geval genoeg tegenwoordigheid van geest gehad om alarm te slaan voordat hij instortte.

Vermoedelijk had Bengan te veel chroompoeder gedoseerd en had hij dat op het laatste moment ontdekt. Hij had zich over de trommel gebogen in een poging om er met een emmer aan een lange stok zo veel mogelijk van af te schuimen.

'Ja?'

'Ja, en toen gebeurde het dus. Zijn zwaartepunt kwam te ver naar voren te liggen en hij viel in de trommel tussen de huiden en de chemicaliën.'

'En?'

'Toen ging het luik dicht, dat gebeurt immers automatisch, en het proces werd opgestart. De computer deed alleen maar wat er geprogrammeerd was, dat moet de arbeidsinspectie verder uit-zoeken.'

'Mijn god, is dat mogelijk? Bedoel je dat Bengan? Dat hij…'

'Natuurlijk is hij dood. Wat denk je? Gelooid sinds twaalf uur vannacht.'

De man draait zich om. Hij wil niet meer praten.

Gelooid sinds middernacht? Dood? Bengan? Olles zoon en een van de lichtpunten in mijn bestaan op de fabriek?

Gelooid?

Hij moet nog hebben geleefd. Hij kan nooit op slag dood geweest zijn, zo sterk zijn de chemicaliën toch niet en de vaten zitten nooit helemaal vol. Hij moet geschreeuwd en gebruld hebben om hulp zodra hij weer aan de oppervlakte kwam. Maar is hij toen omgegooid, overspoeld door de inhoud van het vat? En slaagde hij er toen weer in boven te komen?

Wat een afschuwelijke dood! Het kan uren hebben geduurd. Zolang hij kon zwemmen en zich kon verweren tegen de aal-gladde slingerende huiden en vellen. Zolang hij de draaiing van de trommel kon pareren. Zolang hij zichzelf drijvende kon houden en zich omhoog kon vechten naar het oppervlak, keer op keer, om de hele tijd weer omvergesmeten te worden en te worden bedolven onder honderden zware huiden in een vloeistof en geen lucht te krijgen.

Maar hij raakte waarschijnlijk snel uitgeput, het zal toch wel snel gegaan zijn? Hij is vast verdronken voordat de chemicaliën zijn huid begonnen aan te vreten. Mijn god, zijn slijmvliezen! Zijn ogen! Het moet verschrikkelijk veel pijn gedaan hebben!

Ik merk niet dat mijn tranen stromen, wat vreselijk, wat kan het toeval wreed zijn of het noodlot of wie dan ook de verantwoordelijkheid heeft voor het feit dat de veiligheidsmechanismen, als ze er al zijn, niet werken.

Door een waas van tranen staar ik naar de bovenkant van het vat. Ik knipper aan één stuk door met mijn ogen.

Nu hebben ze het lichaam beet, zie ik; ze tillen het op. Met behulp van een talie wordt er een bundel uit de buik van de trommel gehesen en een man in oranje beschermende kleding komt erachteraan, komt de ladder op klimmen. Het lichaam wordt nu op de vloer neergelegd, nee, op een brancard. De ambulancebroeders nemen hem tussen zich in en ze lopen over de wankele loopbrug dwars over het lokaal.

Wij beneden, wij volgen de processie. Het is niet te bevatten. Daar wordt Bengan weggedragen van zijn laatste opdracht in het leven, hij is dood.

Nog maar drieëntwintig. Hij is dood. Ze verdwijnen de trap af, die is steil, scheef en smal, maar ze dragen hem voorzichtig, ze zijn het vast wel gewend, ook dit soort dingen.

De politiemensen rollen een plastic lint uit daarboven. Ze maken een afzetting. Ze zullen een onderzoek instellen. Mensen gaan aan de kant, onbevoegden mogen niet langer achter de afzetting blijven. Nu komen de ambulancebroeders de trap af en lopen tussen ons door.

Ze dragen de dode naar de brancard op wieltjes midden in de fabriekshal. De hele tijd staat Hans Scheuer te loeren.

We durven niet naar voren te stappen en de ambulancebroeders kijken ons niet aan. Ze wikkelen een gele deken om het lichaam en spannen het vast met twee zwarte riemen. Het is duidelijk dat ze dit vaker gedaan hebben. Ze kunnen dit.

Maar wij niet. Er is nu luid snikken te horen, hoe komen we deze dag door? Daar ligt Bengan. Gisteren leefde hij, we hebben met hem gepraat, hij was gezond en fit en zijn zorgen waren toch niet erger dan de mugjes en beestjes van de afgelopen zomer. Gisteren hebben we nog met hem gepraat. Nu is hij dood, hij is er niet meer.

Met de rijdende brancard tussen hen in verdwijnen de broeders naar de gereedstaande ambulance.

Hoe zag hij eruit?

Ik heb spijt dat ik niet ben gaan kijken. Hoe hij er ook uitgezien kan hebben. Nu wordt het moeilijk om te beseffen dat hij dood is. Zo'n jong iemand moet niet dood zijn, maar leven, dit is tegen de natuur. Ik had me ertoe moeten zetten. Zodat ik het had kunnen beseffen en aanvaarden.

En zijn arme familie? Olle en zijn vrouw en zijn jongere broer? Zouden ze het al weten? Of verkeren ze nog in... de uitdrukking 'zalige onwetendheid' doemt plotseling levensgroot voor me op. Hoefden ze er maar nooit achter te komen! Mochten ze maar zalig onwetend blijven! Hoeveel moet een mens incasseren?

Hoe kon het gebeuren! Waarom moest het gebeuren?

Eindelijk komt Katarina eraan. We staan een hele poos met de armen om elkaar heen. Ik reik haar tot de schouder en zij kan waarschijnlijk haar armen maar net om mij heen krijgen. Hoe zullen we dit aankunnen? Hoe kunnen we verder werken? Arme, arme Bengan. Waarom, waarom, waarom?

En hoe kon het dat hij helemaal alleen was? Wie werkte er gisteren samen met Bengan?

Maar ik weet het antwoord al, hoe het gegaan moet zijn. Bengan was alleen achtergebleven. Je neemt het niet zo nauw met de regels in de late dienst, dat is menselijk. Ook toen ik in het tehuis werkte kwam dat voor, de een laat de ander wat eerder weggaan. Als het werk klaar is, is er geen reden om elkaar aan te zitten kijken en alleen maar te geeuwen. 'Hij wordt al verhoord', fluistert Katarina. 'Het was Måns. Arme, arme Måns!'

Het is een onplezierig gevoel om in dezelfde zaal te zijn als waar Bengan is gestorven, en met de politie boven onze hoofden. We trekken ons langzaam terug naar onze eigen afdeling, terwijl de stapels wetblue om ons heen erom schreeuwen bewerkt te worden.

Arme, arme Måns. Stel je voor als hij veroordeeld wordt – dood door schuld, wat weet je ervan? Die arme mensen die de huiden uit dat ongelukzalige vat onder handen moeten nemen! In droge toestand komen die huiden later bij ons op de afdeling, we willen er niet aan denken, we klampen ons nog aan elkaar vast, terwijl we voortstrompelen langs alle machines die nog steeds stilstaan.

Stil.

Laten we het overpeinzen.

Nee. Deze dood is te bruut. En het is fout. We zijn te zeer aangeslagen. We willen niets overpeinzen. In razende vaart beginnen we de vellen te tuchtigen. Het werk is een zegen en je kunt erin kwijt wat je niet kunt zeggen door een idioot werktempo en het werk troost, leidt ons voort, voort.

Bertil, onze voorman, komt discreet naar ons toe. Hij zegt dat we vandaag niet zo ijverig hoeven te zijn. Het werk blijft vandaag in grote delen van de fabriek stilliggen. De politie moet haar werk kunnen doen en Mickelsen heeft gezegd dat iedereen gewoon uitbetaald krijgt, of er nou veel of weinig is gewerkt. Hij is zelf mee geweest om Sandström weg te brengen, die in een shock is geraakt. Hij zal worden gehoord zodra het wat beter met hem gaat, ze zijn onderweg naar de psychiatrische kliniek in Falun.

Dan weet Bertil niet meer wat hij moet zeggen. 'Het is zo vreselijk, je moet er niet verder over nadenken', zegt hij.

De familie?

Jazeker. Daar zijn ze naartoe. Het hele dorp zal er vol van zijn. Zo'n jonge jongen. Zo verdomd onnodig. Wat had het uitgemaakt als er wat te veel chroompoeder in zat! Wat zijn een paar dode huiden in vergelijking met een levende jonge vent. Maar hij bedoelde het waarschijnlijk gewoon goed. Hij wilde zijn werk zo goed mogelijk doen en dacht niet aan de veiligheid. Vanaf nu is het verboden om zelfs maar op het platform te staan als je niet met zijn tweeën bent.

Het wordt een vreselijke dag.

En een even vreselijke avond. Ik kan het ongeluk nog geen minuut van me afzetten. Een hele poos zit ik te huilen met mijn gezicht tegen Niels' borst aan gedrukt.

Ik voel zijn handen, hoe hij zachtjes over mijn haar strijkt. Hij is bij me, hij is hier. De nabijheid van een mens is het enige wat helpt en hij is bij me met zijn onweerstaanbare stem en met onhandige, troostende woorden die echt gemeend zijn. Hij fluistert dat het hem ook raakt wat er is gebeurd, zo vreselijk, zo verdraaid onnodig. Als Måns de schuld maar niet krijgt, voor elkaar klokken doet iedereen immers.

Ik zeg dat ik razend ben. Maar ik heb niemand om kwaad op te zijn. Ik heb in de loop van de dag gehoord dat Måns is ingestort. Hij was niet eerder weggegaan zoals ik dacht, maar hij had zelf uitgeklokt toen zijn dienst erop zat, en hij had niet meer gekeken waar Bengan zat. Zo dik waren ze ook niet met elkaar. Hij had gezegd dat Bengan rondliep om af te sluiten, dat hij dat had gedacht.

Maar Bengan had zijn uiterste best gedaan om te voorkomen dat een lading huiden verkeerd werd gelooid.

Dat had hem het leven gekost.

De verstikkende lucht van de zwavelwaterstof ligt als een deksel op onze werkdagen. We wachten op de uitkomst van het politie-onderzoek. Ook de arbeidsinspectie is hier geweest. We keren langzamerhand weer terug tot de orde van de dag als de afzettingen weggehaald worden en de inhoud van het gehate vat onder handen wordt genomen.

We gaan allemaal naar de begrafenis. Die zwaar is – heel, heel zwaar.

De dominee benadrukt in zijn toespraak Bengans levensvreugde, hoe populair hij was, hoe positief hij in het leven stond en hoe zonnig hij de toekomst had ingezien. De dominee probeert hier geen troost uit te halen, maar onder de woorden bevindt zich het trieste lot van andere jongeren die onlangs zijn begraven, die de hand aan zichzelf hadden geslagen omdat ze het idee hadden dat er in dit land geen plaats voor hen was. Een dominee is ook maar een mens en het is vast gemakkelijker om een sterke, vrolijke jongeman als Bengan aan de aarde toe te vertrouwen dan om woorden te vinden voor de ouders van een zoon wiens wil om te leven de kop is ingedrukt en geknakt is.

Het allermoeilijkste: het afscheid. Eerst de familie. Om voor de hele gemeente naar de kist in het koor te lopen – Bengan wordt gecremeerd – en je zo bloot te geven. Olle is minstens tien jaar ouder geworden in de afgelopen twee weken. Zijn vrouw is een schim van de sterke vrouw die ze eerst was. De jongste zoon, opgeprikt in een nieuw pak, maar dapper in zijn vastbeslotenheid om waardig afscheid te nemen. Zijn vriendin, helemaal kapot gehuild met een zwarte bril op en vuurrode vlekken in haar gezicht. Haar lichaamstaal geeft aan dat ze alles op alles zet om het fysiek vol te houden totdat de begrafenis voorbij is.

Deze familie krijgt het wel zwaar te verduren. De schemering valt haastig over hen. Olle krijgt misschien nooit meer een baan. Of zou hij nu misschien zijn zoon kunnen vervangen op de leerlooierij? Wat een afschuwelijke gedachte opeens.

Ze leggen hun bloemen op de kist. Olle struikelt en valt bijna. Zijn vrouw blijft staan, maar de vriendin vangt hem op en ondersteunt hem het hele stuk terug naar hun bank.

De mensen van de leerlooierij vullen het hele koor. We stromen tegelijkertijd naar voren en we vormen een soort erewacht, terwijl de voorzitter van de vakorganisatie een nogal droge, maar daarom juist enorm hartverwarmende toespraak houdt over Bengan als collega en kameraad, ook binnen de vakorganisatie waarvan hij tweede secretaris was. We lopen in optocht langs de kist en ik probeer Olles blik te vangen als ik terugloop langs hun bank, maar hij kijkt naar de grond, hij is gebroken, hij is zijn zoon kwijt, geen ceremonie ter wereld kan zo'n marteling lenigen.

Dat kan de mooiste omlijsting niet en geen bloem ter wereld, zelfs de meest exotische orchidee niet en geen enkel woord. De mooiste zinnen geschreven door het scherpste en meest meelevende brein kunnen de nood nog niet lenigen. De dood is geen gast, maar een terreurdaad. Hij was vreselijk pijnlijk, langzaam en grotesk, lelijk en laf, hij zweeg en sloeg uit een hinderlaag toe, stak toe midden in de massa en de eerste de beste, vooral de beste, moest het leven laten.

Het politieonderzoek is afgerond en wordt openbaar gemaakt. Op een ochtend staan Katarina en ik op onze afdeling, ze hangt over me heen en ik sla een krant open die ik net van iemand heb geleend. We lezen dat het ongeluk te wijten was aan een menselijke fout. Het is gebleken dat de verongelukte man, die op het moment van het ongeval alleen was in de fabriek, per ongeluk verkeerde meetwaarden heeft ingegeven in de computer, zodat er automatisch een te hoge dosis chemicaliën werd toegevoegd. Het slachtoffer zag zijn vergissing te laat, maar probeerde die te herstellen door te proberen handmatig zo veel mogelijk te verwijderen. Op dat moment vond het ongeluk plaats. De vertraagde werking van de sluitinrichting zorgde ervoor dat het slachtoffer er in zijn haast niet aan dacht om eerst de stroom uit te schakelen, voordat hij zich over de trommel boog. Toen hij er vervolgens in viel was de tragedie een feit; de automatische sluitinrichting kwam in werking en het looiproces begon. De recherche acht de fabrieksleiding niet verantwoordelijk voor het gebeurde. Het slachtoffer had niet de opdracht gekregen om deze werkzaamheden uit te voeren, maar deed dat volledig op eigen initiatief. De arbeidsinspectie zal met nieuwe aanbevelingen komen voor het werken met zulke grote vaten. Het bedrijf in kwestie heeft al op de dag na het ongeluk een totaal verbod ingevoerd om in het vervolg op eigen houtje te opereren waar het de vaten betreft. Måns wordt niet eens genoemd.

Ik sla de krant dicht en gooi hem aan de kant. Dit is pijnlijke lectuur, ik ga naar de kniptafel en ga aan het werk. Katarina pakt de krant op en leest het artikel verder uit.

Er valt niet veel te zeggen. Er is een punt gezet. Een punt achter het leven en de nagedachtenis van Bengan. Had hij maar niet.

Had hij maar niet. Ik werk verbeten en zwijgend. Mijn hart zwijgt. Het leven zou door moeten gaan, aan het gebeurde is toch niets meer te veranderen.

Ik vind het alleen zo moeilijk te accepteren. Hij had mijn zoon kunnen zijn, hij had bijna de zoon van mij en Olle kunnen zijn. Het had niet veel gescheeld. Bijna toeval dat het niet zo was. Ik heb geluk gehad, hij was mijn zoon niet. Had het kunnen zijn. Bijna alleen het toeval scheidt mij van de afgrond en een grenzeloze wanhoop.

's Avonds blijf ik treuzelen totdat iedereen uitgeklokt heeft. De twee die avonddienst hebben zitten koffie te drinken. De fabriek is verlaten. Ik ga het nathuis in, waar twee van de grote, glimmende vaten met een dof geluid staan te draaien.

Ik loop de trap op en steek de loopbrug over naar het middelste, stilstaande vat. Ik sta nu midden tussen twee dreunende vaten. Ik werp een blik op het toetsenbord van de computer, dat vies en besmeurd is door het dagelijkse gebruik en ik zie de leidingen waardoor de chemicaliën naar het vat gaan.

Het luik staat open. De grove kettingen en tandwielen zwart van de smeerolie; het kloeke, verstevigde luik opzij geschoven, zodat het binnenste van het vat blootligt. Ik leun over het hekje en zie dat het vat leeg is. Ik buig zo ver mogelijk naar voren om een glimp op te vangen van de bodem van de trommel. Ik kan niet helemaal tot beneden aan toe kijken en hoewel ik zo ver ik maar kan vooroverleun, zie ik in dat ik met de beste wil van de wereld nooit vanaf hier recht in het vat zou kunnen duikelen.

Aan de andere kant ben ik een heel stuk korter dan Bengan was. Hij was zeker twintig centimeter langer dan ik. Zijn zwaartepunt lag hoger, hij kon misschien wél omkiepen? Ja, zo is het immers gegaan, daar hoef ik niet over te speculeren, hij is omgeslagen, hij is erin gevallen en nu is hij dood en gecremeerd en zijn as begraven en de zaak is in juridische zin afgesloten.

Aan weerszijden van mij dreunen de andere beide vaten rond, rond, rond. Het bedrijf draait gewoon door. Mijn gedachten draaien in een kringetje rond. En het vat voor me toont aan de hemel en aan alle overspannen idioten zijn lege, zwarte ingewanden.

Ik ben de vlieg op de muur, het patroontje in het behang, de ondergrond van de kameleon, ik ben maar een deel van een geheel en besta bijna alleen maar als principe.

Maar ik zou wel eens willen weten hoe het eigenlijk is gegaan en hoe jouw laatste minuten zijn geweest, Bengan, in het laatste uur van je leven.

De twee draaiende vaten, vol met huiden van dode dieren. Ze grommen, brommen en hummen. Ik staar in de verte, de grote zaal in, de lantaarns aan het plafond verkondigen dat het is gaan schemeren, ik zou naar huis moeten gaan.

Was het echt zo simpel, Bengan, dat je ijverig wilde zijn en het proces 's nachts al wilde starten om tijd te sparen? De planning was toch jouw zaak niet, jij hoefde alleen maar proeven te nemen en de aanwezige mengsels te meten en je zorgde ook voor het nemen van monsters in de zuiveringsinstallatie, wat had je hierboven eigenlijk te zoeken?

Ik raak in een eigenaardige stemming. Ik hoor het ritmische gebrom van de vaten, maar ik hoor ze ook weer niet, het wordt stil om me heen, plechtig stil. Ja, plechtig, omdat ik er dichtbij ben, ik ben niet meer hierboven geweest sinds de dag dat ik in dienst kwam. Hier is iets afschuwelijks gebeurd, ik ben dicht bij de kern, het is net alsof Bengan bedroefd op mij neerkijkt van overal in de fabriek, uit alle hoeken en gaten, een soort vrede – ik voel dat hij naar me kijkt en mij vraagt om midden in het lawaai te blijven staan luisteren en eerlijk te zeggen wat ik hoor.

'Jij mag hier niet komen!'

Ik draai me om. Het is Mickelsen, de chef. Ik had hem niet aan horen komen.

'Je mag hier nu nooit meer alleen komen, ik dacht dat je dat wel wist!' Zijn stem klinkt verwijtend.

Ik zeg sorry. Zeg dat ik er niet bij na heb gedacht. Maar het is immers niet gevaarlijk, met een hekje en alles en ik ben zo klein van stuk dat het voor mij niet gevaarlijk is.

Hij stapt naar voren en constateert dat ik gelijk heb. Maar nu moet ik beloven dat ik deze stommiteit niet nog eens uithaal, hoe schijnbaar ongevaarlijk het ook is.

Ik vind dat hij er schuldbewust uitziet, hij rammelt onrustig met een sleutelbos in zijn zak en hij schuifelt heen en weer. Ik moet aan Bengans verhaal over de familie Mickelsen denken. Hij heeft meerdere keren verteld van hun armzalige verleden en hij was niet in het minst discreet in zijn veroordeling. Bengan was de zoon van zijn vader; Olle was vroeger net zo. Mickelsen heeft misschien gehoord van Bengans grote verhalen. Misschien heeft Mickelsen een spion in de fabriek in de persoon van een van de andere arbeiders, of misschien was het Hans Scheuer, wat weet ik ervan? Ja, wat weet ik ervan wat zich achter de schermen afspeelt, Mickelsen is een beschaafd man en maakt een gecultiveerde indruk, net als zijn vader, maar er bestaat een uitdrukking die het concentraat is van een heleboel levenswijsheid, namelijk: schijn bedriegt.

Ik voel Bengans aanwezigheid en ik voel dat hij goedkeurend en bedroefd knikt dat ik op het goede spoor zit. Waarom zou hij hier naar beneden vallen? Waarom zou hij überhaupt een nieuwe looironde opstarten? Iedereen denkt dat hij dat deed om de dagploeg te helpen, maar waarom zou hij dan pas om middernacht beginnen? De mensen halen hun schouders op en vinden dat dan wel een beetje dom. Maar Bengan was helemaal niet dom. En dat ben ik ook niet.

Zonder een woord verlaat ik het platform. Achter mij hoor ik Mickelsen jr. roepen: 'Het was niet verkeerd bedoeld, maar het is mijn plicht ervoor te zorgen dat de regels worden nageleefd! Siv...?!'

Maar ik draai me niet om. Ja, dat zal wel, denk ik, en ik ga gauw uitklokken. Het zal best wel.

Wie durft een fabrieksdirecteur die boven iedere verdenking verheven is te vragen waar hij zich de avond in kwestie bevond?

Wanneer ik naar de parkeerplaats loop, werp ik een haastige blik door de geopende fabriekspoort met de pallets met verse elandhuiden, nog harig en bloederig. En dan zie ik Mickelsen weer. Hij staat vlak naast Hans Scheuer, de looier. En het dringt tot me door dat ik hen nog nooit samen heb gezien. Het lijkt alsof ze zeer vertrouwelijk met elkaar zijn.

'Je ziet spoken.' Niels slaat de spijker op de kop en ik besef dat hij waarschijnlijk gelijk heeft. Wat verbeeld ik me eigenlijk?

Nee, ik ben werkelijk niet de aangewezen persoon. Het lijkt alleen zo onwaarschijnlijk enerzijds dat Bengan dat vat wilde laten draaien, eigenlijk alleen maar om... in een goed blaadje te komen? Zo was hij niet. En anderzijds dat hij er per ongeluk in viel, dat lijkt me volslagen ongeloofwaardig, voor zover hij niet dronken was en dat was anders wel aan het licht gekomen bij de lijkschouwing.

Maar wat vooral helemaal niet klopt met wat ik over Bengan heb gehoord, is dat hij het chroompoeder zo verkeerd zou hebben gedoseerd dat handmatig ingrijpen nodig was.

'Je ziet spoken', constateert Niels nogmaals.

Ik heb hem weer te eten uitgenodigd. Het is al oktober en ik ben nog niet op de bodem van de bak met aardappelen van vorig jaar aangeland, dus ik serveer een paar keer per week aardappelen, gegratineerd, gepureerd, gestampt, rauw gebakken, gebakken en zelfs op de gewone manier gekookt, en Niels laat het zich goed smaken.

'Ga niet op die weg verder', zegt hij, 'dat leidt nergens toe. Je raakt je baan kwijt, dat voorspel ik je, als je doorgaat met snuffelen en dingen gaat insinueren over Mickelsen of de looier of iemand anders. Over vooroordelen en vreemdelingenhaat gesproken, alleen omdat iemand een Duits accent heeft, hoeft hij toch nog geen slecht mens te zijn en de misstap van Mickelsens vader in het verleden zou toch inderdaad verleden tijd moeten zijn, hoelang moet hij daarvoor boeten?'

'Voor zover ik weet heeft hij helemaal nooit hoeven boeten en ik insinueer niets, tegen niemand, alleen tegen jou, Niels, dat moet toch kunnen? Ik moet toch met iemand praten, anders word ik gek. Ergens moet ik toch lucht kunnen geven aan mijn gevoelens.'

Maar ik heb het niet meer over Bengan. We gaan op een ander onderwerp over, de naderende elandenjacht. Niels is drijver, nu mag zijn hond tonen wat hij waard is. Hij is trots op zijn hond. Maar ik zeg dat het een stom beest is, want hij ziet niet eens verschil tussen elanden en oude vrouwen. Niels lacht en vertelt jachtverhalen. Intussen denk ik verder over Bengan, mijn gedachten gaan onverbiddelijk naar het platform boven bij het vat, waar dat vreselijke is gebeurd.

Ook als ik Mickelsen jr. – of liever nog de looier – erop zou weten te betrappen dat hij geen alibi heeft voor de desbetreffende avond, dan bewijst dat nog niets. Er is immers niet eens een misdaad. Ik heb alleen mijn levendige fantasie en een gevoel van onrecht, dat het onrechtvaardig was dat Bengan moest sterven en dat na zijn dood over hem wordt gezegd: 'Had hij maar niet...'

Hij was de meest precieze van iedereen. Verkeerd doseren was niets voor hem, absoluut niet, dat zegt iedereen. Toch ben ik kennelijk de enige die er ook maar in de verte aan denkt dat hier meer achter kan zitten.

Heeft de politie werkelijk al het mogelijke gedaan om erachter te komen wat er is gebeurd? Komen ze niet pas in actie als ze vermoeden dat er sprake is van een misdrijf? Gaan ze niet dan pas op zoek naar bewijzen, aanwijzingen en sporen? Maar als ze geen enkel vermoeden hadden?

En de arbeidsinspectie – natuurlijk volgt die de hypothese van een ongeval; het is immers hun taak om bedrijfsongevallen te voorkomen. Het is niet de taak van de arbeidsinspectie om moord op het werk te voorkomen, dat zou al te gek zijn.

En dan is het woord gedacht. Het woord waar ik eerder voor was teruggedeinsd.

'Moord'. Stel je voor dat Bengan is vermoord? Door zijn eigen chef omdat hij weigerde hun walgelijke familieverleden als aanhangers van Vidkun Quisling schuil te laten gaan achter de verdoezelende sluier van de tijd?

Of ik zie spoken.

Ja, dat zal het zijn. De fout ligt bij mij. Ik lach hard om Niels' verhaal over de boze elandstier die op zo'n slechte jager stuitte dat hij erin slaagde die te ontwapenen en zichzelf aan te schieten.

Het is zondag en de elandenjacht is begonnen. Het hele dorp staat in het teken ervan en de fabriek zal maar op halve kracht draaien; de meeste mannen hebben hiervoor vakantiedagen gespaard.

De bomen hebben hun blaadjes laten vallen. Het wordt iedere dag donkerder. De eksters verzamelen zich 's ochtends vroeg op mijn erf als om te overleggen: hoe komen we de winter door?

De vorst heeft de natuur gekust in witte en grijze tinten, het gras knispert broos onder mijn laarzen als ik hout ga halen.

Mimsan heeft het druk met alle eksters en waant zich aanvankelijk onoverwinnelijk, maar met schokkende staart komt ze even later terug naar de warmte binnen – uitgelachen door het in rokkostuum geklede gezelschap op de heuvel.

Ik bel met Åsa. Mijn moederlijke gevoelens voor haar zijn

opgelaaid na de dood van Bengan en ik besef dat zij degene is die het meest betekent in mijn leven. Als er iets zou gebeuren.

Haar gevoelens voor mij zijn wat gematigder en het jonge paar ligt nog in bed, hoor ik. We kletsen wat en dan beëindig ik het gesprek, ik wil me niet opdringen.

Niels is sinds vrijdag in het bos. Ik schaam me niet om toe te geven dat ik geniet van het alleen-zijn. Het is zo lang geleden dat ik op mezelf was en een dag helemaal voor mezelf had, om zelf over te beslissen. Ik zit aan de keukentafel en kijk naar buiten en geniet van de stilte en van mijn ochtendkoffie.

De herfstzon stijgt langzamerhand echt hoog, het wordt een mooie dag. Een dag voor een boswandeling, maar dat durf ik niet aan, ik weet niet waar de verschillende jachtploegen zitten; nee, het bos moet maar even wachten tot de jacht voorbij is. Ik rij naar een kiosk bij een benzinepomp en koop wat melk, een reep chocola en een krant. Het is immers zondag.

Als ik de kiosk uit kom staat er een oude verroeste Volvo bij een van de pompen. Op de aanhanger erachter liggen twee pas geschoten elanden. De warmte dampt van hen af in het felle tegenlicht, het is koud, maar de grote lichamen van de warme dieren zijn nog niet afgekoeld. Wat een enorme hoeveelheid warmte wordt hier afgevoerd! De vachten glinsteren en glimmen. Dat elanden zo'n mooie vacht hebben! Op het werk zag ik alleen het ruige haar.

Nu komt de in jagerstenue gestoken bestuurder terug, gaat achter het stuur zitten en rijdt weg. De lichte schommeling laat de elandenlichamen bewegen, ze zijn nog steeds zacht. Een hoef zwaait naar me terwijl de equipage naar het noorden afslaat.

Ze waren mooi. Maar mijn grotestadsvernisje is er al zover af geschuurd dat ik bedenk dat ze ook goed smaken. Daarentegen wil ik ze niet in vliegende vaart op mijn motorkap krijgen op een verlaten bosweg. Daarom ben ik dankbaar dat er mensen zijn die graag op elanden jagen.

Als hun lichamen maar niet zo dampten! Nog warm. Maar

dood. Nog met een glanzende vacht. Maar spoedig zit het vlees bij iemand in de vrieskist en de huid bij ons in een vat. Eten of gegeten worden. De snelste en de slimste zijn en nergens voor terugschrikken als het op doden aankomt.

Hoewel er natuurlijk verschil is tussen mensen en dieren. Wie een mens doodt, gaat in tegen het fundamentele principe van de gelijkwaardigheid van iedereen, arm of rijk, zwart of wit, atheïst of moslim, man of vrouw. Niemand heeft het recht iemand anders van het leven te beroven en zelfs de smerigste pedofiel verdient het nog niet te sterven, ook al wil hij het zelf, want dan wint zijn bewuste of onvrijwillige slechtheid het. Dan creëert hij, behalve alle vernielde levens die op zijn pad gekomen zijn, ook nog een moordenaar in ons midden, degene die op de knop drukt, de trekker overhaalt, de injectienaald hanteert in een poging om door middel van geweld recht te doen. Maar dat gaat niet, uit zo'n houding kan niets goeds voortkomen.

Enkele net geschoten en nog warme elanden en dan moet ik meteen over de doodstraf nadenken, net iets voor mij!

Wanneer ik thuiskom zet ik nog een kopje koffie en ik ga op de veranda zitten met de reep chocola en de krant. Even lekker genieten!

'In het recreatiegebied Vättlefjäll bij Göteborg is onder een hoop stenen een stoffelijk overschot aangetroffen, vermoedelijk dat van de sinds afgelopen voorjaar verdwenen aanklager Ingela Katz. De aktetas en de handtas die ze ten tijde van haar verdwijning bij zich had worden nog vermist. Het lichaam werd vrijdag gevonden door een schoolklas die mineralen zocht op het genoemde terrein. De identiteit van de vrouw is nog niet vastgesteld, maar alles wijst erop dat het gaat om Ingela Katz, die al een aantal jaren namens het OM rechtszaken aanspant tegen bekende nazi's. Zodra er sectie is verricht en de vindplaats is onderzocht, brengen we nadere bijzonderheden over de doodsoorzaak en andere omstandigheden rondom de vondst.'

Eksters lusten chocola. Daar had ik geen idee van. Ik breek

stukjes af die ik naar hen toe gooi en ze vechten erom. Ze lijken ze in hun geheel te kunnen doorslikken.

Dan ga ik naar binnen. Mimsan zit op de keukentafel en doet net of ze mijn voederprocedure niet met grote belangstelling heeft gevolgd, maar nu springt ze op de grond en sluipt door de voordeur naar buiten.

Het is lang geleden dat ik met Jan gesproken heb.

Maar hij weet het natuurlijk al. Ze is immers eergisteren gevonden. Er is geen reden om te bellen.

Vooral vandaag niet, nu Niels er niet is. Het zou dan lijken alsof ik de gelegenheid aangreep.

Hoewel ik niet bang ben voor wat Niels ervan zou zeggen, helemaal niet. Hij wordt alleen een steeds groter deel van mijn leven. Jan is aan de horizon verdwenen. Jan is een klein stipje geworden, ik zie hem al bijna niet meer. En dat is mij best.

Het is een kwestie van normen. Jan is heel uitgesproken en dat is Niels ook. Zelf interesseer ik me niet voor politiek, dat laat ik aan anderen over, die ervoor betaald worden. Ik heb het druk met leven, mag ik? Moet je je aldoor schuldig voelen omdat je het conflict in Kosovo of de aidsepidemie in Afrika nog niet hebt opgelost?

Ik denk aan de dampende elanden.

Ik ben tegen de doodstraf. Dat weet ik. Daar blijf ik bij.

Wat er met Ingela is gebeurd is een vreselijke misdaad. Ik vond haar ook vreselijk, maar ze verdiende het niet om te sterven.

Dat verdient niemand.

Ik bel Jan niet. Dat was maar een opwelling. Ooit waren we de beste vrienden van de wereld, maar nu heb ik Niels en Katarina en zelfs Måns met zijn vieze pruimpjes en zijn aparte humor of hoe je het ook moet noemen – hij is nog niet de oude na het ongeluk met Bengan – en ook Marianne, al is het alweer even geleden dat ik haar heb gezien.

Ik zal Jan niet bellen en ik moet proberen de last, de droeve inhoud van het krantenbericht van me af te zetten. Ze had moeten blijven leven, zodat ik haar had kunnen blijven haten; we hadden elkaar misschien nog wel eens ontmoet, dan had ik een kans gehad op een echte verbale ontlading.

Nu heb ik alleen maar met haar te doen, omdat ze er niet meer bij mag zijn. Misschien zat ze er helemaal naast in de zaken waar ze aan werkte, net wat Niels zei. Maar dan had iemand haar toch aan kunnen klagen, er misschien zelfs voor kunnen zorgen dat ze in de gevangenis kwam? Dan had ze in ieder geval nu nog geleefd.

De dood is zo dicht bij me gekomen. Eerst Bengan en nu dit. Waar is mijn mooie herfstzondag gebleven?

Ik pak de telefoon en bel Marianne. Eigenlijk zou ik Ingeborg graag willen bellen, een gewoon vertrouwd gesprek zoals in vroeger jaren. Stel je voor dat je de band terug zou kunnen spoelen en zou kunnen zeggen: nu doen we een ander spelletje, jij was niet dood en Jan was nooit ontrouw geweest, maar er gebeurde iets heel anders, laten we zeggen dat ik een schat vond toen ik de grond aan het omspitten was, een fantastische schat, kostbaarheden, diamanten en robijnen, ja een fortuin waard en nu gaan we terug in de geschiedenis naar het tijdperk van voor de tv en de computer, toen de zon in het zenit stond boven deze onooglijke plaats midden op de wereld, waar dankzij de grote militaire bestellingen voor bontjassen voor de milva's, imitatiebontmutsen en dikke leren handschoenen voor de motorordonnansen de toekomst ons toelachte ondanks het kanongebulder in de verte en ondanks alle vluchtelingen die de grens over kwamen. Moesten we echt jan en alleman te eten geven, zo erg was het toch niet, hoe wist je of die papieren niet vals waren? Ze neemt op bij het tweede signaal.

'Wat moet ik met alle aardappelen van vorig jaar aan?' vraag ik. 'Raken ze nooit op? Ik wil de kelder leeg hebben en nieuwe aardappelen kopen, die zijn er nu voor twee vijfenzeventig per kilo, heb ik gehoord, en ik mag vast Niels' aanhanger wel lenen, tweehonderd kilo zou ik willen kopen nu de prijs gunstig is, maar ik moet eerst de bodem van de bak kunnen zien, heb jij een idee, Marianne?'

Natuurlijk heeft ze dat. Ik ken zeker niemand die varkens houdt, anders kon ik ze daarvoor koken. Maar ik kan er toch aardappelkoeken van bakken, die zijn smeuïg en lekker en heel lang houdbaar, en ik heb nog een vriezer ook. Ja, koeken bakken, dat is de oplossing, als ik ze maar niet te bruin bak.

'Nou, nee hoor', antwoord ik lachend. Ik vind het leuk dat ze zo grappig uit de hoek komt, ze is erop vooruitgegaan op haar oude dag, sinds haar ouders uit beeld verdwenen zijn.

Ze geeft me een recept van dunne koeken die in de koekenpan gebakken kunnen worden en die eigenlijk alleen maar gekookte aardappelen, meel en een beetje zout bevatten.

Opgevrolijkt door het gesprekje en dit voor mij tot nog toe onbekende recept pak ik de zaklamp en loop naar de kelder om nog een paar emmers bintjes te halen.

Mimsan blijft aarzelend bij de buitenste kelderdeur staan. Haar gevoelsleven is helaas niet zo diep en gecompliceerd als ze wil doen voorkomen, het is duidelijk te zien dat haar nieuwsgierigheid in gevecht is met haar angst en haar deftigheid, waardoor ze liever vochtige aarde aan haar pootjes wil vermijden. Het ruikt spannend, maar stel je voor dat het een valstrik is. Haar lokken helpt niet, ze hoort me niet eens, snorharen en andere onzichtbare antennes zoeken alle frequenties af, zal ze een buit opsporen of zelf ten prooi vallen aan een nog onbekend vreselijk monster?

Ik ben in ieder geval aan de laatste laag toe; godzijdank, denk ik, en ik buig me diep over de bak om de eerste emmer te vullen.

Als ik met twee handen tegelijk de aardappelen overbreng naar emmer nummer twee stoot ik met mijn vingers ergens tegenaan. Het voelt als een brede plank die een aardig stukje boven de grond zit. Het is donker, maar als ik om de plank heen voel, stuiten mijn vingers tot mijn verbazing op plastic!

Snel vul ik de emmer, ik zet hem op de aarden vloer en schijn met de zaklamp in de bak.

Een brede plank met daaronder... grijs plastic, het soort waar ze vuilniszakken van maken.

Ik leg de zaklamp op de bodem van de bak neer en krab de resterende aardappelen weg.

Een langwerpig in plastic gehuld pakket wordt zichtbaar.

Ik probeer het op te tillen. Het is ongeveer twee keer zo groot als een schoenendoos en tamelijk zwaar.

Ten slotte kan ik het pakket aan de zijkanten vastpakken en het lukt me het over de rand te tillen, het in mijn armen te nemen en het op een van de planken met jam neer te zetten.

Het pakket is meerdere keren omwonden met een wit plastic snoer, het is een vuilniszak met daarin een of andere vierkante doos of bak.

Nou nou, Ingeborg, jij hebt goede verstopplekken. Wat heeft dit te betekenen? Mal mens, wat is hier nou weer de bedoeling van? Heb je een boel duiten verstopt? In dat geval weet ik iemand die net in België woont, die daar erg blij mee zal zijn. Of heb je nog meer distributiebonnen opgespaard voor de onheilsjaren waarvan je dacht dat ze nog kwamen? Of onbekende erfstukken? Misschien van de vrouw van de directeur – broches met cameeën en ringen met robijnen? Goudstaven zelfs, als ik op het gewicht mag afgaan.

Opgewonden en bijna euforisch doe ik de kelder dicht en sleep de emmers met aardappelen en het in plastic verpakte pakket een voor een naar de veranda. Daar maak ik het pak open. De ronde plastic koordjes kan ik zo losknopen en dan hoef ik alleen nog maar een grote doos uit de vuilniszak te trekken. Er komt wat modder op mijn tuintafel terecht. Ik schud de vuilniszak uit, vouw hem op en leg hem onder de bank. Vervolgens neem ik de grote doos mee naar de keuken.

Hij ruikt muf. Mimsan gaat bij de deur staan miauwen. Ik laat haar naar buiten. Ik tril nu helemaal van opwinding, wat kan er in die doos zitten en waarom heeft Ingeborg die in de aardappelbak verstopt? Voor alle zekerheid kijk ik eerst op het erf voordat ik hem open durf te doen. Het zou wat zijn als er net nu iemand op bezoek kwam, maar godzijdank komt er op deze merkwaardige zondag niemand langs, ik zie Mimsan in een rustig tempo en met haar staart in de lucht wandelen, geen vogel te zien, ik til het deksel eraf.

Het klemt, maar ten slotte krijg ik het los. De doos zit propvol papier. Mijn teleurstelling is groot. Daar gaat mijn eventuele percentage aan vindersloon op in rook en er zijn ook geen edele metalen, geen sieraden of diamanten, geen robijnen of saffieren, stel je voor dat je zoveel moeite doet om iets te verstoppen waar nog niet eens een stuk papier met een gouden rand bij zit, voor zover ik in de gauwigheid kan zien, niet dat ik er een idee van heb hoe zo'n document eruit zou kunnen zien, maar dit zijn geen oude obligaties, daar ben ik vrij zeker van.

De doos zit vol rechtopstaande kaartjes van vrij stevig papier, die ongeveer het formaat van een half A4'tje hebben. Ze lijken niet van recente datum te zijn, zie ik wanneer ik me over de doos buig om erdoorheen te kunnen bladeren. Dat zie ik aan de kleur van het papier en het lettertype van de schrijfmachine, en in plaats van paperclips zijn er grappige metalen klemmetjes gebruikt die ik nog nooit heb gezien.

Het is een register, namen op alfabetische volgorde, de laatste letter is een K. Toch weet ik zeker dat ik nu op de bodem van de aardappelbak ben, er zijn geen verdere verrassingen, alleen nog een paar kilo aardappelen. De registerkaartjes van L tot Ö moeten ergens anders verstopt zijn, als ze tenminste verstopt zijn, ik moet dit uitzoeken!

Terwijl ik meteen een theorie over een ledenbestand in mijn achterhoofd heb, misschien een sportvereniging of zelfs een telefoonvereniging, daar heb ik wel eens van gehoord, blader ik door de kaartjes, het zijn er vast wel een paar honderd, ja, wel meer dan duizend. Dagestam, Dahl, Dahlén, Dahlin, Dahlman, Danelius, Dangardt, Danielsson, Dannberg, Danofsky, Daun, Davidsson, Davin, Dehmer, Delin, Dennerholm, Derrik, Dettner, Dewall, Diener, Dittman, Dittmer, Djurfeldt, Dymling. Ik licht er hier en daar op goed geluk een kaartje uit en lees wat erop staat zonder het echt te begrijpen. Ik moet de kaartjes voorzichtig optillen, want aan ongeveer de helft van de kaartjes is met de grappige klemmetjes een krantenknipsel bevestigd. En ik zie dat de persoon op het kaartje ook degene is die in het krantenknipsel voorkomt, en in de meeste gevallen zijn de namen ook nog onderstreept.

Ik plof neer op een stoel en begin de kaartjes goed te bestuderen, want de krantenknipsels lijken voor het merendeel familieberichten te zijn.

Glimlachende bruidsparen kijken me vol vertrouwen aan en ik kom te weten dat Jörgen Evers op 7 april 1943 in de echt verbonden is met zijn vrouw Isabella, geboren Goldberg, en op dezelfde kaart zit ook een geboorteaankondiging: Isabella en Jörgen Evers hebben op 15 mei 1944 een zoon gekregen. En ik lees dat mejuffrouw Charlotte Davidsson op 3 juni 1940 als eerste vrouwelijke kandidaat het examen natuurkunde heeft afgelegd aan de Koninklijke Technische Hogeschool. Het volgende knipsel is een rouwadvertentie; de overledene is Harald Berner, geboren 9 april 1878 en gestorven 15 februari 1944, hij is vijfenzestig geworden, reken ik automatisch uit, zijn nabestaanden waren allereerst Mimmi en de twee kinderen, Josef met zijn vrouw Lilly en Johanna met haar man Frans, en de kleinkinderen. En op weer een ander knipsel wordt bekendgemaakt dat Josef Berner een of andere medaille heeft gekregen, en nu duiken er ook namen en knipsels op van oude acteurs die ik nog uit mijn jeugd ken, ze zijn gevierd en gelauwerd en ook een radioverslaggever en dan weer een geboorteadvertentie en een doop, een huwelijk, nog een huwelijk met veel gasten en de namen zijn onderstreept, ze kijken vrolijk en op één foto heffen ze zelfs hun champagneglas naar de camera. En wat alle registerkaartjes gemeen hebben is dat er in de rechterbovenhoek staat aangegeven: 'hele Jood', 'halve Jood', 'kwart Jood', 'achtste Jood' en meer van dat soort zogenaamde rasaanduidingen en deze aantekeningen zijn allemaal handgeschreven en met rood onderstreept.

Ik voel me zo zwaar als lood.

Ja, alle archiefkaartjes hebben rode onderstrepingen, niet alleen 'halve Jood', 'achtste Jood', 'hele Jood', maar ook zinnetjes als 'Van zigeunerfamilie', 'Homoseksueel', 'Joodse vluchteling uit Duitsland', 'Bolsjewiek en Jood', 'Communist', 'Heeft bijgedragen aan de hulp aan Spanje'. Op sommige kaartjes zijn deze eigenaardige inlichtingen nog uitgebreider: 'Aangesteld bij de door Joden gedomineerde krant *Göteborgs Handels- och Sjöfarts-Tidning*', 'We kunnen hierbij onthullen dat x zelf Jood is', 'Van moederskant stamt y af van een Joodse familie', 'Joods volgens de Neurenberger wetten'.

Op zeker de helft van de kaartjes is de tekst 'Lid van de joodse gemeente' rood onderstreept. Ook de verschillende krantenknipsels hebben rode onderstrepingen.

Rood onderstreept zijn bovendien de woonplaats en het beroep, of liever de branche. Stockholm, Göteborg, Malmö, Lund, Falun en Örebro zijn categorieën op zich, nog eens met de hand geschreven, net als 'bontwerker', 'patissier', 'kapper', 'pianohandel', 'tricotwinkel', 'chem.techn.' Zo kun je de kaartjes gemakkelijk sorteren op woonplaats of bedrijfstak als je dat zou willen.

De kaarten zijn keurig getypt en allemaal op dezelfde manier ingedeeld: achternaam, voornaam, geboortedatum, -jaar en -plaats, ouders, beroep, eega en indien van toepassing kinderen en de namen en geboortedata van de kinderen. In een apart vakje staan gegevens over de laatst ingediende belastingaangifte en over het vermogen; ik zie dat sommigen van de geregistreerden in zeer goeden doen waren, zeker naar die tijd gemeten. In sommige gevallen zie ik dat ze een erfenis hebben gehad, de waarde van de boedelbeschrijvingen staat aangetekend en de kaartjes hebben zelfs tekst op de achterkant; niet zo uitgebreid, maar de regel: 'Inf.' lijkt verplicht. Na die afkorting volgen verschillende andere afkortingen: E. G-n, H. Ds, E. O-n, Gos,

Ee, Mg en soms staat er onder Inf.: 'Wie is wie', 'Den Svenske', 'Dagspress', Joden in Zw., dl. III', 'Geen verdere informatie, maar de naam zegt genoeg', 'Noorse vluchteling uit Oslo', 'Lijst van joden in Lund', 'Den Svenske nr. 4', 'telefoonboek', 'Wie is wie in het volksfront', 'Op Amerik. zwarte lijst suppl. nr. 1 1944', 'Mogelijkerwijs dezelfde die in 1936 in Zw. M. genoemd wordt als dienstdoend bij het biochem. inst.', 'Bij de Rode hulp en werkt mee aan het importeren van joden in ons land'.

Achter op de kaartjes wordt dus vermeld waar de gegevens op de voorkant van de kaartjes vandaan komen!

Mijn hersenen laten langzaam en met moeite de informatie toe dat ik feitelijk een register van Zweedse joden voor me heb liggen, dat tijdens de Tweede Wereldoorlog is aangelegd en vervolgens continu is bijgehouden. Uit de aantekeningen blijkt ook dat er tegen het einde van de oorlog intensiever aan gewerkt is: de meeste aantekeningen zijn uit de jaren 1944 en 1945.

Ik blader verder: Ebeling, Eckström, Edfeldt, Edin, Eiserman, Ekman, Elander, Elenius, Ehlers, Eliasson, Emanuelsson, Eng, Engman, Erlandsson, Evers, Ewert en ik stel vast dat de laatste aantekeningen van juni 1945 zijn.

Juni 1945! Was Hitler toen niet dood? Was de oorlog toen niet afgelopen?

Het register begint met Märta Abel en eindigt met Henning Köstner.

Wie kan al die moeite erin gestoken hebben, het moet jaren hebben gekost om al dit werk uit te voeren! Het register is zeer gedegen uitgevoerd, met gebruikmaking van simpele zoektermen, zodat je gemakkelijk alle joden in Malmö zou kunnen vinden of alle bontwerkers in het hele land. En dat pietluttige en precieze categoriseren van de verschillende familiebanden, zodat een Jood die getrouwd is met een zogenaamde ariër – zoals de niet-Joden, op de zigeuners na, voortdurend genoemd worden – half-Joodse kinderen krijgen.

En die haat. Deze jarenlang onderhouden, witgloeiende haat.

Een van de krantenartikelen is een verslag van een toespraak van een mevrouw die spreekt van 'Ons land', 'Onze bereidheid tot verzet' en 'Onze democratie'. Alle woorden die aangeven dat ze Zweden als haar vaderland ziet, zijn met de nijdige rode pen onderstreept. Bij de aantekeningen over mensen die vluchtelingen hebben geholpen of geld hebben gegeven, of communistische vergaderingen hebben bijgewoond, zijn de gegevens dubbel onderstreept met rood, dubbel schuldig, Jood én communist.

Helemaal achteraan vind ik een briefje dat me bekend voorkomt en plotseling duizelt het me.

Ik herken het.

Een pas gemaakte kopie ervan zit in de plastic tas met de inhoud van Ingeborgs kluis.

Dat blaadje heeft ze in de bibliotheek gekopieerd vlak voordat ze stierf. Van de kopie van dit briefje beweerde ze dat het haar levensverzekering was!

Ik blader verder zonder dat tot me doordringt wat ik lees, terwijl mijn hersenen stationair draaien zonder een aanknopingspunt te vinden. Fabricius, Falk, Fischer, Franck, Friberg, Funke, Gavin, Gerle, Gjertz, Goldberg, Granath, Hertz, Hoffmeister, Idbäck, Ideberg, Ihre, Illeman, Ingman, Ireberg, Israel, Kader, Kagermark, Kaijser, Kain, Kallin, Kaminsky, Karlberg, Katz, Kessler, Köhler, Körner, hoe kon ze beweren dat dit haar levensverzekering was, ze maakte natuurlijk maar een grapje, een raar grapje, een heleboel afkortingen en dan de namen achter de afkortingen voluit geschreven.

De afkortingen die op het merendeel van de kaartjes staan, op de achterkant achter 'Inf.'

Shit – de verklikkers!?

Vast. Dat moet het zijn. De verklikkers.

De lijst met de namen achter de afkortingen, dat zijn de namen van degenen die de Zweedse joden hebben aangegeven! Die lijst noemde Ingeborg haar levensverzekering. Waarom? En waarom die moeite om het register onder de berg aardappelen te verstoppen, ze kon toch begrijpen dat het vroeg of laat tevoorschijn zou komen?

Maar ze kon immers niet weten dat ze een hersenbloeding zou krijgen en zou sterven! Ze dacht natuurlijk dat zijzelf langzamerhand aan de onderste laag aardappelen toe zou komen.

Waarom in de aardappelbak?

Het was natuurlijk een ontzettend listige verstopplek. Daar zou niemand snel gaan zoeken.

Vooropgesteld dat je wist wat je moest zoeken. En waarom.

Ik begrijp er helemaal niets van!

Waar komt het register vandaan? Ze heeft het toch niet zelf gemaakt?

Nee, dat is volkomen uitgesloten. Enerzijds was ze geen jodenhater, integendeel, ze was altijd voor de Noren, ook toen het ernaar uitzag dat Duitsland de oorlog zou winnen. Niet zonder trots vertelde mijn moeder mij dat ze bij haar in de familie nooit naar de andere kant waren overgelopen, zoals sommigen deden, en dat als de Duitsers Zweden waren binnen getrokken, er wel wat op het spel had gestaan, 'maar wij geloofden in de gerechtigheid', weet ik nog dat ze zei.

Ja, een boel mensen liepen over naar de andere kant, dat vertelde mijn moeder, nazistische krantjes lagen open en bloot in de winkel te koop en de bruinhemden lagen in de startblokken om een volksbeweging aan te jagen. Maar mijn moeder vertelde er nooit bij wie het waren. En Ingeborg ook niet. 'Ze hebben spijt, nu mogen ze zich schamen', zei ze altijd. Verstopte ze daarom het register van de joden, om ervoor te zorgen dat de aanstichters die schande bespaard bleef, dat ze niet aan de kaak gesteld werden? Zo onverzoenlijk als ze was jegens de Duitse bezetters, zo mild was ze tegenover de vluchtende overlopers. Ze beschermde hen aanvankelijk zelfs, en onder anderen Mickelsen had zich schuilgehouden in haar zomerboerderij.

Als ik opsta van tafel trillen mijn handen zo dat ik het deksel slechts met moeite weer op de doos kan krijgen.

De schemering is ingevallen zonder dat ik het heb gemerkt. Het is donker in de keuken.

Er komt een muffe geur uit de doos.

Ik pak hem op en draag hem in mijn armen naar de veranda. Ik haal de vuilniszak tevoorschijn en stop de doos erin.

Dan weet ik het niet verder.

Waarom had ze dit verstopt? Waar had ze het vandaan gehaald?

Dat taalgebruik!

O – die haat!

Maar het is toen opgesteld, langgeleden. Het betekent nu niets meer.

Het keurige handschrift, de persoonlijke opmerkingen, het doen van stamboomonderzoek niet naar je eigen maar naar andermans familie – wie had zoveel belangstelling gehad voor de Zweedse joden?

Wat het doel ervan was, is duidelijk. De lijst zou aan de Duitsers worden overhandigd zodra ze Zweden binnenkwamen. Er stonden voor zover ik had gezien bijna geen gewone arbeiders op de kaartjes; de geregistreerde personen hoorden bij een culturele of politieke elite, of ze waren rijk, en dat ze op bedrijfstak gesorteerd waren was vast een manier om snel geld en bezittingen in te kunnen pikken. De laatsten zouden de eersten zijn, leek hij gedacht te hebben, degene die achter de schrijfmachine zat en de pen vasthield, de rode pen die 'Jood', 'Jood', 'Jood' schreeuwde. Op de dag dat de Duitsers binnen zouden marcheren, zou hij vooraan staan, daarom stak hij al dat werk in zo'n omvangrijk register.

Die haat. O – die haat!

Van mijn dag is niets meer over, het is al bijna avond. Ik weet niet wat ik moet doen.

Waarom heeft ze dit verstopt? Ik kan het toch niet gewoon weggooien of verbranden? Moet ik ermee naar de politie? Maar waarom heeft Ingeborg dat zelf niet gedaan, waarom is ze niet naar de politie gegaan?

Natuurlijk moet ik ermee naar de politie. Ik kan het niet gewoon verbranden, daar heb ik het recht niet toe.

Maar Ingeborg is niet naar de politie gegaan. Waarom niet?

Ik denk dat ik het weet. Ze wilde iemand beschermen. Ze was ongelooflijk loyaal en ze zei dat je moest vergeven en vergeten, nu hebben ze spijt en stel je eens voor wat een schande, wat een schande!

Dat de lijsten iets met Mickelsen te maken hebben is buiten kijf. Ze heeft meer dan vijftig jaar lang af en toe bij hem gewerkt, er is een band tussen hen ontstaan, ook al kwamen ze uit totaal verschillende werelden.

Maar dat soort loyaliteit heb ik niet.

Ik moet naar de politie. Maar eerst moet ik nadenken.

Ik breng het pak weer naar binnen. Ik blijf in de hal staan, besluiteloos, ik overweeg even om de doos naar zolder te brengen, maar ik verander van gedachten, ga naar de slaapkamer en schuif hem onder het bed. Waarom weet ik zelf niet. Maar het is een veiliger gevoel, de automatische piloot mag sturen.

Ik kan bijna niet ademen, er is niet genoeg lucht. Ik ga buiten staan, midden op het erf, ik adem de avondbries met grote teugen gulzig in. De koele lucht schiet mijn longen in, ik hijg terwijl ik me helemaal niet ingespannen heb. Het is koud.

Kon ik maar een verklaring of in ieder geval een teken krijgen!

De hemel is bloedrood in het noorden, uit het zuiden zijn lichte vederwolken binnengekomen en in het schuine licht worden ze bijna zwart. Zwarte wolken.

Dan, alsof mijn verzoek wordt gehonoreerd, hoor ik de kreten. Eerst ver weg, dan steeds dichterbij en ik huiver, ik sta te bibberen over mijn hele lichaam als de ploegvormige vlucht kraanvogels boven de bosrand verschijnt en mijn huis passeert, vlak boven mijn hoofd. Ik zie de lange poten en de niet bijzonder gracieuze vlucht, maar ze blijven bij elkaar, op weg naar het zuiden, en telkens laten ze die harde kreet horen, doordrenkt van weemoed en verdriet.

Die je door merg en been gaat.

Ik blijf staan totdat ik ze niet langer kan zien en hun kreten niet meer kan horen.

Het duister valt nu snel in. Ik ben alleen op de wereld en de wereld is niet goed. Eten of gegeten worden, en er zijn geen grenzen, val gewoon maar aan – midden in de groep.

Het gaat snel. Zo snel dat niemand het doorheeft, dat niemand het kan geloven.

En dan is het te laat.

Vijfde deel

Niels komt 's avonds nog even langs. De rest van het jachtgevolg zit nog in het bos in twee huisjes, maar hij moest weer terug naar de bewoonde wereld om zijn mail te checken. En hij wilde zien hoe het met mij ging, natuurlijk.

Hij is in een stralend humeur. De sfeer in de ploeg is geweldig. Ze hebben vandaag een koe neergelegd en vrijdagavond werd er wat gefeest, maar lang niet zoveel als vroeger. De jachtmeester heeft vorig jaar twee jagers weggestuurd die te veel gedronken hadden, dus afgelopen vrijdag bleef het rustig. Maar wel gezellig.

Zijn kleren ruiken naar bos, hij heeft zich niet geschoren, een echte wildeman, en zijn handen zijn overal op mijn lichaam en mijn lichaam reageert, hij kan me om zijn vinger winden, ik vlieg de toonladders op met dit gebarsten instrument van me – één enkel akkoord – de melodie begint, dreunende emoties, mijn als begeerte vermomde angst komt vrij. Zelfs mijn ziel stijgt op en gaat ervandoor.

Naderhand liggen we stil naast elkaar en een gedeelte van de compacte duisternis is uit me verdwenen, iemand zo dicht tegen je huid, zo intens, dat troost en heelt en brengt je weer tot jezelf. Waar haal ik het allemaal vandaan? Nu voel ik me weer goed. En ik zeg: 'Je hebt geen idee wat ik vandaag in de aardappelbak heb gevonden.'

'Een rat', oppert hij. 'Zo groot als een kat, terwijl het eigenlijk maar een muisje was?'

'Nee, een doos die Ingeborg had verstopt, uit de oorlog, met alle Zweedse joden!'

Hij trekt zijn arm onder mijn nek uit, gaat overeind zitten en pakt zijn bril.

'O. Lag het daar?'

'Wat? Wist je ervan?' Nu ga ik ook rechtop zitten en ik trek het dekbed om me heen. 'Wist je dat ze een hele doos vol namen van joden had die waarschijnlijk gedeporteerd zouden zijn als Hitler in Zweden aan de macht gekomen was?'

'Dat weet je niet. Maar het is inderdaad een jodenregister, ik weet nog dat ze het net had gevonden. Ik kwam er net aan toen ze door de kaartjes stond te bladeren. Ze schrok van me, want ze had me niet horen aankomen. Maar daarna liet ze me alles zien, enorm fascinerend feitelijk.'

Hij staat op en begint zich aan te kleden.

Ik kijk hem aan en ik weet niet wat ik moet zeggen.

'Fascinerend op een vreselijke manier, bedoel ik natuurlijk', zegt hij ten slotte. 'We praatten er nog even over door en ze vroeg me wat ze ermee moest doen. Ik raadde haar aan om het te verstoppen zodat het niet in verkeerde handen zou vallen. Waar is het nu?'

Ik heb het koud, ondanks het dekbed. 'Kun je me mijn ochtendjas aangeven?' vraag ik. 'Ik denk dat ik de kachel aan moet steken, het is alweer zo koud 's avonds, heb je gevoeld hoe het hier over de vloer tocht in dit oude huis?'

Hij maakt zijn riem vast, trekt zijn fleecevest aan en gaat dan een paar keer achterelkaar met zijn vingers door zijn haar. 'Ligt die doos nog in de aardappelbak?' vraagt hij ten slotte.

'Wat vind jij dat ik ermee moet doen?' antwoord ik met een wedervraag.

'Ik vind dat je mij het materiaal moet laten bekijken', antwoordt hij zachtjes.

'Ja, maar jij hebt het toch al gezien, zeg je. Wat wil je nog meer zien, het is toch alleen maar akelig?'

'Ik wil iets nagaan', antwoordt hij. 'Niets bijzonders, ik wil gewoon zien of er mensen van hier op staan. Ik heb niets tegen joden of zo – Siv, verdorie, dat denk je toch niet?'

'Nee, nee, dat denk ik niet', antwoord ik. 'Maar je kunt het nu niet zien, want ik heb het op een heel veilige plek verstopt.'

'Oké', antwoordt hij. 'Ik hoor het al. Je wilt niet vertellen waar. Je vertrouwt me niet. Zo kijk je dus tegen mij aan, oké.

Maar één ding kun je me toch wel beloven?'

'Wat dan?'

'Beloof me dat je het aan niemand laat zien voordat jij en ik het er samen nog eens over hebben gehad!'

'Ik denk erover het bij de politie af te geven', zeg ik.

'De politie!' Hij snuift. 'Ga je je arme tante die schande aandoen, ook al is ze dan dood? Begrijp je niet wat de mensen zullen zeggen? En zij kan zich niet meer verdedigen! De mensen zullen denken dat zij er iets mee te maken had. "Waarom zou ze het anders verstopt hebben", zullen ze zeggen. Ze begrijpen immers niet dat ze alleen maar loyaal was. "O, dus zij heeft meegedaan aan het registreren van joden." Dat zullen ze zeggen.'

Daar had ik niet aan gedacht. De gedachte dat Ingeborg meegewerkt zou hebben aan dit register slaat totaal nergens op. Maar hij heeft natuurlijk gelijk.

'Heeft ze gezegd hoe ze eraan kwam? Komt het bij Mickelsen vandaan?'

Hij knikt. Ze heeft de doos bij hem op zolder gevonden en hem mee naar huis genomen in haar auto, hij heeft er niets van gemerkt. Ik zei tegen haar dat hij zich best had mogen verantwoorden, maar zo'n scène wilde ze niet meemaken, zei ze.'

Ik knik. Ik begrijp het. Dat is Ingeborg in een notendop.

'Ik heb Ingeborg aangeraden om het register bij zich te houden. Het kan nog van pas komen, heb ik tegen haar gezegd. Ik weet niet of ze begreep dat ik bedoelde dat het handig kon zijn als pressiemiddel op het moment dat Mickelsen zich niet aan zijn verplichtingen wilde houden of zo, je weet nooit precies. Maar hoe dan ook, ze heeft het verstopt, precies wat ik haar had aangeraden. Al heeft ze me nooit verteld waar. En nu heb jij het gevonden', gaat hij verder. 'En je wilt het mij niet laten zien?'

Ik geef geen antwoord.

'Dom gansje toch', zegt hij glimlachend. 'Je bent eigenlijk echt een schatje. Je doet me denken aan die lemming die op het spoor ging staan om de Norrlandsexpres uit te schelden.'

'Je hebt de smoor in', zeg ik.

'Nee, dat heb ik niet. En dat register kan me helemaal niet zoveel schelen, ook al was het op zich interessant geweest om er even in te kijken. Maar mij maakt het niet uit. Het is allemaal geschiedenis. Beloof me alleen één ding: ga niet naar de politie! Als het daar terechtkomt weet je niet wat er kan gebeuren.'

Ik denk aan wat hij heeft gezegd over Ingeborg en welke geruchten er over haar de ronde zouden kunnen gaan doen. Ik knik. 'Ik zal niet naar de politie gaan, nog niet in ieder geval', beloof ik. 'Misschien wel helemaal niet, ik moet er nog even over nadenken. Misschien is er een bepaalde instantie die zich met dit soort zaken bezighoudt?'

'Wil je het me in ieder geval vertellen als je iets gaat doen?' vraagt hij nog eens en zijn stem klinkt zacht en vriendelijk.

Ik beloof het.

Als hij zijn schoenen aanheeft en de deur uit wil gaan roep ik naar hem of hij Mimsan binnen wil laten als hij haar ziet.

Maar er komt geen kat naar binnen springen, ook al is het koud buiten. Dan moet ik haar later maar gaan roepen, als ik niet in slaap val.

Een onbegrijpelijke zondag. Ik ga op mijn rug naar het plafond liggen staren. Onder mij, onder het bed, tikt een niet ontplofte mastodontmijn uit de Tweede Wereldoorlog.

De meesten van die Zweden zullen nu wel dood zijn, ze hebben een natuurlijke dood mogen sterven, ze hebben een heel leven gehad en hebben geen weet gehad van de tikkende tijdbom die ooit speciaal voor hen was aangezet. Ja, de meesten zijn dood, maar de volgende generatie is maar een paar jaar ouder dan ikzelf en daar staan er een paar van op de kaartjes, een zoon Lars Emanuel, geboren 22 mei 1945, een dochter Olga Margareta, geboren 3 november 1943, een dochter geboren 5 maart 1944, een dochter geboren 16 augustus 1940, een zoon zelfs die is geboren op 1 juni 1945! Glimlachende, trotse ouders met hun kleintjes, die toen ongeveer even zwaar waren als een paar pakken suiker, maar die nu zeer waarschijnlijk zware posten in de samenleving bekleden.

Het is zo lang geleden, straks zijn ze allemaal dood. Ik zou het me niet zo moeten aantrekken, wat een ellende dat ik zo'n levendige fantasie heb! Dit is niet mijn probleem. Ik heb niets met die doos te maken, ik ben de Tweede Wereldoorlog niet begonnen en heb hem niet beëindigd; ik heb zelfs nog nooit iemand dood gewenst, de concentratiekampen, daar hebben we het niet eens over, dat is niet mijn ding, dat komt in mijn gedachtewereld, in mijn universum niet voor. Ik heb er niet om gevraagd met deze zooi opgezadeld te worden, wat moet ik doen?

Ja, gewoon zo laten, rustig laten liggen. Dat ga ik doen en als ik niet aan de bodem van de bak toegekomen was, had het probleem zich überhaupt niet voorgedaan. Niet aan mij in ieder geval.

Net als ik bijna in slaap val, denk ik weer aan Mimsan.

Ik sta haar een hele poos te lokken voor de deur. Maar Mimsan komt niet en ik hoor geen miauwen. Stomme rotkat.

Maak ik dat ook nog mee, dat Mimsan voor het eerst een hele nacht weg is. Alsof ik niet al problemen genoeg had. Het wordt een lange nacht.

En 's ochtends komt ze ook niet. Als ik niet zo'n dikke huid gekregen had, zou ik kunnen huilen. Maar dat doe ik niet, ik zet een bak met kattenvoer vlak bij de deur, waar andere dieren nauwelijks durven komen en dan ga ik naar mijn werk.

Er zijn er niet veel die op deze maandagochtend inklokken. Zussen en echtgenotes vertellen van gevelde kalveren en elanden met enorme geweien en dat iemand uit een naburige gemeente zijn voet heeft gebroken toen hij van een terreinwagen sprong.

Katarina en ik zijn de enigen op onze afdeling. Ik kijk haar aan. Ik heb behoefte aan praten, aan het van alle kanten tegen het licht houden van mijn ellende, aan steun en liefst een goed advies. Maar hoe lief en aardig, ad rem en solidair Katarina ook is, ik kan bij haar mijn hart niet uitstorten. Haar nonchalante houding maakt haar loslippig, ze bedoelt het niet verkeerd, maar ik heb het gevoel dat het fout zou zijn om Katarina vandaag in vertrouwen te nemen.

Ze merkt natuurlijk toch dat er iets is gebeurd. 'Wat zit jou dwars?' vraagt ze me na ongeveer een halve minuut.

Het kost me moeite om me stil te houden, maar ik slaag erin de boot af te houden, zonder haar direct voor het hoofd te stoten. Ik zing mee met 'Ze heeft haar zinnen op jouw vriend gezet, dus als je van hem houdt, hou hem dan heel goed vast'. En ik krijg haar mee in het refrein. Het swingt en wij gooien leerafval op leerafval ja, zo is het leven – opeens zijn we het helemaal eens.

In de pauze loop ik een rondje door de fabriek in plaats van in de kantine te gaan zitten bij de weinige anderen die er zijn. In het nathuis zie ik de rug van Sandström verdwijnen in het chemicaliëndepot en ik loop achter hem aan.

Ik maak een praatje met hem, vraag hoe het met hem gaat. Hij is nog maar een paar dagen weer aan het werk en ik neem aan dat hij nog niet zoveel kan hebben, dat hij kwetsbaar is.

Mijn belangstelling lijkt hem goed te doen en we blijven een poosje staan praten. Hij pakt intussen nieuwe jerrycans met verschillende poeders en vloeistoffen uit. Er zitten rode plastic bandjes machinaal om de zwavelzuurcontainers met de gele gevarendriehoeken gespannen. Sandström knipt de bandjes door en haalt het plastic eraf en vertelt dat hij er snel weer bovenop gekomen is na die vreselijke gebeurtenis met Bengan, dankzij het medeleven van Mickelsen en het feit dat deze nog dezelfde dag met hem naar de psychiatrische kliniek in Falun is gegaan. Dat zouden niet veel bazen hebben gedaan.

'Hij voelde zich misschien schuldig', laat ik me ontvallen.

Daar wil Sandström niets van weten. Wat er is gebeurd, daar kon Mickelsen niets aan doen, dat was Bengans eigen schuld, hoe naar het ook is om dat te zeggen. 'Dat moet je toch mogen zeggen, ook al is hij dan dood. Niemand heeft gezegd dat hij daarboven in zijn eentje het proces moest regelen.'

Misschien heeft iemand hem wel geholpen, denk ik. Om in het vat te vallen. Maar dat durf ik niet hardop te zeggen. Voor mij staat een deel van de inventaris, die zijn baas als een heilige beschouwt, en daar schop je niet ongestraft tegenaan, dat begrijp ik wel.

En dat ergert me.

'Ik ben deze vaten zelf gaan tellen', gaat Sandström verder. 'Het werd de laatste tijd een beetje een rommeltje. Weet je trouwens dat die nieuwe, Måns, die heftruckchauffeur, in de gevangenis heeft gezeten!'

Sandström kijkt bijna voldaan als hij dit sensationele nieuws brengt, en waarschijnlijk wordt hij beloond als hij mijn gezicht ziet, want ik ben echt stomverbaasd. Måns, die ik wel schattig vind ondanks zijn nurksheid, heeft een crimineel verleden! Mickelsen heeft een bajesklant in dienst genomen!

'Weet Mickelsen dat?' vraag ik.

'Natuurlijk weet hij dat', antwoordt Sandström. 'Maar het is zo'n aardige man, hij helpt de zwakken, het is een wonder dat hij nog chef kan zijn ook.'

'Dat is vast niet altijd zo geweest', probeer ik voorzichtig. 'In de oorlog waren het niet echt de zwakken waar de familie Mickelsen zich voor inzette.'

'Ach, dat zijn praatjes van vroeger en hij was toen nog een kind', wuift Sandström het weg. 'Dat is nu allang vergeten, de oude directeur heeft op alle mogelijke manieren laten zien dat het een misstap was en de huidige chef, die toen dus klein was, die is absoluut onschuldig. Iedereen maakt fouten, dat moet toch kunnen? Dat zal de reden zijn dat hij Måns deze kans heeft gegeven.'

'Waar heeft Måns dan voor gezeten?'

'Geen idee. Maar ik ving toevallig een glimp op van een

document, ik ben nogal vaak op kantoor geweest voor verschillende dingen in verband met mijn ziekteverlof. Toen ik een keer zat te wachten viel mijn oog op de persoonlijke gegevens van Måns. Ik zag het woord 'Tidaholmsinrichting' en enkele data, van wanneer tot wanneer hij gezeten heeft, neem ik aan.'

Ik ken de Tidaholmsinrichting niet, de zware misdadigers zitten toch in Kumla?

Maar Måns is nog zo jong. Ik ben aan hem gewend geraakt, hij is charmant onder zijn koppige zwijgzaamheid en met continu die enorme pluk pruimtabak onder zijn lip. Ik hoop dat hij berouw heeft, wat hij dan ook heeft gedaan, als het maar geen geweldsdelict was, dan liever iets van oplichting of te hard rijden. Als je daar tenminste voor in de gevangenis komt.

Het is waarschijnlijk het oude liedje. De kruimeldieven komen in de bak terwijl de echt door de wol geverfde boeven vrijuit gaan. Ze zitten hoog en droog en jagen de mensen de stuipen op het lijf met hun geld en in bepaalde gevallen hun huurmoordenaars, dat zie je vaak genoeg op tv. Ik wil de serviele houding van Sandström doorprikken en voordat ik mezelf kan tegenhouden zeg ik: 'Als er iemand in de gevangenis hoort te zitten, dan de directeur wel, Mickelsen senior. Hij heeft in de Tweede Wereldoorlog joden geregistreerd!'

Ik heb meteen spijt dat ik het gezegd heb, ik had dit niet moeten vertellen.

Sandström staakt zijn bezigheden, recht zijn rug en kijkt mij aan. 'Dat geloof ik niet', zegt hij.

'Ik heb het bewijs', zeg ik, want nu kan ik niet meer terug. 'Hij had aangevers door heel Zweden, maar vooral in de grote steden en hij registreerde alles, je had de mensen zo kunnen gaan halen om ze naar Auschwitz te brengen als de Duitsers binnentrokken.'

'Zweedse joden?' Hij lacht. 'Je slaat de plank helemaal mis. Dat kan de directeur nooit gedaan hebben, want hij is pas begin '45 hierheen gekomen. Dus daar vergis je je in', zegt hij opgelucht en hij gaat weer door met zijn werk. 'Heb je die lijsten gezien?'

'Ja. Mijn tante heeft ze bij hem op zolder gevonden. Ze wist waarschijnlijk niet wat ze ermee moest doen.'

'Wat gaat ze er dan mee doen?' vraagt hij.

'Ze is dood.'

'O', antwoordt hij en hij tilt een zak zwavelnatrium op. 'Was het die tante. Dan heb jij ze nu zeker? Wat ga jij ermee doen?'

'Ik weet het eigenlijk niet. Je mag het tegen niemand zeggen, Sandström. Het ligt gevoelig. Ik zal ze binnenkort wel ergens naartoe brengen, neem ik aan. Ik weet alleen nog niet waarnaartoe.'

Hij kijkt me aan. 'Die lijsten zouden gewoon moeten verdwijnen', zegt hij.

Ik schud mijn hoofd en loop weg.

De informatie dat Måns in de gevangenis zou hebben gezeten zit me dwars. Je kunt geen mens meer vertrouwen tegenwoordig. Ik moet met hem praten. Ik moet van hem horen of hij die avond toen Bengan stierf echt niets heeft gezien. Is Mickelsen daar op enig moment geweest? Of de looier?

Aan het eind van de dag wil ik snel naar huis om te zien of Mimsan alweer terug is. Maar eerst moet ik naar Grönland om boodschappen te doen en allereerst ga ik naar het politiebureau. Ja, dat is gesloten, dat wist ik ook eigenlijk wel. Dus zelfs als ik had gewild, dan was het op praktische bezwaren gestuit. Ik had vrij moeten nemen, of in lunchtijd moeten gaan, ze gaan al om drie uur dicht. Voor zoiets moet je toch geen vrij hoeven nemen, het is mijn fout toch niet, ik hoef toch niet financieel gestraft te worden omdat er in de Tweede Wereldoorlog mensen zijn geregistreerd!

Voor de winkels hangen wapperende leren jassen en Davy Crocketstaarten voor een afwezig publiek; het is nu niet het seizoen, geen toerist te zien zover het oogt reikt.

Bij de Konsum-supermarkt hebben ze flinke partijen jagersbrood en jagersbeleg uitgestald en een hele stelling met jagersthermoskannen, er lopen enkele jongeren langs de schappen. Ik heb gehoord dat de scholen de hele week gesloten zijn, vrouwelijke collega's klagen over het probleem van de kinderopvang.

Bij het vlees staat een keurige jongeman in een donkere jas en nu herken ik hem. Het is de begrafenisondernemer die ik afgelopen voorjaar op de begraafplaats ben tegengekomen – wat is dat alweer lang geleden! Wilgenkatjes en druppels van het dak.

Ik pak erwten en spinazie uit de diepvries en loop door naar de zuivel. Ik denk aan de fijngevoeligheid waarmee hij ondanks zijn jeugdige leeftijd over mijn tante Ingeborg had gesproken. Hij had verteld hoe lastig het was geweest dat ze in die ineengedoken houding verstijfd was, stijf bevroren zelfs, en hij had verteld over de kleren, dat ze oude spullen had gedragen, ze ging immers alleen maar even naar de kelder, dacht ze, niet naar de hemel en

en in haar ene hand had ze een rood bandje gehouden

zo'n rood bandje – Sandström!

Sandström had vandaag net zulke – weinig gangbare – rode plastic bandjes staan doorknippen.

Ze had er een in haar hand gehouden.

Waarom?

Sandström? Ingeborg?

Nee, nee. Nu even rustig! Het moet puur toeval zijn. Het hoeft immers niet eens hetzelfde soort plastic band te zijn.

En dan nog.

Het betekent niets. Ze is weg. Ze is dood. Ik leef verder. Ik moet voor haar nalatenschap zorgen, die zo goed mogelijk beheren. In het echte leven is niet alles kristalhelder, het meeste is duister, onduidelijk en ongerijmd, het betekent toch niets, helemaal niets. Het is alleen maar toevallig zus of zo.

Als ik thuiskom ben ik eerst blij want er heeft iemand bij het kattenvoer gezeten, maar dan hoor ik lachen en ik begrijp dat het net zo goed de eksters geweest kunnen zijn.

Ik lok haar luidkeels, maar Mimsan duikt niet op.

Ik wou dat ik geen kat had genomen, nu zit ik in de zorgen of de vos haar misschien gepakt heeft of, erger nog, dat ze vastzit, dat ze ergens opgesloten is geraakt en er niet uit kan en er zijn mensen die klemmen zetten, heb ik gehoord – voor dassen en vossen – en ik weet niet waar die staan, ze kunnen overal staan en in een ervan zit misschien mijn lieve Mimsan.

Maar goed dat ik een mollige vrouw van middelbare leeftijd ben, anders was ik aan mijn keukentafel gaan zitten grienen.

Maar een kat is maar een kat, daar moet je je niet te druk over maken. Ze zal wel weer terugkomen, als het interessante en fascinerende eraf is of misschien is ze al wel loops, mooi voor de winter, dat zou me wat zijn.

Ongerustheid en onbehagen. Net wanneer je eindelijk zover bent dat je eens echt zult gaan leven. Als je gezond bent, zelfs een eigen boerderijtje hebt en een eigen vriendje. Ingeborg zou er geen goed woord voor overgehad hebben als ik de moed liet zakken. 'Het is en blijft een kat', zou ze hebben gezegd. 'Je kunt er verder niets aan doen.'

Dus ik kook grote pannen vol aardappelen, ik schil, ik pureer, ik stamp en ik meng met gerstemeel, roggemeel, tarwebloem en zout en rol het deeg uit, ik bak het in twee grote koekenpannen en leg de versgebakken dunne koeken tussen theedoeken op de bank om af te koelen.

Het is bijna middernacht als ik de laatste hoop meel bij elkaar heb geveegd, de laatste bemeelde theedoek buiten heb uitgeschud – en voor de honderdduizendste keer heb geroepen – en overal pakketjes van heb gemaakt en die in de vriezer heb gestopt.

Ik ben tevreden. Zo tevreden als een mens kan zijn die probeert het puntje van zijn neus boven water te houden en gewoon zijn best doet.

Ook de keukendeur van de villa is mooi, massief, gemaakt van een mediterrane houtsoort, en gelakt. Ik ben achterom gegaan.

Ik bel aan en een hele poos later – ik heb geen haast – hoor ik de binnendeur opengaan en staat hij voor me. 'Ja?'

Ik wou dat ik iets kwam verkopen. Of dat ik een Jehova's

getuige was. Hij kijkt mij onderzoekend aan, nog geïrriteerd, ik heb hem gestoord in zijn bezigheden. Ja, waar kwam ik voor?

'Mijn naam is Siv Dahlin', antwoord ik. 'Ik ben een tante-zegger van Ingeborg Stenberg.' Zijn gelaatsuitdrukking verandert onmiddellijk. De spierwitte, borstelige wenkbrauwen gaan verbaasd omhoog en de goedverzorgde snor volgt de mond in een glimlach – ik zie dat hij een regelmatig gebit heeft, heeft hij echt zijn eigen tanden nog?

'Wat gezellig! Kom binnen!' spoort hij me aan en hij doet een stap opzij zodat ik naar binnen kan. Dat is al verdacht, vind ik. Dat hij niet eens vraagt wat ik wil, maar me gewoon binnenlaat.

'Dat is nou eens gezellig', herhaalt hij. 'Kom verder. Nee, nee, doe je schoenen maar niet uit. Ze zijn niet eens vies, de grond is immers stijf bevroren tegenwoordig en ik maak bovendien nooit schoon. Niet zelf, bedoel ik. Kom maar mee!'

En hij gaat me glimlachend voor naar binnen, door de kleine hal van de keukeningang, dwars door een grote ouderwetse en heel gezellige keuken, verder door een serveergang met hoge kasten naar een soort woonkamer of salon. Even later zie ik dat het de hal is, de grote hal, ik heb de voordeur recht voor me met zijn veelkleurige zijraampjes en een garderobe achter een gordijn. Hij vraagt of ik mijn jas misschien uit wil doen. Ik antwoord dat dat niet nodig is, ik heb feitelijk een beetje haast.

We gaan verder naar een kleinere kamer, bijzonder smaakvol ingericht met meubels met zachte bekleding en ook een tv. Hij nodigt me uit te gaan zitten, maar blijft zelf staan. Hij vraagt of hij me iets mag aanbieden en gaat bij een massieve houten kast staan, die naar ik aanneem een bar bevat. Een borreltje zou erg lekker geweest zijn nu, maar ik ben met de auto, dus ik schud mijn hoofd en zeg dat het niet hoeft, ik hoef niets te gebruiken.

Hij gaat in een fauteuil tegenover me zitten en vraagt of we elkaar niet op de begrafenis hadden gezien, die van Ingeborg dus?

Dat bevestig ik. Hij zegt dat hij het erg vindt dat ze zo plotseling is komen te overlijden, ze was eigenlijk nog niet zo oud en kerngezond.

Dan is het even stil.

Hij zegt dat het aardig van me is om langs te komen.

Plotseling veert hij op. 'Nu weet ik het weer. Excuus, hoor. Nu schiet het me weer te binnen – haar spullen! Die kom je natuurlijk halen. Ik ben totaal vergeten om ze te laten brengen, mijn verontschuldigingen. Ik weet nog dat ik het er met haar zoon over heb gehad, maar hij is er nooit om gekomen en toen ben ik het weer helemaal vergeten. Ik had ze natuurlijk moeten laten brengen. Ik zal het maar op mijn leeftijd schuiven, ik word vergeetachtig.'

Hij is schielijk opgestaan en naar de deur gelopen en nu zegt hij: 'Een ogenblikje', en een ogenblik later is hij inderdaad weer terug, ditmaal met een papieren tas, die hij naast mijn stoel neerzet. Ik kijk in de tas en zie een glimp van een paar schoenen en wat kleren, ik til de schoenen op, ja, een schort, een kam. Net wat je zou verwachten. De alledaagse, werkende Ingeborg zo dicht bij mijn knie, maar ik schakel mijn gevoel uit, ik wil niet zwak worden, ik wil dat nu niet voelen.

'Eigenlijk ben ik gekomen om te vragen of er iets weg is', zeg ik, terwijl mijn maag zich samentrekt. De situatie is onbehaaglijk. Ik voel me boers in mijn gewatteerde jack en mijn warme, maar niet echt mooie winterschoenen, die ik uit de kast heb gehaald omdat het nu de hele dag onder nul is.

Nu begrijpt hij niet wat ik bedoel, moet er iets weg zijn? Uit zijn huis? Wat zou dat moeten zijn?

'Ik vraag me alleen af of er papieren weg zijn of zo, die Ingeborg misschien per ongeluk mee naar huis genomen heeft?'

Hij zakt weer achterover in zijn fauteuil en lijkt diep na te denken. 'Nee,' zegt hij dan, 'dat kan ik me echt niet herinneren. Ik ben niets kwijt en waarom zou Ingeborg papieren mee naar huis genomen hebben? Wat voor papieren? Bedoel je documenten of zo?'

'Ja, documenten', zeg ik.

'Documenten?' Hij schudt zijn hoofd. Geen belangrijke in dat geval. Ingeborg zou nooit iets in beslag genomen hebben waarvan ze wist dat het niet van haar was, ze zou nog geen oud tijdschrift meegenomen hebben als het er was geweest. In ieder geval niet zonder het eerst te vragen. Als ik iets heb gevonden wat schijnbaar niet van haar is, dan komt het niet hiervandaan.

'Ze was een voortreffelijke vrouw', zegt hij dan. 'Op haar kon je bouwen, ik mis haar echt.'

Hij raakt diep in gedachten verzonken. Ik begrijp dat hij weer terug is in zijn herinneringen. Maar hij zegt niets, hij heeft geen zin om te vertellen wat hij ziet.

'Weet je zeker dat ik je niets aan kan bieden?' vraagt hij ten slotte. 'Ik zou even snel een kopje poederkoffie kunnen maken als je dat lust, of thee?'

Maar ik bedank nogmaals terwijl ik langzaam opsta. 'Ik heb een beetje haast', zeg ik weer. 'Fijn dat ik Ingeborgs spullen mocht komen halen.'

Terwijl ik praat probeer ik de stemming te peilen, hoe zit dat hier eigenlijk en wat is deze meneer voor iemand achter al die uiterlijke politoer?

Maar mijn inwendige radar staat kennelijk uit. Ik voel helemaal niets. Het is stil. Een oude heer in een deftig oud huis. Dat is alles.

Het kan zijn dat hij een echte ouwe vuurvreter is, zo hard als een granieten oorlogsmonument. En daarom niets zegt. Hij kan ook precies zo sympathiek zijn als hij lijkt. Ik weet niet wat ik moet geloven.

Ik bedank hem en rijd weg.

De kat is al meer dan een week weg. Ik durf bijna niet naar huis, ik wil niet opnieuw teleurgesteld worden.

Nee, vandaag weer geen kat voor de deur.

Vergeet het nu maar. Ik ga naar binnen en maak eerst overal licht voordat ik mijn jas uitdoe. Eerst vuur in de kachel. Ik kijk de post door, alleen reclame.

Dan kijk ik onder het bed. De plastic zak met de doos erin ligt er nog; daar is niets aan veranderd.

Ik pak mijn zaklamp en loop naar buiten. Ik ga dwars door het bos met de bedoeling om bij Marianne langs te gaan, want het is alweer een poosje geleden.

Ze is blij me te zien en zet koffie. Ik vertel dat ik bij Mickelsen ben geweest en de schort van Ingeborg heb gehaald en ik zie dat ze aandachtig luistert. 'Wat vond je van hem?' wil ze weten. 'Heel charmant', bevestig ik. 'Als ik dertig jaar ouder was, dan zou ik hem in mijn netten zien te verstrikken, dat weet ik wel.'

Maar ze gaat er niet op in, geen gevoel voor humor, zo is ze nu eenmaal.

Ze vertelt dat Niels haar sneeuwscooter voor haar heeft nagekeken en hem heeft gesmeerd. Ze wacht op een wit tapijt, dan mag ik een keertje met haar mee.

'Herinner jij je nog dat Mickelsen hier aankwam?' vraag ik.

'Zeker', antwoordt ze. 'Ze kwamen boven langs het bos aanlopen en ze kwamen bij de zomerboerderij uit waar Ingeborg met haar dieren zat. Ze hebben daar de hele zomer in een houten schuur gewoond.'

'Ze?'

'Ja, ze waren met zijn tweeën. Die ander is later verdwenen.'

'O ja? Daar heb ik nooit wat over gehoord. Vertel!'

Ik zie haar weifelen. 'Ach,' zegt ze dan, 'het is zo lang geleden, het maakt niet meer uit. Die andere heette Terje. Als je Mickelsen al knap vindt, dan had je Terje eens moeten zien!'

Haar ogen glinsteren. Ze glimlacht en kijkt over me heen. 'Dat was een knappe vent!'

'Ja?'

De glans dooft. 'Helaas zat het mooie alleen aan de buitenkant bij die man', zegt ze stil. 'Hij ging ervandoor. Kreeg vrijgeleide naar Zuid-Amerika. Hij zal wel niet meer leven, dat kan haast niet. Ik heb al die jaren nooit meer iets van hem gehoord.'

'Nee, waarom zou…?'

Ik zwijg.

En Marianne staat haastig op van tafel en begint bij het aanrecht te rommelen.

Mijn god!

Ik weet niet hoe ik verder moet gaan. Want er begin me iets te dagen.

Als ze terugkomt naar de tafel heeft ze de koffiepot in haar hand. Ze vult mijn kopje zonder iets te vragen. Ze doet stijf en ontwijkt mijn blik.

'Ben je wel eens bij Ingeborg op de zomerboerderij geweest?' vraag ik.

'Dat is wel voorgekomen', antwoordt ze luchtig. 'Het was immers crisis. Ze had boter en zelfs ook eieren, daarboven in het bos. Kippen had je anders haast niet meer. Wil je niet wat van die boterkoekjes, ze smaken beter dan ze eruitzien.'

Je zult het idee hebben dat je veilig zit.

Je bent bewust naar een dunbevolkt gebied getrokken, een gemeente die leegloopt, naar de periferie. Waar je je nu bevindt, gebeurt niet veel. Iedereen bemoeit zich met zijn eigen zaken.

Je zult het idee hebben dat je veilig bent.

Het lawaai van de straat, de sirenes 's avonds en 's nachts en het geluid van hollende voetstappen op het trottoir – al na een paar uur ben je die waarschuwingssignalen ontwend en je zult de stilte ook niet als angstig ervaren, maar als prettig. Want je bent moe. Heel moe. Je bent afgepeigerd en overwerkt, je laat je dekking snel zakken als er geen onmiddellijk gevaar dreigt, je moet zowel lichamelijk als psychisch herstellen en lichaam en ziel grijpen iedere kans op rust aan.

Je zult het gevoel hebben dat je de conflicten en de gekte achter je gelaten hebt. Je zult weer rustig kunnen slapen en je zult denken dat dit nou net is wat je nodig had. Straks klopt de kaart weer en kun je je weer oriënteren. Ik ben toch een compleet mens, het had niet veel gescheeld of mijn leven lag in duigen en wat is het mooi dat ik nu een vrijplaats heb gevonden waar ik onopgemerkt op adem kan komen en mijn wonden kan laten helen.

Daarom zul je ook nietsvermoedend 'kom binnen' roepen als er iemand op de deur klopt, want het kan maar één persoon zijn en zij is je bondgenote, je hebt niets te vrezen, ze is vast gewoon iets vergeten, daarom komt ze terug. Je verwacht een kort, ontspannen gesprekje en dan voor de tweede keer 'goodbye' en je hebt trouwens al gemerkt dat ze hier gewoon naar binnen banjeren – zonder kloppen.

Je zult niet van je stoel komen, maar bij de keukentafel blijven zitten en nog eens roepen: 'Kom binnen, zei ik.' En je zult misschien wat geïrriteerd raken dat het zo lang duurt en dan toch maar overeind komen en de hal in gaan waar het halfdonker is.

Je verbazing zal puur zijn – pure verbazing. Als ze je vastgrijpen en je ruw naar de kapstok duwen. En schreeuwen: 'TREK JE JAS AAN, VERDOMME, WE GAAN!'

Je zult vermoedelijk denken dat ze dronken zijn en waarschijnlijk ben je bij de tweede harde duw nog steeds niet bang; dat ze je gevonden zouden hebben is namelijk té absurd.

Pas wanneer je dat korte klikje hoort. Een klein rateltje. Pas dan sla je met je vlakke hand tegen de schakelaar, terwijl al je adrenaline ingezet wordt, wat puur fysiek pijn doet, en het licht onthult twee forse manspersonen met kousen over hun gezicht, grote leren mutsen op en scooteroveralls aan, met stevige schoenen en reusachtige handschoenen en in de ene blote hand het kleine wapen dat nu schietklaar is. In de gehandschoende handen van de andere man een blauw, breed, stevig nylon koord. 'TREK JE JAS AAN, VERDOMME, BEN JE DOOF, WE GAAN EEN RITJE MAKEN!'

En het wapen dat wijst. Met zijn zwarte zwijgende oog. Zo geladen met inhoud dat je de niet onredelijke wens onmogelijk níét zou kunnen begrijpen. Gewoon dat je een jas aantrekt. Dat is het enige. Een jas aandoen is helemaal niet onredelijk, zeker niet vergeleken met.

Je hersenen zullen grote delen van het systeem afsluiten, angst heeft een dergelijke verhoging van de efficiency tot gevolg. Je zult zwijgen en gehoorzamen, je trekt je gewatteerde overbroek, je jas en je schoenen aan en zet een muts op, je vergeet ook je handschoenen niet, want je weet dat het koud is. Je gaat immers alleen een eindje rijden met hen.

Je overlevingsbrein zal niets vragen, alleen uitvoeren wat ze van je vragen en je hebt geen schijn van kans om te vluchten of om alarm te slaan, het kleine geladen oog ziet je helemaal, het zal geen verkeerde beweging tolereren, je overlevingsbrein heeft de situatie allang geanalyseerd en vastgesteld dat hier sprake is van

een uiterst serieuze dreiging, je moet nu voorbeeldig kalm optreden om te voorkomen dat het wat onvaste zwarte oog per
ongeluk afgaat louter en alleen al omdat jij bestaat.

Waarschijnlijk zul je uit eigen beweging naar de deur lopen,
maar een van de mannen zal jou dan tegenhouden. 'STOP!'

Je blijft meteen staan. 'Handen op je rug', zegt hij rustig. Je
doet wat hij zegt. Hij wikkelt het koord om je polsen en trekt het
aan, het is een koord dat een last van duizend kilo moet kunnen
houden als er bij een snelheid van negentig kilometer per uur
plotseling wordt geremd, je zit stevig, je zit vast, je ene handschoen is afgegleden, je pols is bloot. De rand van de handschoen
snijdt al in de huid, in het vlees. Straks ligt het open. Als je op het
erf komt word je op de scooter gezet, waar je erg stijf vastgesnoerd
wordt. Heel stijf, zodat je je niet los kunt rukken en er niet af kunt
komen.

De ene man zal de scooter besturen waar jij op vastgesnoerd
ligt en de andere man rijdt op de tweede, kleinere scooter, die
achter jullie rijdt en als jullie starten denk je dat het misschien
toch gewoon een grap is, een vrijgezellenavond, een vergissing of
een soort ontgroening in deze hillbilly-streek, je weet nooit wat
die eenzelvige halvegaren zich in het hoofd halen.

Maar diep in je hart zul je van meet af aan precies weten hoe
laat het is. Jouw laatste uurtje heeft geslagen, je weet het, daar lig
je en je rolt wat extra heen en weer, maar moet wel inzien dat je
voor altijd vastgesnoerd blijft liggen, als niemand je losmaakt, je
hebt geen enkele kans om te ontsnappen, het is je tijd, nu ben jij
aan de beurt. Het enige wat je niet weet is de manier waarop. En
wie je heeft verraden. Was zij het? Of de man op wie je volledig
vertrouwde en die je verzekerde dat dit echt een veilige plek was?

Je zult er niet meer helemaal bij zijn als de scooter het bos in
gaat, over de bergen; na een tijdje word je vast misselijk van alle
uitlaatgassen en misschien moet je overgeven door de
onregelmatige beweging die je niet kunt pareren aangezien je
in het beste geval niet veel meer dan een stukje van een achterlicht

ziet, in het slechtste geval niets. In het slechtste geval hebben ze een zak over je hoofd gedaan, waar je kots in terechtkomt, die over je gezicht wordt uitgesmeerd.

Je zult de rit als oneindig ervaren en je zult niet weten hoe ver jullie al weg zijn als je hoort en voelt dat het voertuig eindelijk stopt.

Jullie zijn ver van de bewoonde wereld, diep in de wildernis en het is heel koud, veel te koud voor gewone mensen om überhaupt naar buiten te gaan.

De twee mannen zullen je overeind helpen en als je een zak over je hoofd had, zullen ze die weghalen. Misschien krijg je je muts terug en je handschoenen trek je uit eigen beweging aan, want nu wordt het koord losgemaakt en je polsen bonzen en doen pijn van de gestremde bloedtoevoer, die nu weer op gang komt op het ritme van je hartslag.

'Je gaat nergens heen', zeggen ze en ze duwen je van de scooter. Je knikt alleen maar en kijkt om je heen, je ziet niet zoveel als er geen maan is, maar je hoort het vredige murmelen van open water.

Ze zullen je ook je password ontfutselen. Ze willen alleen even naar je e-mail kijken, zeggen ze luchtig. Ze maken je je password afhandig, gegarandeerd! Desnoods als je al in de rivier ligt met alleen je kin nog boven water. Dan ga je dood, maar ze beloven, ze beloven op hun Zweedse eer dat ze je weer omhooghalen als je alleen die onbenullige cijfertjes en lettertjes even geeft. Je geliefde zullen ze ook niets doen, die vrouw met haar mooie kontje, dat beloven ze, ze zullen geen vinger naar haar uitsteken – zeg het maar, zeg het!

Ja, dat password krijgen ze wel van je los, op de een of andere manier, zeker weten. Voor de rest kan het scenario enigszins variëren.

Waarschijnlijk zullen ze proberen je alcohol te laten drinken, maar het kan zijn dat je weigert te drinken, dat je het uitspuwt, ook al mishandelen ze je. Of dat je simpelweg niet kunt drinken, van angst is je slokdarm dichtgeklapt, zodat je overgeeft, terwijl je niets liever wilt dan hun zin doen.

Je wordt geslagen. Dat geeft niks, zeggen ze. Je stoot je aan de stenen, de rivier is stenig. En altijd open, hoe koud het ook is. Na een hele maand met temperaturen van min twintig zingt de rivier nog in kolkende stromen onder een walmende stoomwolk.

'Nu gaan we zwemmen', zeggen ze dan.

Het is niet waarschijnlijk dat je zelf de scooter de rivier in rijdt, je zou zelf nooit het gevaarlijkste plekje uitzoeken waar het ijs je een klein eindje houdt en waar het even verderop opeens diep is, nee waarschijnlijker is dat de gastoevoer op de een of andere manier vastgezet wordt, zodat de scooter er eerst in rijdt en jij er daarna achteraan wordt gegooid. Naderhand. Waarschijnlijk bewusteloos door een klap. Als je later wordt gevonden is je lichaam zo geradbraakt door de stenen in de rivier dat niet na te gaan is of je ook nog door mensen bent geslagen. Waar trouwens echt niemand over na gaat denken, aangezien je waarschijnlijk alcohol in je lichaam zult hebben en aangezien je bij een ongeluk om het leven bent gekomen zoals dat maar al te vaak voorkomt. Niemand zal iets anders geloven dan dat je een plezierritje bent wezen maken en erin gekukeld bent, onbekend als je bent met het terrein hier. Als ze je tenminste kunnen identificeren. Gefronste wenkbrauwen, maar nauwelijks meer.

Als je erin gegooid bent, zal het water je huid treffen als een vuistslag en waarschijnlijk zul je tenminste eventjes bijkomen uit de bewusteloosheid waar je in geraakt was na een harde klap op je hoofd met een pook of een metalen pijp.

Je zult nog even kunnen denken en het ergste wat je kan overkomen gebeurt misschien ook nog, dat je nog een paar keer met je hoofd boven water komt en dan schreeuwt en smeekt. Heel zeker.

In dat geval zullen ze je op de oever staan uitlachen, terwijl de andere scooter al is gestart. De grotere scooter, die van henzelf. De scooter die ergens onder jou in het water ligt is daarentegen een niet-geregistreerd barrel dat niet op te sporen is.

Je hebt geen schijn van kans. Toch zul je vechten.

Je zult misschien nog maximaal een half uur leven in dat wak in het stromende water, je hebt immers dikke kleren aan, die isoleren wel enigszins, maar je motoriek is al na een paar minuten stijf en onhandig, je sterft stukje voor stukje en het laatste wat het af laat weten is het hart zelf en dan de hersenen natuurlijk, je bewustzijn. Je zult weten dat je sterft. Je zult weten dat de daders nooit gepakt zullen worden. Als ze verdwenen zijn zal de lucht van uitlaatgas nog een tijdje boven het water hangen.

Maar het onwaarschijnlijke kan natuurlijk ook gebeuren dat je er feitelijk in slaagt je op de rand van het ijs te hijsen. Dat je de kracht hebt eruit te kruipen ondanks het water, ondanks de dikke, zware kleren en ondanks de alcohol en de paniek. Je slaagt er misschien zelfs in weer op de been te komen.

En je begint te lopen.

Maar je komt er nooit.

Je komt er nooit. Het is veel te ver en veel te koud en je loopt misschien zelfs de verkeerde kant op, nog verder de wildernis in.

Wanneer je gevonden wordt – als je gevonden wordt – is het enige wat van je over is datgene waar de aaseters van het bos nog niet aan toe gekomen zijn.

Hoe dan ook zal er na je dood over je gezegd worden: Slechte Inschatting en Dronkenschap. Stockholmer – als je wordt ge-identificeerd, Buitenlander ook nog. Buitenlander én Stockholmer, dan weet je het wel.

De kou is de eigenlijke moordenaar.

Zij hebben niemand vermoord.

Technisch gezien klopt dat.

Een ongenode wintergast heeft zijn intrek genomen. Op een zondagochtend zie ik hem in het bleke licht als ik jam ga halen. Hij hangt in de gang tussen de buitenste en de binnenste kelderdeur. Hij hangt aan één klauw met zijn vleermuisvleugels om zijn lijfje geslagen. De oortjes zijn half doorschijnend, nog doorsneden met een roze netwerk van fijne adertjes. Hij is net in een sluimering weggezakt, hij slaapt nog licht, ik zie hoe hij zich beweegt in zijn slaap als de frisse wind door zijn vacht woelt. Ik zie ervan af om met veel geweld zijn wereld binnen te stampen en doe de buitendeur voorzichtig achter me dicht. Hij moet eerst goed in slaap zijn, dan kan ik me daar in de kelder vast wel bewegen zonder dat hij er last van heeft. Een symbool uit een griezelfilm – wat is hij mooi! Ik voel me vereerd met zo'n bezoeker.

Het Lisellse Huis heeft een nieuwe eigenaar gekregen en de renovatie is begonnen. Op het trottoir voor het huis staan grote containers en als ik op maandagochtend naar mijn werk ga, zijn de bouwvakkers al aan het werk in het licht van de schijnwerpers. Het roemruchte huis krijgt een facelift, die vooraf door monumentenzorg is goedgekeurd; dat heb ik allemaal gelezen in de lokale blaadjes. Het huis is door een particuliere koper gekocht voor een bedrag onder de anderhalf miljoen kronen. De gemeente had geen belangstelling voor het aankopen van dit vlaggenschip in het centrum van het dorp.

Iedereen wacht op sneeuw. De strenge kou, die al een maand aanhoudt, zal iedere waterleiding doen barsten als de sneeuw niet gauw komt met zijn isolerende laag. De Västerdalälv is bevroren, er ligt glad ijs op. Maar het is te koud om te schaatsen. De mensen stoken de kachel op en blijven binnen. De dagen zijn kort en de lucht is groen voordat hij 's avonds weer blauwgrijs wordt en zwart, een ijskoude, heldere sterrennacht.

Het tempo in de leerlooierij ligt nu een tandje lager. Ik vraag me af of er ontslagen dreigen, maar ik durf geen slapende honden wakker te maken, ook niet in de gesprekken met mijn collega's. Niemand zegt iets. Dan zal het wel goed zijn.

Mimsan is weg. Ze komt nooit meer terug. Ik begrijp het en aanvaard het. Zo gaan die dingen. Je moet gewoon verder. Mijn hemel, een kat! Denk eens aan de westelijke Jordaanoever.

Ik lees het in de krant, een landelijk blad dat iemand in de kantine heeft laten liggen, er is weer een werkdag voorbij en buiten is het pikkedonker. Ik hoor een paar sneeuwscooters op de rivier, ik hoor ze spelen op het gladde ijs, een ritje na het werk, puur als verstrooiing. Het luide brullen van de scooters, het geluid van de laatsten die uitklokken en dan dit artikel dat mijn aandacht trekt, aangezien de plaatsnaam in vijf centimeter hoge letters gedrukt staat. Er zijn lijsten gevonden in het Lisellse Huis!

Er zijn lijsten gevonden. Lijsten van joden. Lijsten die hier zijn opgesteld, tijdens de Tweede Wereldoorlog. Lijsten van joden, lijsten waarvan het de bedoeling was om ze aan de Duitsers te overhandigen bij een anschluss, en de lijsten bevatten de namen van hooggeplaatste en prominente Zweedse joden, met de beginletters van L tot Ö!

Kon ik die verdomde scooters daarbuiten op de rivier maar uitzetten!

Ik plof neer op een stoel, houd beide handen tegen mijn hoofd en ga door met lezen. Een doos met keurig geordende registerkaartjes is bij toeval gevonden toen er begonnen werd met de renovatie van het oude houten gebouw. De doos lag op de grote zolder. Het register is waarschijnlijk aangelegd door de bekende nazileider Erik Walles, die uit deze streek afkomstig was en de eigenaar was van het grote houten kasteel, waar hij 's zomers altijd verbleef. Erik Walles leidde de Zweedse nazistische beweging samen met Sven Olov Lindholm. In 1989 nog werkte de toen zesentachtigjarige Walles mee aan een artikel van vier hele pagina's in de krant van de Zweedse Democraten, *Sverige-Kuriren*. Daarin beweerde hij dat de Zweedse nazi's in de oorlog geen landverraders waren. Over de verwantschap tussen de bewegingen was hij van mening: 'Wat de Zweedse Democraten gemeen hebben met de oude nationalistische beweging is een serieus streven om de Zweedse natie en haar eigen aard te redden van een dreigend gevaar. In die zin heeft Helene Lööw gelijk als ze zegt dat de Zweedse Democraten en gelijkgezinden geestverwanten zijn van "de oude nazi's", en dat is echt niets om je voor te schamen.'

Het artikel draait verder om het verband tussen de nazi's van toen en de nationalistische bewegingen van tegenwoordig en besluit met de constatering dat de lijsten die nu weergevonden zijn vermoedelijk het zogeheten archief van de *Sveaborgare* vormen. De lijsten zijn overgedragen aan het Zweedse comité tegen antisemitisme waar ze beschikbaar zullen zijn voor onderzoek.

Ik scheur een stukje van de krant af en noteer de naam van het comité dat de lijsten in ontvangst heeft genomen. Dan kleed ik me ook om, klok uit en ga naar huis.

De hele avond pieker ik erover wat ik zal doen. De vuilniszak met de doos erin ligt nog steeds onder mijn bed. Ik heb hem verdrongen. Al een maand heb ik weten te vergeten dat hij daar ligt.

Wat moet ik doen?

Hoe moet ik het uitleggen?

Ik wil Ingeborg immers alleen maar beschermen. Ik dacht dat het nooit uit zou komen. Maar nu is er al a gezegd. Of liever: l tot ö. En dan zul je net zien dat ik een eland of een Sälenganger op de radiateur krijg, zodat het dak ingedrukt wordt en ik razendsnel een kopje kleiner word gemaakt en dan komt de boedelbeschrijving en het opruimen en wat vinden ze dan, ja, een register van joden, dat Siv verstopt had, wat kan ze daar voor motieven voor hebben gehad? Was ze nazi? Was ze racist? Wie was ze eigenlijk, ze leek nog wel zo aardig.

En daar ga je dan de dood mee in. Met die reputatie. Ik moet die lijsten inleveren, morgen ga ik meteen bellen en dan leg ik het precies uit.

Maar ik vergeet niet wat ik Niels heb beloofd. Ik heb hem al een paar dagen niet gezien, maar nu bel ik hem en vraag of hij de krant gelezen heeft.

Hij leest niet één krant, maar meerdere. Elke dag. In tegenstelling tot sommige anderen. Stond er iets bijzonders in?

Dan zal hij ook wel gelezen hebben dat ze de rest van dat register hebben gevonden. In het Lisellse Huis!

Ik hoor hem lachen. 'O, dat. Niks aan de hand, Siv. Het is alweer een paar weken geleden dat ze dat hebben gevonden. Ik ken de jongens die erbij waren. Er werd niet zo'n drukte over gemaakt. De man die het huis heeft gekocht wilde die doos nog met geen tang aanpakken, dus toen heeft een van die jongens die ik ken een archief in Uppsala gevraagd of zij het materiaal niet wilden bewaren, maar daar voelden ze niets voor. Ten slotte, na meer dan een week gezeur kregen ze contact met dat comité en die konden voor hun fatsoen natuurlijk geen nee zeggen.'

'Wat? Meer dan een week? Waar hebben die lijsten dan in de tussentijd gelegen?'

'Tja, daar zeg je zoiets, maar een week meer of minder maakt niet zoveel uit, ze zijn immers vijftig jaar lang verdwenen geweest – of liever: verstopt.' Ik hoor hem weer lachen. 'Nu zijn ze in ieder geval in Stockholm, bij hun eigen soort, zogezegd.'

Ik vind dat hij zich ontactisch uitdrukt, ook al weet ik niet precies waarom ik dat vind. Ik zeg dat ik van plan ben contact met hen op te nemen en zal vragen of ik mijn doos ook op zal sturen.

'Doe dat,' zegt hij luchtig, 'dat moet je zeker doen.'

'Jij wilde toch dat ik het jou liet weten voor ik iets ging doen?' merk ik op.

'In orde, Siv', zegt hij. 'Dat heb je dan nu gedaan. Veel succes.'

'Ben je niet meer nieuwsgierig?'

'Nee, nu niet meer. Het belangrijkste is dat de lijsten goed bewaard worden.'

Dan praten we over mijn verdwenen kat. Niels probeert me te troosten als ik me beklaag. Dat lucht wat op. 'Je zou haar als vermist kunnen opgeven bij de politie', oppert hij. Maar ik weet niet zeker of hij me niet in de maling neemt. Misschien zou dat vermaak van de bovenste plank zijn voor de plaatselijke politie als ik meldde dat mijn kat weg is, nog net iets grappiger dan een thuisstoker aangeven. 'De vos heeft haar gegrepen', verkondig ik. 'En ik ben geen aansteller, maar ik mis haar heel erg.'

Dan roddelen we wat over Marianne. Ik zeg dat ze mij heeft verteld over een man die tegelijk met Mickelsen over de grens gekomen is en dat ik het idee heb dat zij iets met hem had toen. Ingeborg beweerde immers ook dat Marianne een kind had gekregen dat werd afgestaan of wat er ook precies mee was gebeurd.

Dan vertelt Niels alsof het de gewoonste zaak van de wereld is dat Marianne een dochter genaamd Anita heeft. Anita is opge- groeid in een pleeggezin in Ludvika. Ze is nu over de vijftig en een keiharde tante, dat was ze altijd al. Moeder en dochter kun- nen elkaar niet uitstaan. Geen wonder, met zo'n start.

'Waar heb je soaps voor nodig als je dit soort lotgevallen vlak naast de deur hebt', barst ik uit. 'Vertel verder,' spoor ik hem aan, 'waarom heb je daar nooit iets over verteld?'

'Daar valt toch niks over te vertellen', vindt hij. 'Het is zoals het is. Het is nu te laat om de klok terug te draaien.'

'Komt die Anita hier wel eens? Heb je haar wel eens ontmoet?'

'Ja, ik heb haar een keer ontmoet. Maar ze komt hier nooit meer. Ze haat haar moeder. Terecht natuurlijk. Marianne had moeten vechten. Ze had tegen haar ouders in moeten gaan en als ze het niet accepteerden had ze toch voor Anita moeten zorgen en in het ergste geval weg moeten gaan, haar ouders moeten ver- laten. Zichzelf redden.'

'Dat is gemakkelijker gezegd dan gedaan', protesteer ik. 'Er was toen geen bijstand en een vrouw hoorde getrouwd te zijn. Je moest eens weten hoe mijn moeder en ik leefden! En wij woonden dan nog in een grote stad, hoe moet het hier op het platteland dan wel niet geweest zijn?'

'Ze heeft haar dochter verraden', constateert Niels. 'En wat je zaait, zul je oogsten. Marianne heeft drakentanden gezaaid, Anita heeft niets gemeen met haar moeder. Ze hebben twintig jaar geleden een vreselijke ruzie gehad. Sindsdien hebben ze elkaar niet meer gezien. Soms heb ik medelijden met Marianne, hoe kon ze toen zo'n verkeerde keus maken! Een keuze die zo bepalend is voor de rest van je leven. Een geluk dat ze de sneeuwscooter heeft, dat vind ik leuk voor haar. Ze wacht op sneeuw, het oude mensje. Ze had een heel ander iemand kunnen worden dan ze is.'

Daar ben ik het mee eens. Wil hij nog even langskomen?

Nee, bedankt, maar vanavond niet. De ether is vol signalen, hij moet bij zijn net zitten en alle berichten opvangen. Berichten uit de ruimte.

'De dichter aan het woord?'

'Ja, wie weet. Misschien word ik dat nog eens. Slaap lekker, Siv, en bel die mensen morgen maar, dat is vast een goed plan.'

Dat doe ik dan ook. Na veel vijven en zessen, het is een geluk dat we het niet zo druk hebben. Katarina staat er bijna een uur lang alleen voor, terwijl ik gebruikmaak van Bertils telefoon. Hij wordt steeds chagrijniger, ook al heb ik precies verteld waar het voor is. Het is niet zo gemakkelijk om aan het telefoonnummer te komen. En het is niet zo gemakkelijk om contact met iemand te krijgen die een besluit kan nemen.

Ik raak bedrukt als ik besef dat dit comité onopvallend moet handelen en voorzichtig moet zijn. Het feit alleen al dat het comité tegen antisemitisme in de luwte moet opereren bevestigt meer dan woorden dat het antisemitisme vandaag de dag in het koninkrijk Zweden nog steeds in blakende welstand verkeert.

Uiteindelijk krijg ik een stille vrouw aan de lijn, die zegt dat het goed is als ik de lijsten stuur, bij voorkeur als zakelijke post. Ze wil ook iets meer weten over hoe ik eraan gekomen ben en ik vertel alles wat ik denk en weet, en ik geef haar mijn telefoonnummer. Ze zegt dat ze waarschijnlijk later nog contact met me zullen opnemen en dat ze de verzendkosten voor hun rekening zullen nemen.

Als ik terugkom op de afdeling vertel ik alles aan Katarina. Ik zeg dat ik haar niet ongerust wilde maken en dat ik eerst niet begreep hoe serieus mijn vondst in de aardappelbak was. Maar toen er ook nog iets over in de krant had gestaan begreep ik wat voor een bom ik thuis had liggen en daarom stond zij hier alleen te zwoegen met de vellen, terwijl ik bij Bertil zat om een heleboel telefoontjes af te werken.

Ze luistert geïnteresseerd en lijkt het gelijkmoedig op te nemen dat ik haar niet meteen had ingewijd. 'Wat een puinhoop allemaal', zegt ze alleen maar. 'Måns is bijvoorbeeld ook zo'n neonazi.'

'Wat!?' roep ik uit. 'Is hij? En... hij heeft toch in de gevangenis gezeten?'

'Daar was het juist voor', bevestigt Katarina. 'Ik dacht dat je wel wist dat hij neonazi was, dat weten de meesten wel. Ik moest er nu aan denken, met die lijsten. Al geloof ik niet dat hij joden dood wil hebben, zo beroerd is hij nou, denk ik, ook weer niet.'

'Maar misschien allochtonen?'

'Tja, wie weet', zegt ze en ze kijkt me aan. 'Daar heeft hij voor gezeten, voor het aanzetten tot haat tegen een bevolkingsgroep, het ging er heet aan toe op die bijeenkomst in Ludvika en toen draaide hij de bak in en hij heeft geen spijt betuigd, voor zover ik weet.'

'En toen heeft hij hier een baan gekregen, van Mickelsen?'

Ze knikt. 'Mickelsen had waarschijnlijk medelijden met hem.'

Nu is het mijn beurt om te knikken. 'Zonneklaar. Voormalig Quisling-aanhanger helpt de nieuwe generatie, mooi is dat.'

'Nu je het zo zegt', antwoordt ze. 'Ik heb het eigenlijk altijd andersom bekeken, ik dacht dat Mickelsen het deed als een soort boetedoening, dat hij dus een misleide ziel weer op het rechte pad wilde helpen, aangezien zijn eigen familie ook zo had misgekleund.'

'Zo lief en aardig is hij waarschijnlijk niet, helaas', constateer ik grimmig. 'De oude Mickelsen bewaart een jodenregister, de jonge Mickelsen helpt neonazi's. Maar hoe kon de helft van het register in het Lisellse Huis terechtkomen?'

'Dat is toch niet zo vreemd?' vindt Katarina. 'Heb je niet gehoord dat de oude directeur en die Erik Walles bevriend waren? Na de oorlog zaten ze vast op zomeravonden samen aan de punch en dat register zal wel hun geheimpje zijn geweest, dat ze verstopt hadden in afwachting van de reprise die volgens hen nog zou komen. Ze hebben de hoop waarschijnlijk nooit opgegeven, ze wachtten in stilte af. Ze beidden hun tijd.'

Ik probeer sneller te werken en ik verpest bijna een vel met mijn scherpe mes. Ik heb het zo koud dat ik ervan sta te bibberen. Ik voel me omsingeld door nazi's en oude groot-Germaanse dromen en waarom is de looier een Duitser, hij heeft zo'n zwaar Duits accent dat het bijna een parodie is. Het is Mickelsen weer die Hans Scheuer heeft aangenomen.

Er is hier te veel gebeurd. Alles draait en ik kan geen duidelijke patronen vinden, alleen een broeiende onrust.

Alsof Katarina mijn gedachten kan lezen vraagt ze: 'Hoe is het, Siv? Heb je nu spijt dat je hier bent komen wonen?'

Ik stop met werken, mijn mes geheven. Ik hoor Katarina's vraag. Maar ik kan Ingeborgs stem ook nog steeds oproepen, ik kan de toon van haar stem horen als ik wil, 'kind, vergeet me niet'.

'Nee, ik heb geen spijt.'

Dan moet ik aan Åsa denken. En dan denk ik aan wat er aan gruzelementen is gegaan en aan Jan.

En dan wil ik huilen. Overal de brui aan geven. In de stad hoorde je elke avond ambulances met loeiende sirenes, er vonden mishandelingen, vecht- en steekpartijen en gewapende overvallen plaats, maar nu heb ik het gevoel alsof het daar allemaal maar idyllisch was. In die tijd was ik nog dom en naïef, het leven was zo eenvoudig. Ik ben zo oud geworden.

Hier is alles somber, er gebeuren dingen waarvan ik niets begrijp, waarom die duistere inslag van belegen vooroordelen en die dubbelheid, die ook uit het landschap zelf spreekt, het grandioos ruimhartige en het kleinburgerlijk bekrompene? Hoe hangt het allemaal samen?

Nee, Katarina, ik heb geen spijt.

Ik sta een bandje tussen mijn vingers rond te draaien dat ik uit mijn zak heb gehaald. Een rood plastic bandje uit het chemicaliëndepot – van de plastic verpakking om de containers met zwavelzuur.

De lichtkring van de buitenlamp verlicht een beperkt deel van mijn erf, de rest is donker. Een stille sneeuwval heeft ingezet en het kwik gaat eindelijk omhoog. Nog even en dan kun je weer buitenshuis vertoeven.

Zo heb ik mezelf dan toch weer voor gek gezet. Nogmaals heb ik de reputatie van aanstelster uit de grote stad eer aangedaan. Het lijkt wel of de streek gewoon wacht tot ik me gewonnen geef, ermee kap en bezwijk onder de veel te zware last van te veel wildernis, verlatenheid, saaiheid en gebrek aan cultuur. De natuur eist het hare weer op en het zal wel niet de bedoeling zijn dat ik het voor elkaar krijg om hier in klimaatzone 7 te leven. Ik heb aangifte gedaan van de kat, dat die is verdwenen.

Nee, er is natuurlijk geen melding van een gevonden kat, maar een jongedame met rode lippenstift neemt mijn aangifte plichtsgetrouw in ontvangst. Je weet maar nooit. Ja, ik zie de glimlach in haar mondhoek wel en dat maakt me razend. Ze heeft Mimsan nooit gezien, ze weet niet om wat voor een bijzondere kat het gaat, dat de kat een eigen ziel heeft, die verwant is met de mijne.

'Jullie hebben de zaak van het overlijdensgeval in de leerlooierij gesloten', zeg ik. De vrouw met de lippenstift kijkt snel om zich heen, beroepsgeheim. Geen mens te zien. 'Het was toch ook een ongeluk', zegt ze en ik zie haar denken: het kan geen kwaad als ik dat zeg.

Mijn lunchpauze is bijna om. 'Het was geen ongeluk', zeg ik. Ze vertrekt geen spier, maar haar pupillen worden groter. 'Waarom zeg je dat?' fluistert ze bijna.

'Omdat ik dat aanvoel', antwoord ik. Ze glimlacht opgelucht. Twee vrouwen – intuïtie en gevoelens. Onze minachting is wederzijds. Je kunt wel zoveel voelen. Feiten, daar draait het om.

'Ik heb de rest van het jodenregister gevonden', zeg ik dan.

'O ja?' antwoordt ze geïnteresseerd. 'Daar heb ik geen mening over', voegt ze er dan nonchalant aan toe. 'We zijn daarmee klaar,' verduidelijkt ze, 'het register is niet onwettig. Dus jij hebt het andere deel gevonden? Waar?'

'Ik heb het naar hetzelfde adres gestuurd als waar de lijsten uit het Lisellse Huis ook naartoe zijn gestuurd', antwoord ik. 'Nu moet ik opschieten.'

De politie is niets voor mij, niet met dit soort dingen.

De sneeuw valt stil in het lamplicht, het werd tijd, eindelijk een beschermend dek dat verbergt en verwarmt.

Plotseling wordt de stilte verscheurd door het rinkelen van de telefoon.

Het is Jan.

Jans stem aan de andere kant, maar vlak bij mijn oor, helder en duidelijk alsof we in hetzelfde dorp zaten, alles komt weer boven, het is Jan.

'Hallo, Siv, geef antwoord!' Zijn dringende stem, ongeduldig: 'Waarom zeg je niets?'

'Hallo, hier ben ik, Jan.'

'Hallo. Wat is er? Sliep je?'

'Of ik sliep? Ja, ik geloof het wel.'

'Sorry dan dat ik je wakker hebt gemaakt, maar het is feitelijk nog maar zes uur.'

'Maakt niet uit. Hoe is het met je?'

'Jaa… Åsa is dit weekend langs geweest. Het gaat goed met hen.'

'Ik weet het. Ik heb haar gesproken. En met jou?'

'Ja, goed. Druk. Ja, je kent dat wel. En met jou dan?'

'Prima. Morgen haal ik de ski's tevoorschijn.'

'O, heeft het gesneeuwd? Wat fijn. Dat er sneeuw komt. Dat het wordt zoals jij had gedroomd. Jammer dat ik niet hetzelfde kan zeggen. Maar waar ik voor bel: het gaat om Manuel Morales. Heb je zijn artikelen gelezen?'

'De naam komt me bekend voor.'

'Hij wordt bijna dagelijks op een schandalige manier getreiterd en met de dood bedreigd. Als het een Zweed was geweest, ik bedoel een etnische Zweed, verdomme, dan was er allang iets aan gedaan. Zoals je misschien weet heeft hij zich gespecialiseerd in het in kaart brengen van hun netwerken op het internet, websites, contacten, handel, distributiekanalen voor met name muziek en hij heeft voor verscheidene aanklachten en rechtszaken gezorgd, internationaal zelfs, dus het is duidelijk dat ze woest zijn. Hij raakt ze in het hart van hun activiteiten, of liever, in hun portemonnee. Het is puur geluk dat hem nog niets is overkomen, hij moet onderduiken, onmiddellijk. Ik reken op je.

Siv? Waarom zeg je niets?'

'Ik denk na.'

'Waar moet je over nadenken? Je zei toch dat je mee zou doen, ben je dat vergeten? Nu is je hulp nodig.'

'Ik heb niet zo'n groot huis.'

'Hou toch op, Siv. Kom je nu aan met smoesjes? Je bent toch niet laf? Dat had ik niet van jou gedacht. Er kan toch niets gebeuren? Absoluut niemand komt erachter waar hij zit.'

'Goed dan. Ik verwarm een van de zolderkamers. Maar ik krijg wel af en toe bezoek, wat moet ik daartegen zeggen?'

'Zeg dat het een vroegere collega of een familielid van je is of zoiets. Hij is toevallig even weg of hij ligt te slapen als ze langskomen, dat kun je vast wel geloofwaardig brengen. Bovendien is hij niet zo bekend van gezicht, mogelijk wel van naam.'

'Wanneer komt hij?'

'Hij komt wanneer hij komt en hij gaat wanneer hij gaat. Dat is het beste. De hoofdzaak is dat jij bereid bent. Bedankt dat je meedoet.'

'Heb ik een keuze?'

'Iedereen heeft een keuze. Niet kiezen is ook een keuze. Jij maakt de juiste keuze, Siv.'

'Kom jij hem hier brengen?'

'Nee. Hij komt uit Stockholm. Iemand anders brengt hem. Hou je haaks! Ik bel wel weer.'

'Dag.'

Als ik de hoorn op het toestel leg, trilt mijn hand. Ik haal hijgend adem. Rustig aan. Ik weet niet of ik zo opgejaagd raak van Jans stem – het feit dat alles steeds opnieuw opengehaald wordt – of van mijn nieuwe opdracht.

Wat moet ik tegen Niels zeggen? Zal ik hem inwijden? We zijn net ouderwetse verloofden, hij blijft op vrijdag en zaterdag slapen, de weken zijn vol met werk. Hij komt Manuel een keer tegen, dat is onvermijdelijk. En Niels leest kranten, hij zal hem herkennen. Wat zal hij zeggen? Kan ik hem vertrouwen?

Natuurlijk kan ik dat. Niels is geen sympathisant van de nazi's. Ik ken hem zo langzamerhand wel zo goed dat ik weet dat zijn scepsis tegenover het immigratiebeleid van de regering de perken van het fatsoen nooit te buiten gaat. Niels is meer een man van principes, de praktijk laat hij aan anderen over. Ik moet Niels er wel in kennen, het zou een rare indruk maken als ik hem in het weekend hier niet zou willen hebben. Terwijl er op hetzelfde moment een vreemde man bij mij logeert. Dan zou er maar één conclusie mogelijk zijn. Dat doe ik niet. Mensen in nood onderdak geven, natuurlijk. Maar mijn privéleven weer kapotmaken, nooit.

Hij komt wanneer hij komt en hij gaat wanneer hij gaat.

Mooi zo.

Ik moet een grotere deur in de schuur maken, dan kan ik de auto binnen zetten, denk ik gestrest als de sneeuw dik op de motorkap en de ruiten ligt. Ik veeg de sneeuw eraf en krab de ruiten schoon. De temperatuur is weer laag. Het sneeuwt nog steeds, het is nog donker maar ik hoor een vertrouwd tractorgeluid, Niels is alweer bezig, hij zal me wel lostrekken als ik onderweg naar het werk vast kom te zitten.

Nergens sporen, zo ver als ik kan kijken, de sneeuw valt en verbergt.

Ze is natuurlijk dood.

Zoveel dood en verderf.

De sfeer op het werk is nog steeds niet weer zoals vanouds, na Bengans vreselijke einde. De toon is gedempt, er worden weinig grappen gemaakt. Het tempo ligt nu nog lager. Hoelang mag ik nog blijven? Als laatste erin, als eerste eruit, dat weet ik.

Als ik deze winter maar goed doorkom. Hij is lang. Ik verlang naar het licht, maar dat laat nog wel even op zich wachten.

Tot overmaat van ramp zit Katarina zich in te likken bij de looier. Is ze niet goed wijs, ze stelt zich aan en lacht en ze knipt zo lichtzinnig en gedachteloos in het grote dieprode vel dat voor haar ligt dat ik me nerveus tussen hen door wring. De looier doet met tegenzin een stap opzij. Ze windt hem om haar vinger. 'Hij is getrouwd, idioot', sis ik. Katarina trekt een gezicht van 'nou en' en kijkt alsof ze bijna in de lach schiet. Hij heeft vast gehoord wat ik zei. Toch blijft hij staan. Ik ben duidelijk te veel. Demonstratief leg ik mijn schaar neer en loop weg. Ik laat twee dom starende en hinnikende figuren achter.

Måns staat onder aan de kalkkuip. 'Wacht je op je vrienden?' vraag ik.

'Wat? Welke vrienden?'

'De skinhead-ratten. Wacht je daarop?'

Hij staart me aan. Niet zo gek. We waren de beste maatjes. Natuurlijk begrijpt hij niet dat ik nu opeens in de aanval ga. Maar ik ben razend.

'Ben je dan geen skinhead?' vraag ik. Zijn blik wordt onvast. 'Nu niet meer', mompelt hij.

'Je was zeker wel blij toen Bengan doodging?'

'Ben je gek, Siv? Wat is er met je? Waarom doe je zo? Oké, ik ben skinhead geweest. En oké, Bengan was een *pain in the ass* toen hij in Karlstad woonde, toen stonden we tegenover elkaar. Maar ik zou hem nooit dood gewild hebben, Siv. Wat denk je wel van me? Het was toch een ongeluk, Siv – Bengan wilde zijn werk net iets te goed doen. Dat heeft hem het leven gekost.'

'Jij bent nogal lang, Måns, net zo lang als Bengan. Kunnen we niet het platform bij de vaten op gaan en nagaan hoe het ongeluk gebeurd kan zijn?'

Maar dat wil hij niet. Hij kijkt mij nijdig aan en loopt weg en nu zal hij zijn beklag erover doen bij de mannen in het nathuis dat dat mens uit Göteborg niet spoort, je mag wel uitkijken voor haar.

Er klopt iets niet. Ik zit vol onrust en sombere gedachten. Disharmonie. Niet langer vrij. Ingesnoerd in onbegrijpelijke verbanden, wat gaat er hierna gebeuren? Ik ga terug naar mijn werkplek maar Katarina kan me ook niet opbeuren, want behalve dat ze zich plotseling aangetrokken voelt tot Hans Scheuer, een omstandigheid waarop ze weigert commentaar te geven, wordt ze geplaagd door geldgebrek, haar wasmachine heeft het begeven. 'Je had nooit moeten scheiden', zeg ik. Dat zeg ik alleen maar om haar op de kast te krijgen en ze scheldt en tiert inderdaad een hele poos.

Als ze uitgeraasd is doe ik er nog een schepje bovenop met: 'Echt zielig om het met getrouwde mannen aan te leggen' en dan krijg ik mijn verdiende loon in de vorm van 'zoals de waard is' enzovoort. En daarmee gaat de tijd iets sneller voorbij dan anders.

Het sneeuwt de hele dag. In de lunchpauze zie ik Måns het kantoortje van Mickelsen binnen glippen. Daar zit Hans Scheuer ook al. Ze hebben zaken te bespreken, die drie. Zaken die het daglicht niet verdragen, daar raak ik steeds meer van overtuigd. Hoe krijg ik ze te pakken?

Ik kan niet naar de politie. Ik ben niet van hier en ik sta er al gekleurd op, ik zou mezelf alleen opnieuw belachelijk maken. Bovendien, die politieagente met haar lippenstift, nee, bedankt.

's Middags glip ik het chemicaliëndepot in. De ruimte is verlaten. Ik snuffel als een speurhond. Een vage geur die ik niet thuis kan brengen, geen rotte eieren maar iets anders. Misschien iets zuurs?

Voorzichtig nader ik de vierkante plastic containers met hun vloeibare inhoud. Sommige zijn nog niet uitgepakt en de stevige plastic verpakking met de karakteristieke bandjes zit er nog omheen.

Ik lees de chemische benamingen en gele waarschuwingsteksten en mijn hart bonst, bonst. Waarom zou Ingeborg zo'n plastic bandje in haar hand houden? Als ze niet in de buurt was geweest van een container zoals deze? Als niet iemand haar de giftige inhoud had laten inademen!? Als iemand dus had geprobeerd haar van het leven te beroven? En daarin was geslaagd. Omdat ze iets wist van iemands verleden wat niet aan het licht mocht komen.

Arme, arme Ingeborg, niemand hoort je stem nu nog behalve ik.

'Wat sta je hier te filosoferen?'

Ik maak een sprongetje en draai me abrupt om.

Het is de looier, Scheuer – alweer! Glimlachend staat hij tegen de deurpost geleund. Met zijn zware accent vraagt hij lijzig: 'Wat zoek je, schoonheid? Kan ik je ergens mee helpen?'

Verdraaid. Er komt geen vernietigende repliek over mijn lippen rollen, maar ik kijk weg en stotter: 'Ik vraag me alleen maar af... ik dacht... die containers... Ik bedoel, dat zuur is toch vreselijk gevaarlijk, of niet?'

Hij zet een paar stappen het vertrek in en knikt peinzend. Ja, het zuur is zeker gevaarlijk, vooral het mierenzuur, maar het zwavelzuur ook, als je dat op je huid zou krijgen. Dan wordt het gebakken banaan, zou je kunnen zeggen, of gebakken bacon, wat ik maar wil, fluistert hij met een ernstig gezicht.

Ik slik. Dan vraag ik schijnbaar zonder bijbedoeling: 'En als je het alleen in zou ademen?'

Scheuer lacht. 'Nou, dan is het niet best!' barst hij uit en hij zwaait met zijn armen. 'Siv, jij vangt me op.'

Dan draait hij zomaar het deksel van een van de uitgepakte containers en dan snuift hij de dampen op door zijn neus; hij kreunt en zegt dat hij toch de voorkeur geeft aan Chanel No. 5.

Maar daarna hoest hij een beetje en zegt: 'Bah, wat heb je me nu laten opsnuiven, Siv, wil je me dood hebben?'

Als hij niet zo vreselijk onsympathiek was, zou zijn kleine voorstelling echt komisch geweest zijn. Maar ik ben niet in de stemming voor grappen en grollen.

Ik kijk hem kwaad aan en loop weg zonder iets te zeggen.

Mijn ontkiemende moordtheorie ligt aan diggelen.

Ik lig met mijn wang op Niels' borst. Een mens, levende huid. Ik ben ontspannen. Niels verstaat de kunst om mij mezelf te laten vergeten; dan kan ik beter afstand nemen. Hij is sterk en solide, betrouwbaar en kalm. Ik heb hem nog nooit met stemverheffing horen spreken, alleen tegen de hond. Ik heb het getroffen met hem.

De dood van tante Ingeborg houdt me nog bezig, hoewel ik het bewijs gekregen heb dat het rode bandje in haar hand vermoedelijk niets betekent. Ik zeg niets over mijn vernedering in het chemicaliëndepot, maar vertel over het gesprek met Jan, dat ik hier binnenkort bezoek krijg. Hij bromt wat als antwoord.

Ik zou misschien een paar nachten bij hem kunnen logeren, die man blijft maar kort. Niels bromt weer net als eerder, half in slaap: 'Dat zal wel gaan. Hoe heet hij, zei je?'

'Dat doet er niet toe,' zeg ik, 'maar oké dan, Manuel Morales, wel eens van gehoord?'

'Ja, ik geloof het wel', antwoordt Niels. 'Dus die wordt bedreigd. Ja, hier kan hij zich in ieder geval veilig voelen, hier gebeurt nooit iets, behalve met de rol wc-papier van de theeschenkerij.'

Ik giechel. Het heeft in de krant gestaan van die diefstal, dat was wel lachen. 'Het was wel een heel grote rol', merk ik op. 'Het gevaar voor ontdekking moet levensgroot geweest zijn. En de nood heel hoog.'

Dan word ik ernstig. Ik praat over Bengans dood, dat die volgens mij niet goed onderzocht is. Mijn gevoel heeft nieuwe voeding gekregen doordat ik te weten ben gekomen dat Måns neonazi is. 'Mickelsens verleden kennen we al en de looier is een Duitser! Bengan had het met hen aan de stok toen hij in Karlstad woonde, heb ik gehoord.'

Ik voel Niels' borsthaar tegen mijn wang en ik hoor de vertrouwde slagen van zijn hart. De tranen wellen plotseling op, zonder dat ik ze aan voelde komen.

'Jeetje, Siv, wat is er, waarom huil je?' roept Niels uit en hij keert zich naar me toe. Hij droogt mijn natte ogen, omarmt me en streelt me. 'Sivje, Sivje toch, je trekt het je veel te veel aan, je moet je er niet zo druk om maken. Bengans lot is tragisch, maar je kunt het helaas niet ongedaan maken en het was echt een ongeluk, dat moet je begrijpen. Je moet er niet meer over nadenken, het grijpt je veel te veel aan!'

'Het gaat niet om Bengan', snik ik. 'Dat is in ieder geval niet het enige. Het gaat om Ingeborg. Dat ik nooit afscheid heb kunnen nemen, dat voelt zo verkeerd, zo onaf. Ze is hier overal, ik voel haar aanwezigheid zo duidelijk, bijna alsof haar geest hier rondwaart. Ik heb het gevoel dat ze iets van me wil. Ik dacht dat Mickelsen haar misschien op de een of andere manier bang had gemaakt, haar dood had laten schrikken. Of haar had gewurgd, met van dat rode band. Ze kan geen natuurlijke dood gestorven zijn, ze was immers kerngezond. En dat band uit zijn fabriek, daar had ze een stuk van in haar hand, dat is echt zo! Even dacht ik dat iemand haar zwavelzuur had laten inademen, maar dat geloof ik nu niet meer, want daar ga je niet aan dood.'

'Alsjeblieft, Siv.' Niels zucht en onderbreekt mijn onsamenhangende relaas. 'Jouw leven is in één jaar ingrijpend veranderd. Bovendien ben je een gevoelige en intelligente vrouw; dat zou je niet zeggen, maar het is wel zo. Maar jouw gevoeligheid gaat met je op de loop, dat merk ik telkens weer. Misschien is het dagelijks leven te eentonig, gebeurt er niet genoeg en begin je dan te fantaseren. Dat is helemaal niet raar. Je zou kranten moeten gaan lezen en misschien ook boeken. Je zou je hongerige fantasie wat voedsel moeten geven, zodat ze braaf op haar plaats blijft en jou met rust laat. Kun je niet proberen je te ontwikkelen? Kijk niet naar al die troep op tv, daar haal je al die dingen vandaan! Op tv is er altijd wel iemand die iemand anders heeft vermoord, maar de werkelijkheid is – helaas, wilde ik al bijna zeggen – anders.'

Hij zeurt al net zoals Jan altijd. Ik sluit me ervoor af. Ik hoef geen tips en adviezen voor mijn welzijn, ik heb menselijke nabijheid en troost nodig! Het bestaan is zo bekrompen en somber geworden.

'Het is misschien gewoon het werk', zeg ik. 'Dat ik geen plannen durf te maken, aangezien ik niet weet of ik mag blijven.'

'Dat kan wel zo zijn, maar je hebt altijd mij nog', zegt Niels. 'Als je ontslagen zou worden. Ik help je als dat nodig is, dat beloof ik, daar kun je van op aan! Maar je moet ophouden met dat gepieker over volledig verklaarbare sterfgevallen, Siv, daar word je zelf ook niet beter van. Beloof me dat!'

Ik zeg niets, maar de tranen van dankbaarheid branden achter mijn oogleden. Ik sta er niet alleen voor. Ik heb Niels. Wij hebben samen iets en hij is er voor me als het tot een crisis zou komen. Ik hoef niet bang te zijn. Nee, ik hoef niet bang te zijn.

Mijn zwaarmoedigheid krijgt toch de overhand.

Ik probeer echt mijn instelling te veranderen, ik jaag Katarina op stang, die me lik op stuk geeft, en als ik thuiskom van het werk zie ik Marianne voorbijsuizen op haar sneeuwscooter. Ik zal eens bij haar langsgaan, ik kan een voorbeeld aan haar nemen, zo moet je in het leven staan, het is nooit te laat. Zij heeft haar bitterheid over het kind dat ze moest afstaan overwonnen. Ze heeft een dochter die haar haat. Toch kan ze het leven aan.

Maar mijn somberheid wint het. Er is iets in het huis zelf, ik kan het gevoel van onbehagen niet van me afschudden. Ik loop rond en geef de planten water die in dit donkere jaargetijde op de spaarstand staan, en ik ga naar de zolder en kijk op de thermometer in de kamer die ik in orde heb gebracht. Twaalf graden. Ik kan de temperatuur in een paar uur op twintig graden hebben als het nodig is.

Mijn huis ruikt anders. Ik maak de kachel aan. Knapperend berkenhout ruikt lekker. De deur naar de zolder zit goed dicht. De deur van de voorraadkast is dicht. De telefoon is stil. Ik bel Åsa één keer per week, ze is verliefd en leeft bij de dag en heeft op dit moment geen behoefte aan mij. Ze is mijn dochter, ik hoef haar niet op te zoeken, ik zal haar vanavond maar niet bellen.

En alles is toch goed? Het leven gaat zijn gangetje. Ik heb een te levendige fantasie, ik zou me op iets moeten toeleggen wat me in beslag neemt, ik zou boeken moeten gaan lezen, leren weven of op Engelse les gaan zoals andere mensen. Ik hou energie over en die verspil ik door geestelijk in een kringetje rond te draaien. Er is ook niets op de tv. Voor mijn huis verlicht mijn buitenlamp een stuk van het erf, de schuren liggen in de schaduw. De sneeuw blijft vallen.

Morgen is er weer een dag. Het leven gaat door. Ik kleed me uit en poets mijn tanden, druk het alarmknopje van de wekkerradio in en kruip in bed.

Ik sla het dekbed een stukje terug en kruip eronder
kruip erin, kruip erin, in het zachte, andere, harige
andere

haren rijzen
afgrijselijke haren
Ik sla het hele dekbed opzij en KRIJS!

Een grijns! Het grijnst naar me, het kattenbeest, kattenlijk, kattenkadaver! De bovenlip is opgetrokken zodat de hoektanden, de roofdiertanden ontbloot zijn en het oog is maar half gesloten, het gebroken halve oog, de vacht zo vol klitten en zo schandalig slecht verzorgd, dat zou ze bij haar leven nooit goed gevonden hebben!

Ja, het is Mimsan. Nu herken ik haar, haar slecht verzorgde, pluizige verschijning, morsdood, met een natte vacht, ik trek aan het onderlaken, ze is zo stijf als een plank, ze lag onder het dekbed aan het voeteneind van mijn bed onder het dekbed.

Iemand heeft het lijkje daar neergelegd, ze is vochtig en stijf. Heeft ze in de diepvries gezeten? Ik heb het koud. Ik klappertand en heb het koud.

Opeens komt er een golf van misselijkheid opzetten en ik ben precies op tijd bij de wastafel, ik word uitgewrongen, het spettert, een opwellende misselijkheid, ik word met geweld geleegd zodat mijn tranen eruit spuiten. God, waarom?

Wie?

Wanneer?

Wil mij kwaad doen? Wil mij echt kwaad doen.

Niels antwoordt bij het eerste signaal, hij hoort me snikken en hij komt meteen.

Ik zit voor de kachel, ik bibber en ril en het kadaver ligt daar nog binnen, ik kon het niet opbrengen.

Hij zorgt overal voor. Hij haalt het lijkje weg, doet het in een doos, zegt dat hij morgen een breekijzer zal halen en zodra het licht is een gat zal graven in de bevroren grond, hij zal haar wel voor me begraven. En hij haalt het bed af, zet de wasmachine aan, doet schoon goed op het bed, wast zijn handen goed, zet theewater op, maakt boterhammen klaar, probeert me te voeren.

'Iemand wil me bang maken, denk je niet?'

Ja, misschien wel. Het zal wel van al die fantasieën komen. Doordat ik alles er altijd maar uitflap, misschien heb ik heb zelfs mensen beschuldigd?

Wat een doortrapte gemenigheid. Zoveel moeite omwille van mij. Alleen om mij bang te maken? Wie kan dat gedaan hebben? Wie kan hier binnen zijn geweest, in mijn eigen huis en het lef gehad hebben om... En de kat? Waar komt die vandaan?

Hij schudt zijn hoofd. 'Daar zullen we wel nooit achter komen. Ik zal je helpen om een alarm te installeren, je krijgt alarm op alle ramen en op de deur, dat beloof ik. Zo'n grap zul je nooit meer mee hoeven maken, daar zorg ik wel voor.'

Het kan iedereen zijn, toch? Mickelsen, Måns, misschien die dwaze Marianne, of Hans Scheuer, of misschien hijzelf wel? Wie kan ik eigenlijk vertrouwen? Sleutel boven de deur, simpel, dat weet iedereen.

Hij kust me en dringt me een boterham op. 'Misschien Siv herself? Met al haar fantasie?'

Ik duw hem weg. Dit is niets om grapjes over te maken.

Hij zucht. 'Rustig nou, Siv. Een dode kat, ja. Maar dat is niet het einde van de wereld. Waarschijnlijk gewoon een practical joke. Iemand zal haar wel ergens gevonden hebben, in zo'n hokje, zo'n val voor vossen, het vriest al een hele tijd stevig, ze is bevroren. Je hebt er geen geheim van gemaakt dat je je kat kwijt bent, iedereen weet het, niet dan? Het hoeft niets te betekenen, niet dat iemand jou kwaad zou willen doen.'

Ik hoor wat hij zegt en ik probeer het tot me door te laten dringen en erin te geloven. Maar dat gaat niet. Ik voel de wijdopen muil van het kwaad, ik ruik zijn walgelijke adem – dat iemand een afschuw van mij heeft en mij kwaad wil doen. Dat iemand mij wil laten voelen dat ik geen respect verdien, dat ik net zo goed die stijfbevroren kat had kunnen zijn.

Ik wil niet alleen slapen. Bij nader inzien wil ik niet eens in dit huis slapen. Ook niet als Niels bij me blijft.

'Ik trek niet bij je in, hoor', zeg ik.

Hij omhelst me stevig. 'Natuurlijk kun je bij mij logeren, Siv. Zeg alle spoken maar gedag. Mijn huis is jouw huis.'

Wat een opluchting!

Wanneer ik de volgende middag thuiskom, zit hij op de veranda te wachten. Het is al donker en de kleppet werpt een schaduw op zijn gezicht, maar ik begrijp meteen wie het is. Hij heeft dikke kleren aan, goede beschermende winterkleding geschikt voor dit klimaat, stevige schoenen en handschoenen.

Hij is er net, hij heeft het niet koud, geen probleem. Hij begreep dat ik gauw thuis zou komen van mijn werk.

Hij heeft een grote nylon tas bij zich, dat is alles. Als we onze jassen uitgetrokken hebben en de keuken in komen, neem ik hem eens goed op. Ik zie een vermoeide en aangeslagen buitenlander met geprononceerde trekken, dikke zwarte wenkbrauwen, blauwachtige wangen en kin, gekleed in een wit T-shirt, een net overhemd met kleine ruitjes, een bijpassende slip-over en jeans. Waar moet hij slapen? vraagt hij.

Ik loop met hem mee naar de zolder en leg uit dat de kamer over een paar uur wel warm is.

Nee, hij heeft geen honger. Ik zet toch aardappelen op en begin uien te snijden. Ik moet zelf eten, zeg ik, hij kan mij toch wel gezelschap houden?

Hij antwoordt niet, maar komt aan de keukentafel zitten als een soort bevestiging. Hij kijkt naar buiten, geeft geen commentaar op wat hij ziet. Ik werp een verstolen blik op hem. Helemaal afgepeigerd, die man heeft niet veel slaap gehad de laatste tijd, hij moet rusten, dat is duidelijk. Nonchalant maar goed gekleed. Hij draagt een gouden ring aan zijn rechterhand, het zou een ingenieursring kunnen zijn. Ik voel me niet geroepen om hem uit te horen. Deze Morales moet uit de publiciteit blijven, ik voel aan dat hij niet de energie heeft om een contact met mij op te bouwen. Hij is op mij aangewezen, dat is alles.

Hij doet zijn tas open en ik vang een glimp op van een laptop. Hij rommelt wat en houdt dan een klein apparaatje omhoog.

'Een modem', zegt hij. 'Mag ik je telefoonlijn gebruiken? Je krijgt natuurlijk een vergoeding. Voor alles', voegt hij eraan toe. Als om zijn woorden te beklemtonen haalt hij twee briefjes van vijfhonderd tevoorschijn en stopt ze onder de bloempot die op tafel staat.

'Dat hoeft niet', zeg ik, maar hij knikt alleen maar. Toch wel. Dan zoekt hij met zijn blik langs de wanden. Ik wijs hem het stopcontact. Hij gaat meteen efficiënt aan de slag. 'Neem me niet kwalijk', zegt hij en hij begint zijn installatie aan te sluiten.

Terwijl ik de uien bak en dan het spek en een bloemsausje maak overweeg ik of ik hem moet waarschuwen, of ik moet vertellen van de kat, dat hier mensen rondstruinen.

Ik besluit om niets te zeggen. Want het wordt moeilijk uit te maken wat ik dan zou moeten vertellen en wat verzwijgen. In het beste geval heeft Niels gelijk en is het allemaal een product van mijn eigen overspannenheid. Niels heeft mij laten inzien dat het allemaal een practical joke kan zijn, een toespeling op de film *The Godfather* met het bloedige paardenhoofd in bed, smakeloos, maar ongevaarlijk, en nu weet ik in ieder geval wat er met Mimsan is gebeurd, dat ze is doodgegaan. Op de een of andere manier. Ik weet waar ik aan toe ben, eindelijk, zekerheid is altijd te verkiezen.

Mickelsen kan het gedaan hebben, of Måns. Of de looier of Sandström. Ik heb aan die laatste geen aandacht geschonken, maar het is me opgevallen dat zijn loyaliteit jegens Mickelsen wel erg ver gaat, zeker na de gebeurtenissen volgend op Bengans dood. Mickelsen heeft zich opgesteld als de goede leider en vader en hij heeft Sandström zo goed gesteund dat deze nu zijn dankbaarheid uit in hielenlikkerij. Zo zie ik het. De anderen zien dat niet zo; die vinden dat Mickelsen supergeschikt is geweest tegenover Sandström.

Logisch. Met zo'n vader. En met die historische bagage. Ik ben dom geweest dat ik het met Sandström over de lijsten heb gehad. Ik heb sowieso te veel gepraat, daar heeft Niels gelijk in, je hoeft niet alles wereldkundig te maken en dan te denken dat dat geen kwaad kan.

'Je hebt het huis voor jezelf', zeg ik. 'Ik logeer bij mijn... verloofde, in ieder geval een paar dagen. Je hoeft de telefoon niet op te nemen als er wordt gebeld. Er wordt trouwens maar zelden gebeld. Verder is het hier rustig en stil. Je pakt maar wat je nodig hebt uit de voorraadkast en de ijskast. Moet ik nog boodschappen voor je doen?'

Hij staat op en inspecteert mijn voedselvoorraad. 'Misschien is het niet zo geslaagd als ik naar het dorp ga', beaamt hij. 'Het zou fijn zijn als je boodschappen voor me wilde halen.'

Hij maakt een lijstje, ik beloof dat ik het eten de volgende middag kom brengen. Ik kijk snel op het briefje, een mooi handschrift. En eten voor een week ongeveer, dan weet ik dat ook weer.

'Het hoeft niet zo lang te duren', zegt hij als antwoord op een vraag die ik helemaal niet heb gesteld. 'Het is nu even spannend, maar het wordt wel weer rustig. Ik heb hun internethandel in muziek en videofilms gesaboteerd – *Der ewige Jude*, die ken je wel – en toen was er geen houden meer aan.'

Dan zie ik dat hij zijn ogen nog maar nauwelijks open kan houden, ze staan onrustig, hij wordt helemaal grauw in zijn gezicht. 'Zodra je het eten op hebt, moet je naar bed gaan', zeg ik. 'Het zal er zo wel warm genoeg zijn en ik zal je een deken geven om je in te rollen onder de lakens.'

'Ja', zegt hij met een dikke stem. Dan zet hij de laptop op tafel en begint razendsnel te typen. Komen de woorden er echt in de goede volgorde uit bij dit pijlsnelle geratel?

'Moet je niet wat uitrusten terwijl ik het eten klaarmaak? Ik zie dat je moe bent', probeer ik.

'Nee', zegt hij. 'Ik heb geen tijd.'

Er zitten nazi's hier vlakbij, denk ik. Mickelsen en Måns. Vast ook nog wel anderen. En er zitten complete organisaties op een paar uur rijden vanhier. Maar ik zeg het niet, hij weet het trouwens waarschijnlijk toch al. Hij is hier toch veilig; niemand behalve Niels weet ervan en die zegt niets, dat weet ik.

Morales blijft met razende snelheid verder typen. Hyperactief, denk ik. Hij kan niet tot rust komen. 'Ik heb een buurman die ook veel op internet doet', zeg ik terwijl ik melk door de saus klop. Je bent nu op het platteland, denk ik, gekeuvel en rust is wat je nodig hebt. Morales stopt even met typen. 'O ja?'

'Kun je hem niet voor me opzoeken, het zou leuk zijn als je zijn website op het scherm kon krijgen.'

'Jawel,' antwoordt mijn tijdelijke gast bereidwillig, 'dat kan ik wel doen. Hoe heet zijn bedrijf?'

Ik noem de naam van de onderdelenfirma en een poosje later roept Morales: 'Dit is hem.'

Ik ben net druk bezig de saus glad te kloppen en ik neem mijn pannetje en mijn klopper mee en al roerende loop ik naar de tafel en kijk op het scherm. Inderdaad, Niels' website. Ik heb hem wel eerder gezien, hij ziet er echt professioneel uit, ik voel me bijna trots. Als die Morales dacht dat we hier achterlijke boeren zijn, dan had hij het mis. Hier wordt geavanceerde internethandel bedreven, heel bescheiden, maar wel over heel Europa, volgens Niels. Ik heb geen reden om te geloven dat het niet zo is.

'Mooi', bevestigt Morales. 'Je kunt ook nog "Vrienden" aanklikken, niet slecht, in plaats van een gastenboek stel ik me voor. Welke provider heeft je buurman?'

Dat weet ik natuurlijk niet, want ik weet niets van computers, maar ik doe net of ik er verstand van heb en buig naar voren terwijl hij probeert een soort nummer te vinden dat de informatie moet geven waarnaar hij vroeg.

'Vreemd', mompelt hij. 'Het lijkt wel of die buurman van jou er een geheim ip-nummer op na houdt, waarom is dat?'

Dat weet ik niet. Ik buig voorover om op het scherm te kijken. Morales geeft een schreeuw. Zonder het te merken heb ik bloemsaus over zijn toetsenbord gegoten.

Met duizend excuses en een stuk keukenrol weet ik het ergste te verhelpen, maar er blijft witte saus tussen de toetsen liggen. Ik bied aan om het grondiger schoon te maken, maar Morales wuift het probleem weg, hij heeft geen tijd, het maakt niet uit, het belangrijkste is dat de laptop nog te gebruiken is. Het ruikt lekker wat ik kook, wat wordt het? Hij wil me weg hebben.

Ik trek me beschaamd terug achter het fornuis en ik leg de laatste hand aan het eten. Waarom moet ik ook altijd zo onhandig zijn?

Als het eten klaar is, eet hij er met smaak van en ik voel me weer wat beter. Maar als hij aanbiedt om af te wassen is het echt puur uit beleefdheid, merk ik, want hij kan niet meer uit zijn ogen kijken. 'Doe even een dutje,' stel ik voor, 'dan kun je er misschien later vanavond nog even uit komen om naar *Aktuellt* te kijken. Als je niet naar bed wilt, ga je maar op de bank in de woonkamer liggen.'

Als ik klaar ben met de afwas ga ik bij hem kijken. Hij slaapt als een blok, half liggend tegen de kussens van de bank, terwijl het kinderprogramma op 1 in volle gang is. Ik zet de tv uit en trek mijn jas aan. Dan pak ik de zaklamp en ga naar buiten, de winteravond in, ik ga bij Marianne op bezoek.

Maar als ik in de buurt van haar huis ben ga ik niet verder. Ze heeft bezoek.

Ik herken de auto. Ja. Het is Måns. Hij komt net de veranda op. Hij draait zich om en zegt iets tegen Marianne. Ik zie haar hand en haar arm. Ze strekt die naar hem uit en... aait hem over zijn wang?

Wel heb ik ooit?!

'Wist je dat niet?' zegt Niels verbaasd. 'Dat weet toch iedereen. Hij is haar kleinzoon, zei ik niet dat ze een dochter Anita heeft?'

Ik dacht nog wel dat ik nu zo ongeveer alles wist, ook van Mariannes omstandigheden. Zoals ik soms mijn hart heb uitgestort bij haar! Maar ze heeft nooit iets gezegd. Ze heeft niets gezegd toen ze mij indertijd de tip gaf over werk op de leerlooierij en hoewel ik het bijna iedere keer dat we elkaar hebben gesproken over Åsa heb gehad, die van dezelfde leeftijd is als Måns, heeft ze met geen woord van hem gerept. Waarom niet?

'Waarom heb jij ook niets gezegd, Niels?' Hij maakt een afwerend gebaar. 'Ik dacht dat je het wel wist, iedereen weet het, het is geen geheim. Anita is het geheim, hoe ze is, dat heb ik je al een keer verteld. Er zijn maar weinig mensen die van Anita weten.'

Maar Marianne dan? Waarom heeft ze consequent over Måns gezwegen tegenover mij?

Omdat hij in de gevangenis heeft gezeten? Omdat hij neonazi is? Waarom is hij dat? Marianne heeft ook onduidelijke betrekkingen met Mickelsen – wie is eigenlijk de vader van die dochter Anita? Wie heeft eigenlijk met wie liggen vrijen op die zomerweide meer dan vijftig jaar geleden? Ik hou mijn gedachten voor me, maar mijn hersenen werken onder hoogspanning, terwijl ik de hond wegduw die nog steeds denkt dat hij me in de gaten moet houden.

Ingeborg! Jij hebt me ook niets verteld – vertrouwde je me niet? Als je nog had geleefd, was ik er misschien nog eens achter gekomen wie mijn vader is. Wie heeft jouw zus, mijn moeder, in de zomer van 1955 ontmoet? Waarom is ze hier eigenlijk weggegaan? Jij had overdag op me kunnen passen, Ingeborg, mijn moeder had vast wel werk kunnen krijgen in de fabriek. Dan was alles misschien anders geweest. Niet noodzakelijkerwijs beter, maar anders. Misschien completer? Waarom moest ze er per se vandoor met mij, waarom moest ze zo nodig haar wortelstelsel afkappen?

Alles gebeurt in het verborgene, achter mijn rug om. Vlak voor de komst van de pil gebeurden er in het geheim dingen die de mensen nu nog niet kunnen verwerken. Dat je je zo moest schamen voor de sterkste uiting van het leven!

Nee, alles gaat buiten mij om. Een gewoon, normaal leven leiden is niet meer genoeg. Je moet belezen zijn en met je tijd meegaan en je moet een computer hebben; niet alleen hebben, trouwens, je moet er ook nog mee kunnen omgaan.

Moe en eenzaam lig ik in Niels' bed, terwijl hij op de bovenverdieping van dit huis achter de computer zit. De computer
heeft het van mij gewonnen. De hond zit op de vloer bij het bed
en kwispelt met zijn staart; hij wil op het bed springen. Dat moet
hij eens wagen.

Even later word ik wakker van het geblaf van de hond, die van
het voeteneinde springt, mijn voeten zijn lekker warm geworden.
Ik hoor het geluid van een motor. Niels ligt nog niet in bed. Dan
dommel ik weer in en ik slaap een droomloze slaap totdat de
wekkerradio plotseling de hit 'Lyckliga gatan' speelt. In de woonkamer ligt Niels met zijn kleren aan voor een ruisende tv met een
aantal bierblikjes voor zich op tafel. Ik maak hem niet wakker,
maar haast me naar mijn werk met een onbehaaglijk gevoel.

'Dus Marianne is je oma, dat wist ik niet', sis ik zuur naar
Måns in de eerste pauze. 'Wie is je opa dan?'

Hij ontwijkt mijn blik, zijn pruim glijdt naar beneden en hij
slaagt er met moeite in hem met zijn tong weer op de plaats te
krijgen. 'Je deed zo rot tegen me gisteren, dat ik niet met je zou
moeten praten', zegt hij ten slotte. 'Je kletst uit je nek, dat moet je
goed begrijpen. Ja, mijn oma heet Marianne, dat klopt, heb je er
iets op tegen?'

'Ze is mijn buurvrouw', zeg ik. 'En nu weet ik iets van haar –
en van jou – wat ik eerder niet wist.'

Hij zegt niets, glimlacht alleen smalend, klimt op zijn heftruck
en verdwijnt. Fijne collega's heb ik, fijne buren. Vast niet toevallig dat een Joods uitroeiingsregister uitgerekend hier is gevonden. Ik kan nergens heen met mijn frustratie, moet ik toch
naar de politie? Heb je je kat gevonden? O, in je bed? Spinnend?
Nee maar, dood, het is toch wat! En je hebt haar er niet zelf
neergelegd? Weet je het zeker? Het kan raar gaan. Ja, er gebeuren
rare dingen als de kurk van de fles is.

Nee. Niet naar de politie.

En met Katarina kan ik ook niet praten. Ze denkt dat ik het

niet doorheb. Alsof ik geen ogen in mijn hoofd heb; ze denkt dat ik niet begrijp hoe de zaken ervoor staan met onze Duitse vriend Scheuer en haarzelf. Ze is helemaal vol van deze nieuwe ontwikkeling en ik kan haar lezen als een open boek. Plotseling heeft ze zich in het hoofd gehaald dat ze een vervolgopleiding in het eigenlijke looien, het chemische proces, wil aanvragen. Ik doe net of ik dat een goede grap vind. Als ze nu toevallig zo'n cursus zou mogen volgen in Engeland, wat moest ze daar dan in het nathuis, met al die wetblue en al die kerels? Het is daar nog zwaar werken ook, zwaar tillen aan natte huiden.

Ze kijkt me slaapdronken en beledigd aan – ze heeft altijd al veel belangstelling gehad voor scheikunde. Als ze destijds niet in verwachting was geraakt, had ze vast en zeker toen al een opleiding gevolgd, ze was immers nog naar de leerschool geweest. Maar het is nooit te laat en het is best heftig en spannend om met de chemicaliën van de leerlooierij om te gaan.

Ik snuif. 'Levensgevaarlijk zijn ze nou niet bepaald. Ik ben laatst nog in het chemicaliëndepot geweest samen met die man, hoe heet hij ook weer, die zo'n Duits accent heeft, weet je wie ik bedoel?'

Ze is gestopt met werken en kijkt me met grote ogen aan. 'Scheuer', zegt ze kalm.

'O, wat een mooie naam', roep ik uit. 'Nou, Scheuer was zo lief om mij de risico's van de zuren te demonstreren en hij lachte zich bijna een ongeluk als ik me goed herinner. Zo gevaarlijk zijn de zuren die in het chemicaliëndepot worden bewaard.'

Katarina lacht triomfantelijk. 'Jij weet er ook niets van, hè?' slaat ze toe. 'Je hoeft dat zogenaamd ongevaarlijke zuur maar te mengen met een beetje zwavelnatrium – je weet wel die zakken waarvan er daar pallets vol liggen – en poef, weg ben je, schoonheid. Je hebt geen tijd om je te verbazen. Als de concentratie hoog is, moet ik erbij zeggen, dus als je het niet ruikt. Als het stinkt is het helaas niet zo gevaarlijk, ik dacht dat je dat wel wist, Siv.'

Ze ziet mijn verbazing. 'Is het zo eenvoudig?'

'In principe wel, maar het gebeurt immers nooit. Er is een moment in het proces bij het pikkelen wanneer zuur en base op deze ongelukkige manier met elkaar in aanraking kunnen komen, maar de mannen hebben meters die ze aflezen en als ze zo'n vat moeten openen gebruiken ze altijd een zuurstofmasker.

Uit mijn werk rij ik naar de supermarkt en ik koop wat Morales opgeschreven heeft. Bij de zuivel zie ik Olles rug. Ik loop gauw door. Vandaag niet. Ik moet opgewekt doen, een goed humeur hebben, helemaal in balans zijn als ik met Olle praat over hoe het met hem gaat sinds de begrafenis. Beschaamd bedenk ik dat hijzelf nooit de kans krijgt voor zulke overwegingen; hij moet het zich de hele tijd maar laten welgevallen, hoezeer hij ook uit balans is, daar heeft de onrechtvaardige buitenwereld geen boodschap aan.

Ik heb het idee dat hij zich om wil draaien, net als ik bijna voorbij ben. Misschien heeft hij me gezien.

Als ik thuiskom brandt de buitenlamp net als de vorige dag, maar het huis is donker. Een beetje overdreven, vind ik, hij kan toch alleen maar hier zijn, waarom dan alle lichten uit? Of is hij in slaap gevallen? Of is hij bang?

Ik stap door mijn eigen onafgesloten buitendeur naar binnen en roep 'hallo' terwijl ik tegelijkertijd het licht in de hal en daarna in de keuken aanknip.

Geen Manuel Morales.

Ik roep een paar keer, doe overal op de benedenverdieping het licht aan en ga dan naar boven.

Het bed is opgemaakt. Geen spoor van Manuel Morales.

Ik ga weer naar beneden. Ik kijk overal: in de hal, de slaapkamer, de woonkamer en de keuken. Manuel Morales is weg en met hem zijn laptop en zijn tas – alles wat hij bij zich had. Zijn jas hangt niet meer aan de kapstok, hij heeft geen schoenen achtergelaten. Niet eens een pen.

Het lijkt erop dat hij is vertrokken.

En daar sta ik dan met proviand voor een hele week: koffie en brood, boter, kaas, room en bacon, pasta, uien, champignons, worst en rijst, bier en deodorant, wortelen en appels, kauwgum, olijven en visbollen in blik. Bouillonblokjes, Parmezaanse kaas. Gefeliciteerd, Siv, kind – de tweede practical joke deze week! Behoed me voor een derde, meer hoeft voor mij niet!

Hij is weg. Wat een ellendeling, denk ik bijna.

Ik kijk op mijn neus, maar verder is het geen ramp. De twee briefjes van vijfhonderd zitten nog onder de bloempot, eten kun je opeten en de deodorant kan ik aan Niels geven. Als Morales echt weg is. Maar waarom zouden anders zijn bagage en zijn laptop weg zijn – hij zou toch helemaal het huis niet uit gaan, was gezegd.

Ik bel Jan toch maar even. Ik krijg hem te pakken op zijn mobiel, hij zit in een vergadering. Hij klinkt verbaasd als ik zeg dat Manuel weg is. Hoewel het kan gebeuren, zegt hij zachtjes. 'Niet iedereen krijgt alles te horen, soms is het nodig om met onregelmatige tussenpozen van adres te veranderen. Er was zeker iets niet in orde.' Of de veiligheidsdienst heeft ingegrepen, hij zal het proberen uit te zoeken. 'Ik begrijp dat je raar staat te kijken, maar er is immers geen man overboord. Aardig van je dat je wilde helpen, Siv. Ik ga het na en dan bel ik je weer. Dag.'

Ik zet de boodschappen in de ijskast. Ik weifel of ik de kachel boven uit zal draaien en ten slotte doe ik dat maar wel. Hij is weg, dat is duidelijk. En ik kan weer hier wonen als ik wil.

Als ik mijn jas heb aangetrokken om naar Niels toe te gaan om hem te vertellen wat er is gebeurd gaat de telefoon. Het is Jan. Hij is even uit de vergadering weggegaan om dit uit te zoeken, hij was er niet gerust op. En het merkwaardige is dat er niets over bekend is dat Morales naar een ander huis gebracht zou zijn. Het zou eventueel wel het geval kunnen zijn; de provisorische organisatie die zijn onderduiken regelt is plat en niet zo gestructureerd. Er kan een misverstand zijn ontstaan. Hij kan Morales ook niet even bellen, aangezien deze geen mobieltje wilde; hij denkt dat je die kunt traceren. Het enige contact is via e-mail, maar niemand heeft bericht van hem gekregen dat hij van plan zou zijn te verhuizen. Ik moet het maar rustig afwachten. En zou ik hem op de hoogte willen houden? Morales is misschien gewoon even een eindje om.

Dat lijkt me niet waarschijnlijk. Ik hoor dat Jan het ook niet meer weet. 'Maar we kunnen op dit moment verder niets doen,' zegt hij, 'alleen wachten.'

We spreken af dat we elkaar uiterlijk overmorgen weer zullen bellen en hangen dan op.

Ik pak de zaklamp om naar Niels te gaan.

Gisteren is het opgehouden met sneeuwen. Ik zie verse scootersporen op mijn erf en kriskras door het bos. Waarschijnlijk Niels of Marianne, die hier hun signatuur hebben gezet, ik meen de sporen te herkennen, die van Niels iets breder dan de sporen van Mariannes sneeuwscooter.

Ik geloof dat er nog een signatuur bij is gekomen; een smaller spoor, dat ik niet herken kruist de andere sporen.

Dan haal ik mijn schouders op, het zal wel. Ik zie in ieder geval geen hoefafdrukken. Morales is vertrokken, misschien per sneeuwscooter, dat is niet mijn probleem! Het is een opluchting, moet ik mezelf beschaamd bekennen, dat hij weg is. Hij bracht onrust en angst mee. Nu kan ik lekker weer in mijn eigen bed slapen.

Strikt genomen is ze geen vijand. Maar ze neemt steeds meer plaats in en ze begint in de weg te lopen. Ze kan zelfs zijn hartritme verstoren. In dat geval moet hij van haar af zien te komen, voordat ze het echt in de war stuurt, zodat al het werk dat erin is gestopt voor niets is geweest. Ze heeft iets waardoor je er nooit gerust op kunt zijn, ze is niet echt voorspelbaar, hoe dom ze ook is.

Daarom heeft hij haar haar gang laten gaan, omdat ze zo'n simpele ziel is. Ze begrijpt er niets van en ze heeft niets gevraagd, ze is druk bezig met haar eigen zelfverwerkelijking en ze is doof en blind voor wat er vlak voor haar neus gebeurt. Het is gewoonweg zielig.

Hij had haar graag willen vertrouwen, maar het wordt hem steeds meer duidelijk dat ze hem nooit op die manier toegewijd zal zijn. Toen een Jodin haar huwelijk had kapotgemaakt dacht hij nog dat ze zou gaan nadenken en tot inkeer zou komen. En over wat er daarna gebeurde, hij had gedacht dat ze over zou lopen van dankbaarheid, dat ze respect zou hebben voor de naamloze helden die niets voor zichzelf wilden, maar hun taak geheel anoniem uitvoerden.

Maar ze is echt dom. Als een blind paard vindt ze zomaar een stukje van de waarheid en dat probeert ze op de meest onverwachte plekken in te passen.

Het wordt lastig. De vraag is of het de moeite waard is om deze relatie verder te cultiveren. Ze raakt zijn huid aan op een manier die zowel uitnodigend als naakt aanvoelt, te veel van alles, hij heeft belangrijker dingen aan zijn hoofd. Ze is een storende factor.

Sommige dingen zal ze nooit begrijpen. Dat beseft hij, dat heeft hij maar te accepteren. Het had allemaal anders kunnen zijn. Ze had een van hen kunnen zijn. Zo iemand als zij hadden ze goed kunnen gebruiken. Aan het front zijn ook vrouwen nodig. En volwassen stabiliteit, de acties zijn nog te los en te spontaan, ook al is er veel gebeurd sinds hijzelf achter het toetsenbord heeft plaatsgenomen.

Ze heeft een onbeschaamd, nieuwsgierig trekje geërfd van haar tante. Ze kijkt en wijst, maar aldoor naar de verkeerde dingen. Hoewel hij haar rustig heeft verteld van het reusachtige Joodse complot dat bezig is het vaderland in het verderf te storten, wil ze het niet begrijpen. Ze is gewoon dom.

Hij heeft niets tegen allochtonen op zich, ze hebben zelf een land waar ze kunnen doen waar ze zin in hebben, daar maakt hij zich niet druk om. De immigratie is gewoon een functie van het fundamentele vergrijp, de samenzwering, het feit dat de hele natie bij de neus genomen wordt door deze reusachtige Joodse federatie met vertakkingen over de hele wereld. Onder de Joodse hiel is iedereen een verliezer. Des te belangrijker wordt het om in het geweer te komen. NU!

Zelfs niet toen ze het register had gevonden en met eigen ogen kon lezen wie vijftig jaar geleden wat bezat en wie welke post bekleedde. Zelf toen nog niet. Ze was alleen maar verontwaardigd over het registreren als zodanig. Ze snapt er niets van.

Als ze zo blijft aanklooien moet hij van haar af zien te komen.

Ja. Daar moet hij toe bereid zijn – bereid tot actie. Ze vraagt te veel. Dat ze zo emotioneel is en het hart op de tong heeft, kan zijn ondergang betekenen. Als ze met die blinde koppigheid vragen blijft stellen en blijft combineren kan ze zelfs een veiligheidsrisico vormen.

Hij is hard. Hij weet dat hij het kan. Gooiden zijn wapenbroeders de Joodse kinderen niet achter hun moeders aan de gaskamer in, ook al wapperden en maaiden ze met hun armpjes, terwijl de volwassen joden hartverscheurend smeekten om genade. De jongste scheuten van het onkruid – moesten die gespaard blijven, het ongedierte van de toekomst! Dan zou alles tevergeefs geweest zijn.

Hij moet hard zijn, hij mag het doel nooit uit het oog verliezen, de reden waarom hij hier überhaupt is. De poging om haar zo bang te maken dat ze weg zou gaan is op niets uitgelopen; ze is een domme gans en ze houdt zich koppig vast aan de laatste graspol waar ze op is geland, ook al zou het veel beter voor haar zijn als ze het maar gewoon opgaf en de benen nam. Was ze nu maar een beetje bijgelovig geweest. Maar ze is onvoorspelbaar.

Ze kan zijn werk komen verstoren. Dat zal hij niet toelaten. Onder geen beding.

Morales was een onverwachte bonus. Maar zulke buitenkansjes kun je niet vaker verwachten. Als er meer onderduikers gewoon spoorloos zouden verdwijnen, zou de verdenking op haar vallen. En dan? Dan zou ze niet het verstand hebben om hem te beschermen. En nu is ze de puzzel van Ingeborg en Bengan aan het leggen. Er klopt natuurlijk niets van, maar het is foute boel dat ze überhaupt in die richting denkt en vooral dat ze er met anderen over praat – wat ze continu doet. Uiteindelijk hoeft er nog maar weinig te gebeuren en dan gaat het mis. Het hele spel, het hele plan wordt in gevaar gebracht. Dat mag niet gebeuren!

Hij is zo belangrijk dat hij in de anonimiteit moet blijven. Er mag hem niets overkomen. Dat besef is volkomen altruïstisch, hij is een werktuig voor een noodzakelijke zuivering van de maatschappij, dat is alles. Hij heeft een opdracht. Dus, wat zal hij met haar doen?

Hij zou haar een romantisch glas champagne kunnen aanbieden, met een lekker hapje. Ze heeft hem verteld van het originele verjaardagsfeestje dat ze voor haar man had gepland vlak voor ze zijn ontrouw ontdekte. Zoiets zou hij zelf ook kunnen doen. Zwaaien met een fles Veuve Cliquot. Er ligt nog iets lekkers te eten in de kelder, wil jij het halen? zou hij kunnen zeggen en dan zou ze zich erheen reppen. En hij erachteraan. Het zou maar een paar seconden duren voordat ze bewusteloos in de sterke, maar reukloze dampen van zijn feestcocktail zou liggen. Dan zou hij het zuurstofmasker opzetten en haar naar buiten dragen. Als ze niet meteen al dood was, zou de kou de rest doen, net als bij Ingeborg.

Geen goed idee. Je moet een succesnummer nooit willen herhalen. Siv is te jong, het geneeskundige onderzoek zou minutieus worden, haar dochter zou komen snuffelen en misschien haar ex-man ook. Niet dat schouwartsen meteen naar zwavelwaterstof zoeken, maar toch is dit geen goed idee. Hij moet beter nadenken.

Hij wil Mikael liever niet laten meehelpen. In het geval van Morales lag dat anders. Mikael is soldaat, hij maakt deel uit van een speciaal commando, hij duikt nu eens hier, dan weer daar op, bij even plotselinge als onverwachte aanvallen en daarvoor moet hij in reserve worden gehouden. Het zou niet zo geslaagd zijn om hem nog een keer thuis ergens bij te betrekken. Dat is alweer een slecht idee. En als ze onverwacht een week later gevonden zou worden. Dat zou het bepaald veel minder geloofwaardig maken, iedereen weet dat ze geen sneeuwscooter rijdt, ze heeft nooit veel om sterkedrank gegeven, niemand zou geloven dat ze zelf op die manier met een scooter in de snelstromende rivier terecht zou komen, ver van huis en dan met deze kou.

Wat zouden ze wel geloven?

Ze heeft het vaak over de Berg, dat is wel zo. Over de sfeer die ze daar ervaart, dat ze er graag heen wil, daar kwekt ze vast ook met haar collega's over.

Als ze dan zíjn sneeuwscooter eens zou 'lenen'?

Ja. Dat zou kunnen. Maar de kou dan? Ach, zij komt uit de grote stad, dat slikken ze wel – geen benul van de gevaren en domweg onvoorzichtig, dat slikken ze wel na alle voorvallen met dronken, bevroren Stockholmers in avondkleding in de bergen.

Maar hij heeft nog een scooter nodig om zelf weer thuis te komen. Waar moet hij die vervolgens laten?

Die moet hij gewoon slopen. Dat kan wel. Hij kan hem in de garage uit elkaar halen, hij kan de onderdelen naar verschillende adressen sturen; hij heeft relaties zonder strafblad die hem zullen helpen zonder vragen te stellen. Dat zal geen probleem opleveren, die verzendingen zullen niet te traceren zijn.

Wat kan er fout gaan?

Haar psychische en lichamelijke conditie. Ze is verbazingwekkend koppig en taai.

Alcohol en barbituraten worden onmiddellijk ontdekt, daarmee kan hij het probleem niet omzeilen.

Maar wat in haar gevoelsleven zit kun je met behulp van een chemisch proefje niet aflezen. Ze is gevoelig, ze zal zelf dood willen als de juiste woorden maar worden gesproken. Het emotionele gif zal haar hersenen bedwelmen, ze zal haar greep verliezen en het opgeven.

Ze is op een bepaalde manier ook wel schattig en opwindend in haar aanhankelijkheid die elke afstandelijkheid mist. Zal hij dat trekje nog missen? Die naïviteit? Die levensgevaarlijke naïviteit?

Hij hoopt dat ze er nu mee stopt. Hij wil het eigenlijk niet doen.

Hij moet er alleen toe bereid zijn als het toch noodzakelijk zou worden.

Het is bijna Kerst en de dagen zijn kort. Overdag schitteren de sneeuwkristallen en 's nachts vriest het dat het kraakt. Ik verheug me erop dat Åsa en Lars komen, maar ik zit er om financiële redenen een beetje mee; het is zo pijnlijk om geen geld te hebben voor duurdere kerstcadeautjes. Maar de sterrenhemel is gratis, en de loipes ook. Alles is zelfgebakken en zelfgemaakt; dat is ook wat waard, vind ik, en de vriezer zit vol.

Ik heb er geen idee van waar Jan Kerst gaat vieren; hij heeft broers, hij heeft kameraden binnen de partij, hij is een volwassen man, we hebben niets meer samen. Morales is verdwenen en niemand heeft meer iets van hem vernomen. De veiligheids-dienst heeft hem niet opgehaald en zijn eigen vrienden ook niet, het is een compleet mysterie. Het laatste wat ik van Jan heb gehoord is dat er een onderzoek loopt; ze denken dat Morales bang was voor ideologische vijanden in het eigen kamp en dat hij daarom nog dieper ondergronds gegaan is om het zo maar uit te drukken, op eigen houtje, ergens waar niemand hem op kan sporen. Ze weten dat hij bezig is een enorme nazibende op internet op te rollen en ze denken dat hij terugkomt als hij daarmee klaar is – hopelijk met een groot artikel in *Dagens Nyheter* of *Svenska Dagbladet*.

Na die informatie heb ik niets meer van Jan gehoord. Daar was ook geen aanleiding voor.

Niels is altijd aan het werk, hij wil dat we elkaar minder vaak zien, hij heeft het te druk, zegt hij. Zal wel.

Ik ben immers niet verliefd, dat weet ik de hele tijd al. Toch heb ik een leeg gevoel. Daar zit ik dan in mijn eentje met kaarsen, bisschopswijn en nootjes.

Maar dat wilde ik immers, ik klaag niet. Er zijn leuke pro-gramma's op tv.

Op een dag bel ik naar het Comité, aangezien ze mij niet

bellen. Tot mijn verbazing neemt er een mevrouw op, hoewel het zaterdag is. Omdat het ideëel werk is, zeker.

'Ik wilde eens vragen wat er verder gebeurt met het register dat ik heb opgestuurd.'

Ze antwoordt weifelend, ze weet het eigenlijk niet. Ze kunnen niet veel doen. Ze hebben het register. Het ligt daar. Misschien gaat iemand het na verloop van tijd gebruiken voor onderzoek.

'Ja, maar de inbreuk op zich dan?' vraag ik verbluft. 'Al die mensen die van niets weten, veel zijn er nog in leven. En hun kinderen, sommigen zijn maar een paar jaar ouder dan ikzelf, zij weten ook niet dat ze op een dodenlijst voorkomen, die door een toeval, of dankzij de geallieerden niet is gebruikt.'

Ze antwoordt niet. Ze zwijgt. 'Het is niet onwettig', zegt ze ten slotte. 'Als er sprake is van een misdrijf is het allang verjaard. Zelfs voor moord kun je na vijfentwintig jaar niemand meer aanklagen. De wet voorziet daar niet in, er is geen misdadiger en geen misdaad.'

Daar sta ik weer met mijn onnozelheid. 'Ik dacht gewoon', zeg ik en ik hang op.

Waarom ben ik zo van streek, waarom voel ik me gekrenkt terwijl ik niet eens op die lijst sta?

Als ik of iemand die ik ken erop had gestaan, dan was ik woest geworden, dat is een ding dat zeker is, iemand moest het lef eens hebben!

Maar nu moet ik het zo maar laten. Het spel van de toevalligheden, het ene deel gevonden in een aardappelbak, het andere op een zolder. Ingeborg die zich de moeite had getroost het onder alle aardappelen te begraven. Met welk doel? Er lijkt toch niemand in geïnteresseerd.

Ik verzin een voorwendsel om bij Niels langs te gaan, ook al weet ik dat ik hem stoor. Ik zeg dat het lijkt alsof hij de enige was die interesse had voor die lijsten. Weet hij wie ze heeft opgesteld?

Nee, dat weet hij niet, dat was vóór zijn tijd. Hij dacht dat ze misschien een bijzonder verband met de streek hadden, daarom was hij benieuwd, maar dat verband was er niet, behalve dat ze hier waren gevonden.

Hoe weet hij dat? Dat ze geen betrekking hebben op de streek?

'Ze zijn niet interessant', zucht hij vermoeid. 'Negenennegentig procent van al het materiaal uit de oorlog dat interessant had kunnen zijn bestaat niet meer. Jammer genoeg.'

Ik probeer hem mee te krijgen om kerstetalages te gaan kijken, maar hij wil niet. Hij zegt dat hij geen tijd heeft. Ik heb het idee dat hij niet wil dat wij als stel worden gezien, ook al weet iedereen het, er wordt immers genoeg gekletst. 'Schaam je je voor me?' vraag ik.

'Natuurlijk niet', zegt hij. 'Maar de bestellingen stromen binnen, snap je dat niet?' Hij maakt een machteloos gebaar naar de computer. 'Veel mensen doen elkaar onderdelen cadeau met Kerst, wist je dat? Daarom heb ik het zo druk.'

Ik verbijt mijn teleurstelling en ga weg. Ik heb geen idee wat hij precies doet en ik snap niet wat hij er leuk aan vindt.

Ik ga alleen winkels kijken, maar ik voel me niet alleen; al ken ik lang niet iedereen, ze weten wel wie ik ben en contact is zo gelegd. Het aanzien van de plaats wisselt en verandert continu, opeens heb ik het naar mijn zin en ik herken weer de sfeer van eerder. Het komt goed, het waren maar tijdelijke storingen. Manuel Morales heeft de laatste demonen meegenomen, alles wordt straks gemakkelijker als we Kerst maar eenmaal achter de rug hebben en het weer februari, maart is. Ik ben met een paar collega's aan de praat geraakt die om een knapperende barbecue heen staan waarop enorme plakken worst liggen. We stampen met onze voeten om warm te blijven, terwijl we wachten tot we aan de beurt zijn om een geurig broodje worst te kopen. 'Waarom is je verloofde niet mee?' vraagt een nieuwsgierige.

'Wie z'n verloofde?' vraag ik.

'De jouwe, natuurlijk. Waarom komt Niels tegenwoordig nooit meer in het dorp? Je ziet zijn zoon vaker, terwijl die hier niet eens woont.'

'O ja?'

Ja. Niet zo lang geleden was iemand hem hier in het centrum tegengekomen. Hij had haast natuurlijk, het was 's ochtends vroeg, hij beweerde dat hij alleen op doorreis was, het leek alsof hij geen zin had om te praten.

's Maandags tref ik een gestreste Sandström als ik als een van de eersten inklok. Hij slaakt een serie vloeken en verdwijnt naar het chemicaliëndepot. Van een van de mannen hoor ik dat er weer zwavelzuur is verdwenen en ook zwavelnatrium! Of liever gezegd, de vorige keer dacht Sandström dat het dubbel afgevinkt was, maar nu is hij er absoluut zeker van dat de chemicaliën verdwenen zijn. De politie is onderweg, nu moet er een diepgaand onderzoek worden ingesteld, want niets wijst op een inbraak.

Er komen meer arbeiders bij staan, we vormen algauw een groepje vlak voor de deur. De stemming is op zijn zachtst gezegd bedrukt. Als er echt chemicaliën verdwenen zijn en als er echt niet is ingebroken, dan zal de verdenking ontstaan dat iemand van ons, van de fabrieksarbeiders, het gif heeft meegenomen.

Even later zien we door de ramen Mickelsens auto de parkeerplaats op rijden en vervolgens zien we Mickelsen met wapperende jaspanden naar zijn kantoor draven. Dit wordt geen lolletje.

Plotseling schiet het lood van mijn innerlijke uurwerk weer los en de raderen draaien met razende snelheid rond. Hij is het! Het bandje!

Hij heeft haar niet gewurgd – dat was te zien geweest. Hij heeft haar toch vergiftigd! Nee, hij niet. Mickelsen senior natuurlijk – de directeur! Hij heeft haar bezworen het register terug te geven en toen ze niet wilde luisteren ging hij naar de fabriek om het gif te halen – hij heeft vast sleutels die overal op passen – en toen keerde hij terug en mengde het goedje en heeft haar op de een of andere manier gedwongen de gevaarlijke dampen in te ademen, die rotzak heeft haar om het leven gebracht!

Ik heb het allemaal gecombineerd, ik weet nu bijna precies hoe Ingeborg is gestorven en waarom ze mij niet met rust wil laten. God, wat moet ik doen? Ingeborg heeft het bandje vastgegrepen, het bandje om de container met zwavelzuur, waarin hij zwavelnatrium heeft gestrooid. Dat is het laatste wat ze heeft gedaan. Ze heeft het zo krampachtig omklemd dat ze er een stuk vanaf heeft getrokken toen ze viel. Hij heeft haar buiten neergelegd, zodat het zou lijken alsof ze een hersenbloeding had gekregen, maar de vergiftiging heeft ergens binnen plaatsgevonden, misschien in de kelder? Als ze niet al dood was door het vergif is ze doodgevroren.

Arme Ingeborg. Arme ik. Arme alle mensen op de hele wereld die zwijgen en voor wie niemand opkomt, de minsten van de minsten.

De politie verhoort ons om de beurt. Ik heb pech en krijg de rood gestifte weer.

'Heb je je kat al terug?' vraagt ze. 'Ja', antwoord ik zonder er verder over uit te weiden en ze vraagt niet verder. Wel wil ze weten of ik iets weet van de verdwenen chemicaliën. Ik stel een tegenvraag: 'Gaat de politie de voorlieden en chefs ook verhoren?' Ze aarzelt nog geen halve seconde. 'Uiteraard', antwoordt ze. 'Iedereen wordt verhoord. Geheel vrijwillig natuurlijk, net als jij. Dus?'

Ik voel me manisch energiek en als het ware gevuld met een lichtgevend vluchtig gas. Hoe doe je dat, zonder het geringste bewijs tegenover de politie beschuldigingen uiten aan het adres van zo'n prominente persoonlijkheid als Mickelsen senior? Had er maar een andere agent gezeten dan deze met haar lippenstift!

Ten slotte zet ik alles wat ik heb op een rijtje. En ook alles wat ik niet heb, maar toch weet, dat wil zeggen: denk. Ik vertel over het bandje in Ingeborgs vuist. Dat maakt haar een klein beetje geïnteresseerd en ze maakt een aantekening in haar schrijfblok. Dan vertel ik over Mickelsen, dat Ingeborg voor hem heeft gewerkt, maar ik zie dat ze dat al weet. Ik vertel ook over de lijsten, ook al heb ik die al genoemd toen ik de verdwijning van de kat ging melden. Ze knikt geduldig en mompelt: 'Ik heb al gezegd dat die lijsten niet illegaal zijn. En ja, het kan heel goed kloppen wat je zegt, dat ze verstopt zijn om Mickelsen te beschermen.'

Dan vertel ik van Måns, dat hij veroordeeld is en neonazi is en dat hij dezelfde dienst had als Bengan, toen die stierf. 'Wil je een soort aangifte doen, bedoel je?' vraagt ze met een scherp kantje aan haar stem. 'Het is een zware beschuldiging die je hier uit. Bedoel je dat hem dood door schuld moet worden verweten, of dat hij hem zelfs heeft vermoord?'

Nee, dat bedoel ik waarschijnlijk niet, als ik er nog eens over nadenk. Ik geloof het alleen maar. Ze maakt geen aantekening, zie ik. Dan vertel ik dat iemand mij bang heeft willen maken, dat ik bij verschillende gelegenheden dwaallichtjes heb gezien en merkwaardige sporen, en dat laatst mijn kat diepgevroren en dood in mijn bed lag. Maar daar is ze niet van onder de indruk, integendeel, ik zie dat ze gauw even naar het plafond kijkt en haar onderlip intrekt zoals mensen onbewust doen als ze sceptisch zijn, als ze ergens afstand van nemen. 'We zouden het eigenlijk over de verdwenen chemicaliën hebben', zegt ze. 'Of wil je aangifte doen van pesterij?'

'Mickelsen, Måns of misschien de looier', antwoord ik. 'Een van hen heeft het gif gestolen.'

'O, de looier, Scheuer,' zegt ze geïnteresseerd, 'waarom denk je dat?'

'Omdat het een Duitser is,' antwoord ik, 'omdat hij... ja, hij lijkt wel...'

'Dank je wel', antwoordt ze. 'Ik vind het nu wel mooi geweest. Ik zal nog eens nadenken over jouw verhaal. Kun je nu je collega Katarina Svensson hierheen sturen?'

Ik zie niet hoe ik de werkdag door moet komen. Weifelend bedenk ik dat ik de zaak met Niels wil bespreken. Maar hij zal me niet serieus nemen.

Ik ga toch bij hem langs om over het verleden in zijn algemeenheid te praten, als hij tenminste niet zo gestrest is als anders. Niels is goed thuis in de eigentijdse geschiedenis en de politiek. En ik zal proberen meer details over Ingeborgs dood van hem los te krijgen, wat hem opviel toen hij haar vond, of hij iets bijzonders heeft opgemerkt. Nu ik er ook met de politie over heb gesproken!

Ik leg een flink berkenblok in de kachel voordat ik ga. Het kwik ligt weer een aardig stukje onder de min twintig. Ik kleed me erop en ter afsluiting wikkel ik een enorme sjaal een paar keer om mijn hoofd, zodat er alleen nog een opening voor mijn ogen overblijft. Dat geeft niets, niemand die me ziet.

Zoals verwacht reageert Niels onverschillig als ik over eigenaardigheden rond Ingeborgs dood begin. Dat gefantaseer van mij begint vervelend te worden, zegt hij, vind ik dat zelf niet?

Ondanks zijn weerbarstigheid heeft hij me natuurlijk binnen een half uur mijn hele pas ontworpen theorie ontfutseld – een theorie die ik gelijkstel aan feiten. 'Het moet de vroegere directeur geweest zijn, ik voel dat ik gelijk heb. Ik moet het alleen nog zien te bewijzen. En hij heeft haar niet gewurgd zoals ik dacht, hij heeft haar vergiftigd – met zwavelwaterstof! Dat klopt precies. Er is bij twee gelegenheden zowel zuur als zwavelnatrium verdwenen uit de leerlooierij, de politie is er zelfs bij geweest.'

Niels komt achter zijn geliefde computer vandaan en komt naar de stoel toe waarin ik zit. 'Dit weekend heb ik een verrassing voor je', zegt hij. 'Ik zeg niet wat, maar het is iets heel leuks. Je mag het aan niemand vertellen, dit is iets van jou en mij samen.'

Ik fleur op. Een verrassing?

Op hetzelfde moment begint de hond te blaffen. Er is iemand beneden aan de deur.

Ik blijf zitten terwijl hij opendoet. Ik hoor dat het iemand is die dringend behoefte heeft aan een scooterreparatie en ik hoor de beide mannen naar de kelder gaan.

Ik zucht. We groeien uit elkaar, Niels en ik. Hij wordt zo opgeslokt door zijn zaken, altijd is er wel wat. De mappen met onderdelen liggen uitgespreid op het grote bureau en ook over de vloer, hij heeft het razend druk. Op het computerscherm wappert een Zweedse vlag, keer op keer hetzelfde gewapper. Bovendien heeft hij ook een laptop aangeschaft, zie ik. Geweldig, dan kan hij zelfs op de wc nog surfen.

Ook de laptop is aangesloten, de screensaver stelt de ruimte voor. Leuk, vind ik. Ik ga er dichter bij zitten en doe net of ik een ruimteschip ben; ik zweef weg, waar zal ik terechtkomen in deze oneindige, uitgestrekte ruimte?

Morales had er net zo een.

Dan zie ik de saus. Die is nu opgedroogd en gebarsten. Maar hij zit nog steeds op dezelfde plaats, rechts op het toetsenbord, ik zie zelfs de vegen van mijn keukenrol nog. Op dat moment komt Niels weer boven. 'Het was maar een drijfriem die vervangen moest worden', zegt hij.

'Heb je een nieuwe laptop?' vraag ik.

'Ja, ik vond dat ik die ook nodig had.'

'Waar heb je hem vandaan?' Ik zie uit mijn ooghoek dat hij zich naar mij toe draait.

'Hoezo? Gekocht natuurlijk.'

'Van wie?'

'Van wie? Bij een internetbedrijf.'

'En hoe heb je hem hier gekregen?'

'Als postpakketje. Wat is dit voor verhoor?'

Dan ga ik met mijn gezicht naar hem toe staan. Hij kijkt net als anders. 'Dit is de laptop van Manuel Morales', zeg ik. 'Ik herken hem. Hoe komt die hier?'

Hij begint te lachen. 'Alle laptops zien er hetzelfde uit,' zegt hij, 'je kunt niet zomaar het verschil tussen de ene en de andere zien, snap je, Siv?'

'Jij hebt iets met zijn verdwijning te maken, nietwaar?' zeg ik.

Dan gaat hij zitten. 'Eerlijk gezegd denk ik dat hij een sneeuw-scooter van mij heeft gestolen', zegt hij. 'Die is diezelfde nacht verdwenen. Het spoor voerde recht het bos in, hij wilde vast een kortere weg naar Sälen nemen, over de bergen. Dat denk ik in ieder geval. Daarom heb ik geen aangifte gedaan van de diefstal, je wilt het iemand die noodgedwongen moet onderduiken niet te moeilijk maken.'

Zesde deel

Bertil kon er wel blij om zijn dat ik afbel vanwege koorts en pijnlijke gewrichten. 'Ik heb vast griep', zeg ik.

Het klinkt alsof hij me voorlopig niet nodig heeft. 'Pas goed op jezelf', zegt hij vriendelijk. 'Wij redden ons hier wel. Je moet nu alleen aan jezelf denken en lekker onder de wol kruipen. Je belt maar als je weer beter bent.'

Ja, ik voel me ziek, puur fysiek, lichamelijk ziek. Mijn hoofd bonst, het schemert voor mijn ogen en mijn gewrichten doen zeer, net zoals ik zei. We zijn de hele nacht wakker geweest. Ik zou moeten slapen. Het is Niels' passie die mij wakker heeft gehouden, geheel gekleed, zijn ware passie, alles draait, het is te veel, hij praat en praat maar, het voelt alsof ik door drijfzand voortploeter en mijn gezichtsveld is beperkt, tunnelvisus.

Wat ben ik dom. En wat weet ik weinig.

Nu weet ik in ieder geval meer. En één ding is duidelijk – Niels is niet zomaar een automonteur die er internethandel naast doet voor extra inkomsten. Vannacht heb ik een kijkje achter de schermen genomen en eindelijk een glimp opgevangen van de bron van dat karakteristieke magnetisme, die fysieke aantrekkingskracht waarvan ik tot mijn schande de slaaf ben geworden. Een slaaf ben ik, ik kan mijn bestaan geen richting geven, ik heb geen doel. Bij Niels is dat wel anders. Hij kijkt verder dan zijn eigen belangen en denkt na over het welzijn van de hele natie. Hoeveel mensen doen dat?

Bijna niemand. De meesten zijn corrupt en omgekocht, onverschillig en hebben te veel gegeten uit particuliere vleespotten of uit de staatsruif; niemand die nadenkt over wat goed is voor het land, ziet hoe het bloedt, leegbloedt, hoe het hart en de identiteit bezig zijn te verdwijnen uit een wijd opengesperde borstkas. Dat heeft Niels mij allemaal geleerd. Hij heeft me met de neus op een patroon geduwd, een reusachtige, wereldomspannende hydra. Ik was zo moe dat ik er misselijk van werd, maar ik móést kijken van hem. 'Kijk hier', siste hij in mijn oor en hij klikte verder door de computerbestanden; ik moest in één klap alles leren over vroeger en over nu. 'Allemachtig, Siv, je had een compleet levenswerk om zeep kunnen helpen. Heb je wel door hoe weinig dat had gescheeld? Je had bijna het levenswerk van mijn voorvader naar de knoppen geholpen!'

Het was een fluitje van een cent geweest. De hond hoefde maar even aan een kaartje van de lijsten uit het Lisellse Huis te ruiken of hij dook al met zijn snuit onder mijn bed en daarmee was de verzameling compleet geweest. Niels lacht opgetogen.

Hij heeft mij alle kaartjes laten zien, het hele register, nu opgeslagen in de computer, ingescand en netjes gesorteerd van A-Ö, een levenswerk. Met behulp van de zoekfunctie van de computer nu veel gemakkelijker te gebruiken dan toen die ouwe met zoveel moeite alle gegevens noteerde.

En hij heeft mij de aanvullingen laten zien. Dat wilde ik niet. Dat hoefde voor mij niet. Ik weet niet waarom niet. Maar hij heeft mij van a tot z laten zien hoe de maatschappij van vandaag gestructureerd en georganiseerd is en een kind kan zien hoe de Joodse samenzwering vanaf de achterbank alles stuurt, zodat het land al in een buitenlands asiel is veranderd. 'Hoe moet dat met ons volk, met ons hart, met onze identiteit, Siv?'

Ik kan die vraag niet beantwoorden, ik zou graag willen slapen, maar Niels hoeft niet te slapen en hij laat mij ook geen rust. 'Bel op en meld je ziek', zegt hij. 'Meld je ziek, je bent nu bij mij, je woont nu hier, jij en ik moeten het nu samen uitzoeken, Siv.'

Dat klopt, dat weet ik.

Ten slotte lig ik dan toch dicht tegen hem aan gekropen in het smalle, onopgemaakte bed. 'Voel je mijn vuur?' vraagt hij.

Ik voel zijn erectie en ik zie de gloed in zijn ogen en een ijskoude hand knijpt in mijn hart, een verterend vuur, zo heb ik hem nog nooit gezien.

Van tederheid en intensiteit geen spoor, hij is hard en bruut, hij wacht niet op mij, ook al had ik wel gekund, hij doet me pijn als hij me geweldloos neemt, ik ben stijf en verlamd, ik probeer te denken dat dit iemand anders overkomt, dit kan ik niet zijn.

Eindelijk slaapt hij. Ik dut ten slotte ook in. Ik schrik wakker, het is nog steeds donker, het is licht geweest terwijl wij sliepen. 'Ben je nu overtuigd?' vraagt hij. 'Wil je meer weten?' Ik kan niet antwoorden, ik weet niet wat ik moet antwoorden, ik ben verlamd, ik wil er gewoon vanaf zijn, ik wil niet meer weten, niet meer meemaken, we houden misschien niet van elkaar, maar we vrijen wel al bijna een jaar met elkaar, we konden het zo goed vinden samen dat ik uiteindelijk met de gedachte begon te spelen om met hem te trouwen. Ik dacht dat een huwelijk met Niels stabiel zou zijn, veilig en rustig na de enerverende scheiding van Jan.

Maar deze Niels ken ik niet, hij is groter, harder, zwaarder en veel, veel sterker dan ik. Ik ben een vlieg, ik beteken niets. De natie daarentegen betekent iets; ik ben beperkt en nederig, ik begrijp het niet. Nee, ik begrijp het niet. Dat is mijn grote tekortkoming. Als ik het begreep, zou hij dan van me houden?

'We hebben ons eigen privétrainingskampje, jij en ik', zegt hij. 'Laat de telefoon maar rinkelen, niets is zo belangrijk als dat jij leert begrijpen wat het leven van de mensen regeert en waarom de wereld is zoals die is. Jij moet de mijne worden, Siv, ik wil je leven redden, jou het inzicht geven waardoor je vrij kunt worden.'

De telefoon gaat. Hij neemt niet op.

Vanaf de bovenverdieping leidt hij een organisatie die zich over het hele land uitstrekt. Anoniem en in stilte leggen leden ervan grote afstanden af om in even plotselinge als onverwachte aanvallen de corrupte Joodse samenzwering te ontwapenen.

Hij is trots.

In de onschuldige mappen met onderdelen zitten lange lijsten verstopt met wapens en munitie, hij is kundig en zakelijk. 'Je mag niet te heetgebakerd zijn, je moet rustig blijven en je hoofd koel houden', zegt hij.

Maar mijn hoofd kookt over, de vloer schommelt heen en weer, ik heb niet gedoucht, niet eens mijn tanden gepoetst; ik heb geen tandenborstel, maar ik durf niet te vragen of ik die thuis mag gaan halen. Ik kom niet op het idee. Ik ben nu hier. Niels doet me uit de doeken wat er eigenlijk speelt in de maatschappij.

Hij laat mij nogmaals het nieuwe register zien. Hij zegt niet hoeveel namen erin staan en wat de criteria zijn. Maar hij laat mij een poosje alleen met de computer en ik hoef de muis maar aan te raken, dan verdwijnt de screensaver al en in plaats daarvan komt er een deel van het register tevoorschijn, namelijk de letter D. De D van Dahlin, Jan Dahlin. Zijn pasfoto. Geboren in 1956, vakbondsman, actief nazismebestrijder, woonachtig in Göteborg, gescheiden, één kind, geboren in 1978, woonachtig in Jönköping, Dunkehallavägen 7, naam Åsa!

Ik doe net of ik het niet heb gezien.

Hij weet dat ik het heb gezien.

Hij zegt niets. Hij heeft een boterham in zijn hand. Die geeft hij aan mij, maar ik kan niet eten. 'Je moet hard zijn', zegt hij. 'Je moet kunnen schiften, je moet gevoelens en feiten kunnen scheiden en je moet het bestaan vanuit een bepaald perspectief kunnen bekijken. Kun jij dat, Siv?'

Nee, want ik heb geen perspectief. Ik weet niet wat ik geloof en wat niet. Ik verdedig niets en ik bestrijd niets. Ik weet me geen raad en mij stemrecht geven is eigenlijk zonde omdat ik het altijd eens ben met de laatste spreker, ik heb geen strategie of ideologie.

Wat ben ik toch een stumper. Ik krijg nog geen boterham weg ook al weet ik dat ik moet eten. Vies ben ik ook. En ik durf niet voor mezelf op te komen.

Vierentwintig uur kost het om een mens van al zijn waardigheid en zijn complete identiteit te ontdoen, een enkele reis in een goederenwagon zonder eten of water is genoeg. Ik heb beide nog, ik ben alleen een beetje vies, een beetje onvrij, een beetje geschokt. Toch kun je alles met me doen; ik registreer iedere beweging, ieder geluid dat Niels maakt en soms lijkt hij vriendelijk, vind ik. Ja, soms herken ik de oude Niels weer en dan voel ik een golf opwellen, een onbeheersbare reactie en barst ik in snikken uit. Hij heeft gevoelens; hij maakt maar een grapje, straks is dit allemaal voorbij.

'Wat moet ik met je aan? Sivje, Sivje toch', zegt hij en ik weet niet of hij het meent – die toon – of dat hij de spot met me drijft. 'Wat moet ik met zo iemand als jij beginnen, Siv? Wat vind je zelf?'

Het ergste is dat ik niet weet wat ik moet antwoorden. Wat moet je met mij aan? In een greppel dumpen en die dichtgooien? Dat kan ik toch niet zeggen? Mij maar weer de maatschappij in sturen – half af, zonder opleiding, nog besmet door het machtige propaganda-apparaat van de Joodse samenzwering? Ik ben immers een gevaar voor mezelf én voor de natie als geheel, als ik mezelf tenminste zoveel invloed mag toeschrijven. Hij is nazi, jazeker. Ik wist alleen niet dat het zo voelde, dat het zo ging. Dat je zo afhankelijk bent, zo bang. Die superioriteit. Het zit dicht tegen liefde aan, je voelt je machteloos, hij lijkt meer mens, zo sterk en puur, en zelf ben ik zo vies als wat. Alles staat op zijn kop en ligt door elkaar en ik kan niet schiften, ik ben zo moe.

Maar. Als een mes in een open wond zie ik voor mijn ogen nog Åsa's naam op het witte computerscherm oplichten. Voor Jan maakt het niet uit, voor mij maakt het niet uit, er is veel wat niet uitmaakt, maar van Åsa blijven ze af! Ik moet haar uit de computer zien te krijgen, dat is het enige wat ik weet. Hoe moet dat? Verdomme, waarom heb ik ook niet het verstand gehad om iets over computers te leren? Overal kun je cursussen volgen, ze staan in iedere krant en in ieder advertentieblaadje!

Vaag denk ik ook dat ik hier moet blijven, ik durf Niels niet alleen te laten. Mijn aanwezigheid weerhoudt hem er vast van iets drastisch te doen. Zolang ik er nog ben heeft hij zijn handen vol aan mij en geen tijd voor iets anders; ik kan evengoed hier zijn als ergens anders, het belangrijkste is feitelijk dat ik nu hier ben. Het zwarte hart van het duister. Heet en zwart pulseert het in de opengemaakte borstkas, betoverd ben ik, verlamd, vastgenageld; ik hou het hele mechanisme in mijn hand, als ik nou de muis eens pak en tegelijkertijd op de plus en de min en alle toetsen tegelijk druk?

'Ik heb voor alle zekerheid back-ups in verschillende bankkluizen liggen, pas gebrande cd-roms, maar ook een hele stapel diskettes, je kunt niet voorzichtig genoeg zijn. Nog geen prints, maar dat komt nog als ik er tijd voor heb.' Hij kan mijn gedachten lezen. 'Er staan veel namen bij als achtergrondinformatie en die zullen alleen in uitzonderlijke gevallen worden gebruikt', zegt hij bij wijze van troost. Hij weet immers dat ik het heb gezien. Nog steeds reppen we er met geen woord over.

Als een mes in een levende wond. Åsa. Mijn lieve, fantastische bloem, mijn roos, mijn dochter, zo mooi dat de zeeën er verlegen van zouden moeten worden, een wonder ben je, van niemand heb ik zoveel gehouden als van dat kind, voor mij is ze altijd mijn kind en tegelijkertijd die jonge vrouw, ik zie haar op alle leeftijden tegelijk, niemand kan me zo ontzettend blij en gelukkig maken gewoon door te bestaan, ze is mijn meisje, ze is een stuk van mijn hart. God, help mijn kind, mijn enige kind op deze wereld, bescherm haar, mijn lieve, fantastische dochter!

Ik mag de wanhoop niet de overhand laten krijgen, ik moet bij de les blijven, mijn hoofd erbij houden. 'Achtergrondinformatie', zei hij. Een detail slechts, haar naam zou daar niet hoeven staan.

Door Jan zijn we hierin verwikkeld geraakt. Het is Jan z'n schuld. Wat kan het mij schelen wat Niels doet. Maar Jan. Hij laat de hele flank bloot – hij brengt ons kind in gevaar! Ik kan hem wel vermoorden! Ons kind zomaar in gevaar te brengen! Zodat Niels' helpers haar zo op kunnen pikken, als het zover is. Als het nodig is om Jans verdomde antinazisme echt aan te pakken. Heeft hij mij iets gevraagd?! Nee!

Ergens zit nog een gênante flard – precies – schaamte. De pijnlijke, stuurse, zweterige, smerige schaamte over mijn vergissing. Dat ik met de duivel heb geslapen, hoeven, dwaallichten en dat uitgerekend ik dat aan mijn lijf heb geduld, dat ik huid tegen huid heb gelegen met een kracht die ik niet ken en niet begrijp. Dat ik de ondergeschikte, de zwakste ben, dat ik me niet heb weten te weren. Dat alles is beschamend. Ik word nooit meer schoon. Waar is nu mijn schallende volwassen lach, mijn bewering dat iedereen de hand in eigen boezem moet steken? Iedereen die niet in verzet komt maar berust en zijn eigen mensen naar de muur, het blok, de gaskamer leidt, iedereen die meedoet. Als niemand eraan meedeed was er geen onderdrukking. Maar als je zelf niets in te brengen hebt! Dan hebben de machthebbers alle kans. En je gehoorzaamt, je volgt, je volgt tot in de hel. Wat Morales betreft heb ik ingezien dat ik me heb vergist, dat het kleverige goedje plaksel is van slordig inpakwerk. Ik wil Morales niet tot me door laten dringen, want ik begrijp het niet goed genoeg, ik kan het niet, dat keurige register, die duidelijke pasfoto's over het halve scherm uitvergroot, gemakkelijk te herkennen, en adressen en inkomsten, onroerend goed en schulden, scholen en beroepen, scheidingen en verenigingsactiviteiten, alles zit erin.

Het evangelie van leven in het heden. Voor mij geldt het omgekeerde: als het leven ondraaglijk is, leef ik in het heden. Stap voor stap, ademhaling na ademhaling, van de ene seconde naar de andere. Ik ben er nog. Hier, hier en hier. In een land hier ver vandaan en in een heel andere tijd plande ik. Daar weefde ik dromen en daar geloofde ik in de volgende dag. Toen leefde ik echt, maar nu niet.

Ik leef bij de dag. In het hier en nu. Wat zal er komen? Hoe zal ons zogenaamde trainingskamp zich ontwikkelen? Hij zal toch wel een keer het huis uit moeten? Durf ik dan ook weg te gaan? Zit ik gevangen? Ben ik vrij? Wat hij doet mag toch zeker niet volgens de wet? Om mensen naar ras en politieke overtuiging te registreren, naar inkomen en woonplaats en naar geloof? Kan ik naar de politie? Waarom is hij niet bang dat ik dat ga doen – dat ik naar de politie ga? Waar heeft hij mij nog meer mee in de tang, waar ik niets van weet?

De meeste verkrachtingen vinden zonder geweld plaats, de meeste vrouwen weten dat – het zijn mentale en emotionele verkrachtingen. De afhankelijkheid, het ondergeschikt zijn, afhankelijk van. Dat iemand je in de tang heeft, bijvoorbeeld met een liefde. Of met een kind.

Er staan geen windrichtingen op de kaart.

Göteborg, Solstrålegatan, dinsdag 4 december 2001

Hallo Siv,

Je neemt de telefoon niet op, heb je de stekker eruit getrokken? Ik heb naar je werk gebeld – vind je dat erg? Sorry,
ik maakte me zorgen – en kreeg te horen dat je ziek bent. Ik
hoop dat je weer opknapt! Je hebt aardige buren die vast
voor je klaarstaan. Ik begrijp dat je met rust gelaten wilt
worden, ik zal je niet lastigvallen, ik schrijf ook niet voor
mezelf.
Ik wil alleen even vragen naar Manuel M. We hebben
weliswaar contact met hem gekregen via de mail. Maar
hij wil nog steeds niet zeggen waar hij is. Het drong tot
me door dat jij in feite degene bent die hem het laatst heeft
gezien. We denken dat hij aan een soort oorlogsneurose zou
kunnen lijden, een stresstoestand waarin je waanvoorstel-
lingen hebt, en bijvoorbeeld denkt dat iedereen je vijand is.
Die ziekte lijkt wel wat op een gewone neurose, de patiënt is
ziekelijk achterdochtig. Zo heeft een psychiater het mij in
ieder geval uitgelegd. Daarom wilde ik je vragen of hij
voordat hij als het ware dieper is ondergedoken, iets tegen
je heeft gezegd, wat ons een hint kan geven waar hij nu zit?
Eigenlijk zou ik me totaal geen zorgen maken, als zijn
verloofde niet zo ongerust was. Ze heeft het niet meer en
is er zeker van dat hem iets is overkomen. Ze zegt dat zijn
mailtjes idioot zijn, die van een gek, en ze mailt hem niet
meer. Ze huilt alleen maar.
Zoals gezegd, voor ons is het geen kwestie van hem even
mailen. Tegenwoordig is hij zeer correct, maar heel afstan-
delijk, de achterdocht straalt van de tekst af en zijn taal is

totaal veranderd; hij is uitdrukkingen gaan gebruiken die hij nooit zou bezigen als hij gezond was. We kennen hem een beetje en maken ons steeds meer zorgen. Aan de veiligheidsdienst hebben we op dit moment helemaal niets, ze denken dat hij binnenkort wel weer opduikt. Ik ben daar niet zo zeker van en de psychiater over wie ik het net had ook niet, hij is bang dat Morales een stommiteit kan gaan uithalen, hij leeft immers al heel lang onder grote druk.

Daarom vraag ik je mij zo gauw mogelijk te bellen, ook als je niets weet. Maar toch. Is hij een keer naar het dorp gegaan om bijvoorbeeld een auto te huren of te kopen? Weet je of hij iemand heeft gebeld? Heeft hij absoluut niets achtergelaten?

Als ik niets van je hoor, kom ik naar jou toe, dan weet je dat vast. Misschien doe ik dat toch wel, of iemand anders.

Bel alsjeblieft!

Jan

_____

Onderwerp: Hallo
Datum: Vrij, 7 dec 2001 18:45:26
Van: Niels Holmgren <niels.holmgren@algonet.se>
Aan: Jan Dahlin jan.dahlin@mailbox.swipnet.se

Dat had je niet gedacht, hè, dat ik je nog eens zou mailen? Maar nu kan ik dat. Mijn buurman was zo aardig om het mij te leren en ik gebruik nu zijn computer. Niet alleen zijn computer trouwens, ik zit hier alleen in zijn huis, terwijl hij bij zijn zoon in Småland is.

Wat Morales betreft, hij leek mij gedeprimeerd. Dat is mijn indruk. Om eerlijk te zijn ben ik zelf nogal neerslachtig, dus ik kan het weten. Ik kan het maar beter zeggen ook, dan weet je dat. Zorg goed voor Åsa!

Morales heeft iets gezegd over Noorwegen, hij vroeg hoe ver

het was naar de grens. Ik had toen niet door dat hij gewoon zou aftaaien. Het werd een kort bezoek. Misschien is hij de grens overgestoken. Je schrijft dat jullie bang zijn dat hij zichzelf iets aan zal doen. Maar je schreef toch dat jullie mail kregen? Zolang er mail komt is het toch in orde? Die verloofde lijkt me hysterisch, daar moet je je niet druk om maken. Als ze hem niet eens wil mailen is ze geen knip voor de neus waard.

Noorwegen dus. Langskomen is met andere woorden niet nodig.

Doei!
Siv

Onderwerp: Zozo
Datum: Vrij, 7 dec 2001 23:54:07
Van: Jan Dahlin jan.dahlin@mailbox.swipnet.se
Aan: Niels Holmgren niels.holmgren@algonet.se

Ja, ik ben onder de indruk. Dat had ik niet van je verwacht. De spellingcontrole heb je blijkbaar ook leren gebruiken. Voor de rest lijk je harder geworden. Dus de verloofde van Morales is hysterisch volgens jou? Hoe kom je erbij? Weet je überhaupt wel waar het om gaat? Het kan een zaak van leven of dood zijn, Siv!

Trouwens, ik kom langs als mij dat nodig lijkt, daar kun jij niets tegen doen.

Jan

Hij heeft al zijn werkzaamheden gestaakt en werkt niet meer, terwijl hij het zo druk had. Hij wijdt zich nu alleen aan mij. We hebben vierentwintig uur per etmaal lichamelijk contact, ja, we hebben zelfs samen gedoucht als een verliefd stel. Hij kan niet genoeg van me krijgen, zegt hij. Mijn hart zegt precies het tegenovergestelde: hij heeft genoeg van me! Mijn angst is rustig, passief, bescheiden, ik zet zelfs koffie en ik heb de hond eten gegeven. Als een doodgewoon stel, een heel gewoon echtpaar. Niemand die me mist, ook al zou ik hier – hoelang? – twee weken blijven, tot de Kerst. Maar dan wel. Als hij me maar niet af laat bellen vanwege werk of ziekte, als hij me dat maar niet vraagt. Maar wat zou hij daar voor belang bij hebben?

Hij kan gewoon niet genoeg van me krijgen. Dan zal het allemaal wel in orde zijn. Het is gewoon intensief, meer niet. Als iemand hier het huis binnen zou komen, zou ik niets kunnen zeggen. Wat zou ik moeten zeggen?

Weer die schaamte. En mijn eigen dwaling, mijn onzekerheid – misschien heb ik het helemaal mis, misschien heb ik het allemaal verkeerd uitgelegd? Ik ben ook zo dom. De uren van het etmaal lopen in elkaar over, mijn slaap is een soort bewusteloosheid, heb ik één of tien uur geslapen? Soms komt hij van buiten, één keer met een arm vol reclamedrukwerk en post, maar er zat niets voor mij bij, zei hij, 'slaap jij maar'.

Als we wakker worden na weer een nacht staat hij een hele poos te vloeken nadat hij op de thermometer heeft gekeken. Het is drieëndertig graden onder nul. Na drie seconden buiten komt de hond jankend weer binnen. Het is zaterdag en nog donker. 'Vandaag is de verrassing', zegt hij. 'Dat ben je toch niet vergeten?'

Ik heb een soort kramp in mijn slokdarm. Ik kan niets naar binnen krijgen. Er staan beschuitjes, koffie, boter en kaas voor me klaar. Een beetje koffie gaat er nog wel in, maar meer niet. De boel verkrampt, het schrijnt en doet zeer, ik kan niet eten. Niels ziet niet hoe ik eraan toe ben, hij propt zich vol en zegt dan dat we tot vanavond zullen wachten, dat houdt de spanning erin. 'Alleen jammer dat het zo koud is, maar ik kan wel wat improviseren, dat gaat wel lukken.'

Vandaag gaat het gebeuren, de verrassing, ik zal ervan opkijken.

Rond het middaguur zegt hij dat hij iets moet voorbereiden, of ik even alleen hier kan blijven. Hij moet iets voorbereiden bij mij thuis.

Bij mij thuis! Ik spits mijn oren. Ik ga naar huis. Oost west, thuis best. Daar ben ik op mijn plaats. Misschien voel ik dan eindelijk iets van vaste grond onder de voeten, misschien herken ik mezelf weer?

'Ik zal de deur maar op slot doen', zegt hij. 'Voor het geval er iemand komt, ik ben er immers toch niet.'

Waar, helemaal waar.

Hij kleedt zich warm aan en neemt de sneeuwscooter. Die start bij de eerste poging. Hij heeft een betrouwbare sneeuwscooter. Hij heeft er meer onder dak staan, voor de verkoop. Eén is gestolen, beweert hij, door Morales. Die eigenlijk Moraloos had moeten heten, zei hij. Moraal-loos. Hij moest er zelf om lachen. Ik zie hem verdwijnen, het is niet ver.

Ik stort me nog net niet op de telefoon, maar pak wel meteen de hoorn op. Åsa!

Er komt geen toon. Ik ga ijlings naar de bovenverdieping.

Daar is ook geen toon.

Hij is aangesloten op het net of hoe dat heet, hij heeft een speciale telefoonlijn naar zijn computer – hoe moet dat? Ik klik op de muis, maar niets!

Je belt niet op een computer, je typt. Mailt. En dat kan ik niet. Ik ken ook niemand die zo'n adres heeft.

Hij is nog niet terug. Maar in de verte zie ik Marianne voor haar huis. Ik zie haar dik ingepakt zaadjes strooien op haar vogeltafel.

En hier staat een zaklamp.

Het is weliswaar licht nu, maar toch schemerig, het daglicht is ingetogen. Ik flits met de zaklamp. Het is een sterke zaklamp, ziet ze mij?

Het moet haar toch aan het denken zetten.

Ze doet een paar halen met de bezem over haar veranda voordat ze naar binnen gaat. Ze lijkt me niet te zien. Kwam ze maar hierheen, gewoon zomaar. Misschien zou ze het begrijpen. Of niet – Måns! En die Terje, op wie ze verliefd was, dat was toch een nazi? Misschien zij dan ook? Misschien zou ze het juist prima vinden, zou ze vinden dat ik dankbaar moest zijn en dat ik er niets van had begrepen.

'Nu is alles klaar', zegt hij, 'voor het feest.'

Ik heb hem niet horen aankomen. Er is iets mis in mijn hoofd, er mankeert iets aan de ontvangst, ik hoor en zie niet goed, hoelang heb ik hier naar Mariannes huis staan staren?

'Gaan we feestvieren?' vraag ik.

'Lijkt je dat niet wat?' antwoordt hij. 'Een feestje. Alleen voor jou en mij. Vanavond.'

Vandaag laat hij mij alles zien wat ik nog niet heb gezien. De solide financiële basis, waar verder aan wordt gebouwd. De betrouwbare officieren – die morgen het speciale commando zullen aanvoeren. De banken die zijn geselecteerd voor de gewapende financieringsacties die gaan komen, ja, die komen overal, vooral op het platteland met zijn afgebouwde politiedienst en zijn grote afstanden.

Ik krijg ook de oplossing voor verscheidene, totaal verschillende misdaden die in de krant staan, hoe ze samenhangen, hoe de ene tot de andere leidt in een onafwendbaar plan. Een misdaad hoeft geen doel op zich te zijn, alles hangt samen, je moet strategisch denken, je bewapenen, dwaalsporen uitzetten, de vijand bezighouden. Hij is trots.

En nu bezit ik unieke kennis. Ik ben een bom die op scherp is gezet, zou je kunnen zeggen. Maar ik zou nooit lekken, of wel?

Hij glimlacht zo warm en kust me. Zijn ogen zijn weer eens fluweelwarm, zijn puur zuidelijke uiterlijk vloekt met alles waar hij voor staat, wat hij hooghoudt, het plaatje klopt niet. Nu maakt hij toch zeker een grapje? Wil hij misschien gewoon mijn loyaliteit op de proef stellen?

Maar de registers! De registers! Åsa.

Ze zijn echt. Ik heb het origineel gezien. En de ingescande kopieën, het zijn dezelfde. Hij maakt geen grapje. Niet over de registers.

En niet alleen Jan, niet alleen onze dochter. Ook anderen van wie ik de naam herken, mannen en vrouwen die nog vrolijk en vrijmoedig in de openbaarheid leven, staan daarbij met hun gezinnen aan enorme risico's bloot.

Zonder dat ze het weten.

Het duister valt in. De telefoon heeft verscheidene keren gerinkeld. Doet die het nu wel? Maar hij neemt niet op. Hij zit geheimzinnig te doen met een tas. 'Pak je warm in,' zegt hij, 'het is nu goed koud. We gaan naar jouw huis, daar heb je toch niets op tegen?'

De buitenlamp is aan – welkom thuis. Ik wil huilen van blijdschap dat ik hier weer ben, nu zal alles goed komen en die scherpe klauwen in mijn rug zullen misschien loslaten, mij vrijlaten. We stappen van de sneeuwscooter, voor mijn deur en ik snel als eerste van ons beiden naar binnen.

Ik ben met stomheid geslagen.

Ben ik zo dom?!

Niels heeft de tafel mooi gedekt. Hij heeft mijn linnen tafelkleed gevonden en de servetten, die gevouwen op de borden liggen. Ingeborgs met de hand geslepen wijnglazen en de hoge kandelaars, met daarin kaarsen in de kleur van het tafelkleed, die heeft hij er vast speciaal bij gekocht.

Hij loopt achter mij aan naar binnen en we trekken onze jassen uit. De tas waarmee hij aan het rommelen was zet hij nu op het aanrecht en daar begint hij dessertkaas en toastjes uit te halen, blikjes kreeft en garnalen, olijven, asperges, boter, stokbroden uit de diepvries en een fles. Ja, een fles champagne. 'Nu gaan we het vieren!' zegt hij.

'Wat gaan we vieren?' vraag ik voorzichtig.

'Onze verloving', antwoordt hij luchtig. 'Wil je met me trouwen? Je hoeft nu niet te antwoorden, ik begrijp het als je paf staat en wat je ook antwoordt, ik wil je een feestje aanbieden midden in deze koude hel, dat heb je echt wel verdiend, Siv! Je hebt zoveel doorstaan, maar je bent een kanjer, je hebt jezelf bewezen, nu laat ik je niet langer in het ongewisse.'

Ik krijg mijn schouders niet meer naar beneden, ze zitten vast, opgetrokken, maar ik denk dat de nachtmerrie gauw voorbij zal zijn, hij wil me gewoon verrassen, dat zei hij toch. Ik ben ziekelijk achterdochtig geweest, hij is een excentrieke man. Maar hij zou mij nooit kwaad kunnen doen, hij mag me, hij wil me gewoon een beetje op de proef stellen, hij heeft zich voor me uitgesloofd, hij wil dat het goed met mij gaat, hij wil toch het beste voor me? En daarmee ook voor Åsa, ook voor haar wil hij het beste. Misschien kan ik hem zover krijgen dat hij haar uit het register haalt. Hij wenst ons toch niets kwaads toe? Maar juist het allerbeste. Ik hou niet van hem, maar ik hoef niet bang voor hem te zijn, dat zal straks duidelijk blijken. Die andere dingen moet ik even wegdenken, die staan hier los van, al die dingen waarover hij heeft verteld.

Plotseling voel ik de honger. Die klauwt als een roofdier in mijn maag, het water loopt in mijn mond als ik naar de romige, witte kaas kijk, ik ruik de geur, en het mandje met toastjes, en het stokbrood dat we zo meteen in de oven gaan opwarmen; ik heb dagen niet gegeten, de aanblik van dit eten en de nog ongeopende blikjes bezorgt me knikkende knieën.

Zwijgend loopt Niels naar de tafel en steekt de kaarsen aan. Dan pakt hij een servet en opent de fles, heel professioneel, er klinkt een korte knal, maar er loopt niets uit. Hij schenkt het in de hoge glazen en geeft een ervan aan mij. 'Proost', zegt hij.

Ik proost en neem een slok. Ik mors, mijn handen trillen. Ik wil eten, dat wil ik nu het liefst. Ik denk niet na, ik plan niet. Ik leef bij het moment, wat het hoogste goed schijnt te zijn.

'Er ontbreekt iets, vind je ook niet?' vraagt hij. 'Het belangrijkste moet jij maar halen, vind ik. De laatste keer ging het aan je neus voorbij, heb je me verteld, maar deze keer gaat het zeker lukken, al is het natuurlijk de vraag of we ze open kunnen krijgen. De echte verrassing ligt – in de kelder!'

Al probeert hij nog zo cryptisch te zijn, ik begrijp waarop hij doelt. Hij heeft op de een of andere manier oesters geregeld, als kroon op dit feest! Ik krijg tranen in mijn ogen, ik ben duizelig, ik heb geen bodem, niets in mijn maag behalve champagne en dan dit gevoel van aanwezigheid, van opgaan in het heden.

Er zijn geen andere mogelijkheden, hoe sneller ik terugkom, des te korter duurt het voordat ik eindelijk mag eten, eten. Ik trek mijn jas, mijn muts en mijn wanten aan. Mijn overbroek niet, ook al is het stervenskoud, ik ga immers maar naar de kelder. 'Trek je overbroek ook aan,' zegt Niels, 'ik wil niet dat je kou vat.'

Ik gehoorzaam. Ik ben nu warm gekleed. Ik zou kunnen vluchten.

Waarheen? En dan alles bederven. Wat zou hij dan denken? En doen?

Hij vertrouwt me. Ik mag zijn vertrouwen niet beschamen, dan riskeer ik alles. Bovendien ben ik uitgehongerd.

Ik pak een zaklamp, kijk Niels vragend aan. Hij glimlacht bemoedigend terug. Dan ga ik naar buiten.

Ik volg de verse voetsporen van Niels naar de kelder.

De buitendeur is vastgevroren. Condens van binnen heeft een pantser gevormd. Ik ben bang dat de oude deur bezwijkt, maar ten slotte geeft hij mee en krijg ik hem open.

De warmere kou in de tussengang komt me tegemoet. Ik

schijn uit gewoonte op de vleermuis voordat ik de binnendeur ga opendoen, de vleermuis die mijn vriendje is geworden. Ik heb mijn hand al op de grote houten deurkruk.

Maar hij is er niet.

Hij hangt er niet meer. Nergens.

Daarentegen ruikt het raar, het ruikt naar rotte eieren.

Ik schijn overal en ten slotte op de vloer.

Daar ligt hij. Hij ligt op zijn rug met zijn lichte buikje bloot en zijn vleugels half uitgeklapt. Hij is dood.

Ik duw er voorzichtig tegen met mijn voet. Stijf. Dood.

De geur? De dode vleermuis? Die er zo levend uitziet, alsof hij nog maar net is gestorven. Kan die zo stinken, ondanks de kou?

Het is ook een bekende geur. Ja, die geur ken ik goed. Van mijn werk, daar is die heel bekend, ik zou er niet op gereageerd hebben als mijn bescheiden wintergast, de vleermuis, die ik was gaan waarderen zoals hij daar in zijn winterslaap aan zijn ene klauw hing, in goed vertrouwen, ik was niet blijven staan als hij er nog had gehangen.

De geur uit de leerlooierij, de geur van zwavelwaterstof, het is maar goed dat het stinkt, dan weet je dat het niet gevaarlijk is. Dat is het alleen als de concentratie te hoog wordt, wanneer het niet stinkt. Dan wordt het gevaarlijk. Dan is het afgelopen.

Mijn hand rust zwaar op de houten kruk van de binnendeur, naar de eigenlijke kelder. De doordringende geur prikt in mijn neus.

Ik sta in de kelder waarin tante Ingeborg is gestorven. Nee? Ze is toch buiten in de sneeuw gestorven, terwijl de aardappelen om haar heen rolden?

Maar ze kwam hiervandaan.

En het bandje! Het rode bandje in haar hand.

De verdwenen containers met zwavelzuur en de zakken met zwavelnatrium. Mijn verdenking jegens Mickelsen.

Mickelsen heeft het niet gedaan.

Niels heeft het gedaan!

Als ik de deur opendoe, staat er een schaal oesters op me te wachten en het feest kan beginnen; ik kan gaan eten en misschien kan ik hem tot rede brengen.

Of ik doe de deur open. En dan is er geen geur, want alleen dat kleine beetje dat eruit is gelekt en met lucht is verdund heeft een geur.

Dus ik doe de deur open. En dat is dan het laatste wat ik doe. Ik ga dood.

En wat nog het ergste van alles is: het blijft dan allemaal zoals het is.

Of zie ik spoken?

Maar de vleermuis, die zag geen spoken; die is doodgegaan, die kon niet tegen die bijtende lucht.

En oesters, als ik daar eens over nadenk, waar zou hij die vandaan hebben moeten halen? Hoe stom kun je zijn?

Ik buk en bekijk het snuitje en de zijdezachte buik. Hoe kan iemand dit leuke beestje associëren met spoken en kwaadaardigheid? Hij houdt zijn vleermuisvleugels, die de natuur aan zijn voorpootjes heeft bevestigd, wijd gespreid.

Het heet 'indirect waarnemen'. Groothoekvisie, mijn indirecte waarneming.

Ik heb het aldoor al gezien, maar het is niet tot me doorgedrongen.

Pas nu richt ik mijn blik op wat er achter een omgekeerde ton tussen andere rommel ligt.

Dat lag er eerst niet. Ik zou er niet bij nagedacht hebben en de zuurstofflessen die half achter oude papieren zakken liggen niet hebben opgemerkt.

Ik zou nooit gereageerd hebben. Als ik niet was blijven staan, als de vleermuis mij niet had gered.

Het zuurstofmasker van Niels!

Ik moet mijn wanten uittrekken om de contactsleutel om te kunnen draaien en te starten.

De motor slaat af. Ik heb nog nooit een sneeuwscooter bestuurd, ik doe het te snel en geef te veel gas.

Bij de tweede poging komt hij gierend op gang, en net op dat moment komt Niels het huis uit stormen. Ik zie hem net nog uit een ooghoek, ik bid, ik bid tot alle goden en duivels en met een ruk schiet de scooter weg, net op het moment dat hij bij me is, zijn handen al op de zitting. Hij schreeuwt, ik wil hem niet horen, ik geef gas en huil. Stel dat hij afslaat, stel dat hij afslaat!

Maar hij slaat niet af. Ik dender rechtstreeks het bos in recht vooruit, zo ver mogelijk weg.

In een grote boog. Ja, ik wil een grote boog maken. Terug naar de bewoonde wereld verder naar het zuiden. De Sälenweg oversteken, Grönland in. Bij iemand aanbellen – Katarina? Bescherming zoeken. Åsa bellen: 'Wees op je hoede!' Dan hem tegenhouden, op de een of andere manier de politie bellen: hou die gek tegen, iedereen kan het volgende slachtoffer zijn. Iedereen.

Uit de klauwen van de dood. Ik heb me losgerukt uit de klauwen van de dood. Het was kantje boord, hij wilde me vermoorden die klootzak. Dat wilde hij echt, hij had het gepland, hij had een val gezet, wat was hij slim, het had echt heel weinig gescheeld of ik was… Of ik was dood geweest. Dood, ja, dood!

Zelfmoord? Als niemand het had begrepen, had ontdekt, als ik geen teken had kunnen achterlaten. Zoals Ingeborg had gedaan, zoals ze feitelijk had gedaan. Mijn lieve, lieve tante Ingeborg, Niels heeft het gedaan! Hij wilde de lijsten hebben, hij heeft jou gedood.

Als de vleermuis er niet was geweest!

De tranen stromen en stijven op bij mijn slapen, de springende sneeuwhindernissen en de bomen voor me worden uitgevaagd in het ongelijke schijnsel van de koplamp. Verdomme, ik moet kijken waar ik rij

op hetzelfde moment

rij ik in een greppel, een oude boerensloot, midden in het bos, godallemachtig!

De koplamp schijnt naar beneden op de sneeuw, ik zie bijna niets, de motor draait nu stationair. Ik ben in een greppel gereden, de sneeuwscooter ligt half op zijn kant, alleen maar omdat ik zat te jammeren en te mekkeren in plaats van mijn hoofd koel te houden en te doen wat ik moet doen. Zoals het hoort. Zoals je dat hoort te doen als het oorlog is. In plaats daarvan verraad ik Ingeborg en alle anderen. Mijn tranen zijn egoïstisch, voor eigen gebruik. Ik haat mezelf!

Ik stap af. Zak weg in de sneeuw.

Ik krijg hem met geen mogelijkheid overeind. Te zwaar.

Verdomme. Mijn benen zijn net paaltjes waar ik bovenop zit.

Ik kom hier maar op één manier weg. Op de sneeuwscooter.

Ik ga er weer schrijlings op zitten. Geen tranen nu. Denk na!

Moet je met zo'n brede rupsband misschien achteruit steken, net als met een auto?

Ik druk op een hendel.

Ja. Verhoord.

Wat een geluk! De rupsband van de scooter begint in tegengestelde richting te werken, ik draai aan de stuurstang, ik kom los, ik raak los! De sneeuwscooter gehoorzaamt als een levend wezen, ik ga het redden.

Voorzichtig rij ik achteruit. Probeer dan uit de greppel omhoog te draaien.

Dan gebeurt het weer. De sneeuw is te diep, de ski's snijden aan één kant nog dieper in de sneeuw. Ik graaf me in, dieper ditmaal. Een harde, snelle les – ik begin te begrijpen hoe een sneeuwscooter werkt, geen vierwielaandrijving, maar bandaandrijving. En ski's die snijden. Ik stap weer af. De sneeuw is diep. Geen sneeuwschop, geen hulp, maar een groot en veel te zwaar voertuig waar ik me mee moet zien te redden. En ik moet nadenken. Dat is het belangrijkste.

Ik neem de situatie in ogenschouw in het schemerduister, terwijl iets het puntje van mijn neus, mijn vingers en tenen omdraait.

Dan begin ik met mijn handen onder de rupsband te graven, het gaat snel, ik werk efficiënt. Dan begin ik te stampen, ik stamp de sneeuw om de scooter heen aan zodat die grip krijgt; een vaste onderlaag, niet alleen losse sneeuw.

Ten slotte ga ik weer op mijn plaats zitten en start de motor, ik rij langzaam achteruit en vervolgens vooruit. Ik sta op de ene treeplank, leun zo ver mogelijk opzij, buig door mijn knieën en schommel met mijn lichaam. Hij heeft zich diep ingegraven en ligt bijna op zijn kant, maar het zwaartepunt verschuift dankzij alle avondboterhammen en de rupsband krijgt grip op mijn hard aangestampte startbaan!

Dankzij alle lekkere boterhammen en dankzij God kan ik verder. Nu moet ik naar beneden afslaan, ik mag hier niet langer in het bos blijven, mijn vingers zijn al gevoelloos, mijn gezicht een masker. Ik geef gas en rij zo hard ik durf en ontwijk de ene boom na de andere; voor mij duikt een door de koplamp verlicht, abstract landschap op. Ik ben in de vrije natuur, heerlijk vrij, bevrijd. Had ik maar een gemarkeerde route om te volgen!

Je moet koelbloedig en doelgericht zijn – zo is het maar net.

De sneeuwscooter gromt als een gehoorzaam trekdier onder mijn lichaam. Nu niet denken. Vooral geen diepe gevoelens.

Maar liefst wel gewoon gevoel in mijn handen, ik ben verdoofd door de kou.

Eindelijk zie ik de eerste lichten van de bewoonde wereld, de straatverlichting in het eerste kleine dorpje met oude verlaten boerderijtjes en moderne villa's van luxe witte steen langs de oude weg naar de zomerwei. Ik ben er bijna, bijna, bijna ben ik er – het leven!

Hij zit vlak achter me! Het motorlawaai onder me heeft mijn hersenen tot nu toe overspoeld. Zijn sneeuwscooter glijdt geruisloos als een spookschip vlak naast me door de losse sneeuw. Hij grijnst, smaalt of grimast; dat is niet te zien achter zijn veiligheidsbril. Het licht van zijn koplamp valt bijna samen met dat van de mijne.

Hij wil me de pas afsnijden. Hij wil me stoppen, me vangen, me vernietigen. Ik zie dat hij een scooteroverall en dikke handschoenen aanheeft en een helm heeft opgezet; hij is heel goed beschermd, dat ben ik niet.

Ik slaag erin weg te sturen, een scherpe draai en ik sla niet om. Ik keer om, wat kan ik anders, hij zit achter me aan. Ik heb in ieder geval zíjn sneeuwscooter, waarschijnlijk die met de meeste paardenkrachten. De sneeuwscooter die niet te koop staat, die van hemzelf. Daar rij ik op. Ik ben in het voordeel.

Maar hij houdt me bij, merk ik. Een sterke machine, daarvan heeft hij er meer in de verkoop, maar die zijn toch niet volgetankt? Die van hem wel, dat weet ik, die heeft altijd een volle tank.

Als ik hem maar voor kan blijven. Hij zal stil komen te staan, hij zal moeten lopen – ha! Door de diepe sneeuw. Hij zal terug moeten ploegen, in beweging moeten blijven, zich warm moeten houden. Ik zal zijn dood niet veroorzaken, maar als hij aankomt heb ik de politie allang ingeschakeld, ook al moeten ze ervoor uit Älvdalen komen. Dan kan hij zich er niet meer uit draaien, denkt hij soms dat mijn onberekenbaarheid maar tijdelijk is?

Hij denkt dat hij mij bang kan maken. Dat zal niet lukken, ik hou mijn hoofd koel. Evenals mijn hart. Er is toch geen gevaar en zelfs als een teen bevroren raakt of mijn brede achterste, wat maakt dat uit, ik hou genoeg over om op te zitten. Deze keer krijg je me niet, Niels, ik heb de sterkste scooter, met de volste tank, deze keer maak ík toevallig de dienst uit.

Hij drijft me voor zich uit in een groteske race tussen sparren en dennen door, bij vijfendertig graden onder nul. Onze motoren grommen en brullen als gewonde roofdieren, ze hotsen en ik vlieg, ik vlieg als een schansspringer, kom met een plof neer en vervolg mijn rit met steeds grotere snelheid.

Ik sta half op de scooter, ik moet wel staan vanwege de zwaartekracht en de middelpuntvliedende kracht, ik moet met mijn lichaam tegenwicht bieden. Ik zwaai naar links en ik zwaai naar rechts en pareer alle plotselinge slingerbewegingen, ontwijk de bomen, ontwijk Niels, ik slalom maar door. Vreemd dat ik hem niet af kan schudden. Ik ben zeker te laf, ik durf niet zo hard te gaan als hij.

Dus geef ik nog meer gas, het gaat met een duizelingwekkende snelheid door het dichte bos. Hoe hard kan een sneeuwscooter eigenlijk? Ik heb ze als een pijl uit de boog over de rivier zien stuiven. Bij vrij zicht misschien tweehonderd kilometer per uur. Een ongehoorde kracht onder mijn lichaam dat volledig onbeschermd is, mijn hoofd ook, maar van het gezwoeg met de machine staat het zweet me op de rug, ondanks de kou; daarentegen zijn mijn handen en voeten doof, ik heb er geen gevoel meer in.

Hij drijft mij aldoor verder op, wat vreemd dat hij het tempo vol kan houden, we dwalen steeds verder af naar de wildernis. Ik merk dat we onderweg zijn naar het verlaten land achter de boswegen en zomerweiden, we zijn onderweg naar de wilde natuur, waar de hoge dennen vanzelf dood mogen gaan en omvallen en blijven liggen totdat ze vermolmd zijn in de milliseconden van de eeuwigheid.

Hij drijft me voor zich uit, zoals ze vroeger een kudde koeien verweidden. En bijna over hetzelfde pad, het gaat de hele tijd omhoog. Wat wil hij, waarom laat hij me niet stoppen als hij nu toevallig een scooter heeft die sneller is dan die van mij?

Ik zou plotseling kunnen afremmen. Stoppen. Hem ter verantwoording roepen en vragen wat de bedoeling is, wat hij wil?

Nee, brave Hendrikje, nee. Zo dom ben ík zelfs niet. Het is geen vergissing, denk aan de lijsten! Denk aan Åsa's naam! Het is geen vergissing, hij had mooi gedekt, vond ik. Een val moet met zorg gezet worden, dan trapt de prooi er grif in. En ademt gif in, grif gif in.

Nu ben ik een ijspilaar. Op een sneeuwscooter. Binnen het ijspantser flakkert een vlammetje – dat ben ik. De rest is alleen een lichaam dat zo koud is dat het gevoel in armen, benen, handen en voeten weg is, vooral in handen en voeten. En mijn hoofd. Ik heb een dunne muts. Mijn gezicht weg, voeten weg, handen weg, maar mijn longen doen het, dat weet ik, want de lucht wordt uit me geslagen als de scooter neerkomt, hobbel na hobbel, sprong na sprong. Een dolle rit, iedere ademhaling doet zeer, het voelt alsof ik bijtend zuur adem, straks kan ik niet meer sturen, ik ben helemaal stijf. Stel je voor dat de benzine opraakt, daar kijk ik naar uit, dan moet hij voor me zorgen en me weer terugbrengen.

Ik heb nog niet tot me laten doordringen dat het zo niet zal gaan. Ik moet mezelf in leven houden en ik hoop dat zijn benzine gauw op is, zodat ik weer langs hem heen de andere kant op kan rijden en hem hier met een lege tank kan laten staan.

Hij rijdt achter me. Hij zit de hele tijd al vlak achter me. Waarom haalt hij me niet in? Waarom probeert hij me niet te laten stoppen?

In plaats daarvan drijft hij me voor zich uit, hij dirigeert mij een kant op die ik absoluut niet zelf heb gekozen.

Ik moet harder rijden! Ik moet van hem weg kunnen rijden, ik ben gewoon te laf.

Ik zit midden in een grotesk flipperspel; in het schijnsel van de lichtkegel snellen de bomen op me af en het bos is dichter geworden. Ik knal met mijn hoofd tegen een tak en weg is mijn muts – en bijna mijn hele hoofd! Ik heb dus nog wel gevoel. Andere takken schrammen me, zwiepen tegen me aan, ik moet iets zien, ik moet iets zien, ik moet vrij zicht hebben! Ik knipper ik knipper.

Knipper.

Het stroomt. Ergens van boven komt een warme stroom, het brandt. Ik doe een haal met mijn want, ik sta nog steeds en wijk uit voor de ene boom na de andere, ontelbaar veel bomen. Ik duik en volg de sprongen van de machine en de lichtkegel springt ook. Het hele leven is een flipperspel, mijn muts is weg!

Het is vijfendertig graden onder nul!

Niet bang worden nu; angst is levensgevaarlijk. Niet bang zijn, je hoofd is beschermd, je hersenen zijn ingebed in zaagsel, verdomde stomkop. Niet bang zijn nu, volhouden. Hoe ver ben ik al gekomen, wanneer is de benzine eigenlijk op? Negentig procent van de warmte verlaat de mens via het hoofd, heb ik gelezen. Ik ben bang en ik ben bang om bang te worden. Geen probleem, Siv, geen probleem. Alleen je neus en oren, verder geen probleem, Siv, niet bang zijn!

Plotseling zie ik de brand. Ja, ik denk dat het brand is, het walmen van dikke witte rook en ik koers recht op dat witte af. Ik moet uitwijken

dan besef ik dat de rook uit de rivier omhoogwolkt. Ik ben nu bij de rivier, de felle kou, het contrast tussen het stromende water van nul graden en de luchttemperatuur. Het dampt, het wolkt geluidloos op. Ik hoor het dreunen niet, alleen het geluid van mijn eigen motor. Hij drijft me recht naar de rivier! Nee! Hij wil me laten verdrinken! De oevers zijn steil, de stenen gepantserd en glibberig. Onder de ijsvloer stroomt de rivier snel en gevaarlijk, hij slaapt nooit. Ik ben nu aan de beurt, dus wat maakt het uit

ik volg de rivier zo ver mogelijk, zijn scooter hijgt bij mijn dijbeen, hij laat mij continu naar het noorden sturen, het is puur een kwestie van tijd, dan duikel ik de rivier in

dan zie ik de smalle brug van ijs, de rechte richel, een miniweg van tien centimeter breed, een pseudoweg, een speelgoedrijstrook, mijn enige kans, ik geef vol gas en gooi mijn hele lichaam in de strijd

en vlieg erover

staande als de berijder van een gierende motorfiets in een ouderwets velodroom

waar de wet van de zwaartekracht niet meer geldt, ik land in de bosjes, haal mijn huid open

de rivier zit tussen ons in, ik heb het gehaald!

Maar het is een korte vreugde. Ik zie zijn lichtkegel alweer in de sneeuw schuin achter me. Wat ik kon, kon hij ook! Samen uit, samen thuis. Hij is erover

niets blijft er over behalve de verdrinkingsdood of een andere dood. Maar ik ben niet van plan om het op te geven, ik vecht door zolang er nog een druppel bloed door mijn lichaam stroomt.

Naar boven. Dicht bos. Zwiepende sparren, heb ik sneeuw onder mijn kleren gekregen of loopt het zweet me over de rug? Alleen het geluid van mijn eigen motor, niet die van hem, hij is de spookruiter schuin achter mij, in de flank. Ik zie zijn fladderende lichtkegel nu eens omhoog dan weer omlaag schijnen, net een spelletje, hij zit me op de hielen, maar hij haalt me niet in, hij heeft me op de korrel, hij speelt. Ik voel dat hij plezier heeft in deze race. Hij is een ervaren scooterrijder, hij kan veel harder rijden dan ik als hij wil.

Steeds steiler, deze sterke machine! Alle concentratie – de balans, de bomen, de snelheid, de helling voor me, geen andere kant om op te gaan. Ik durf niet eens af te buigen, bang voor wegzakken, vast raken, nogmaals stil komen te staan.

Ik hou vol en de tijd verstrijkt. Ik weet alleen van bomen en sprongetjes en sneller rijden helpt niet. Misschien uren, een heel leven of millisecondes, de tijd is voorbij, ik besta alleen in dit moment, mijn lichaam wordt zover uitgerekt dat het gewoon niet meer zou moeten kunnen en ik hou vol, hou vol. Ik slinger, wijk uit, draai, knal recht een nog steilere berghelling op, die naar de hemel leidt, duizeling, ik zie alle sterren boven de toppen van de bomen

ik ben boven

de scooter stopt

pal tegen het reusachtige onder de sneeuw verborgen altaar, de getimmerde en met stenen gevulde barbecueplaats, en om mij heen tientallen kilometers open zee, een boszee, golvend versteend, en, opgesloten in de heersende bittere kou, de maan

ja de maan is opgegaan, die laat zijn licht vloeien, wedijveren met dat van de sterren met ijsgroene ringen eromheen

mijn motorgeraas is verstomd, maar er dreunt nog een tijdje een motor, dat is die van hem.

Hij parkeert zijn scooter naast de mijne en schakelt de motor uit, het wordt donker.

Het wordt stil.

Alleen het licht van de maan, maar toch is alles duidelijk en mooi als op een schilderij.

Ik verroer me niet. Hij stapt af en ploegt naar me toe.

Hij gaat achter mij op de zitting zitten en slaat zijn armen om mijn middel. Hij leunt met zijn hoofd tegen mijn rug, hijgt en lacht.

'Je bent een sneeuwscooterrijder van jewelste', zegt hij. En hij lacht weer. Een hele poos. Hij heeft zich wel vermaakt.

'Verdomme, Siv. Wie had dat kunnen denken. Een echte rallyrijder. En hoe je over de rivier bent gegaan – over het water, als een echte prof!'

Hij lacht en hijgt. Het maakt mij niet uit, ik ben alleen een lichaam en dat beurse lichaam jammert, maar mij kan het niet schelen. Ik leef in het heden, bij de seconde, mij maakt het niet uit, ik ben niet eens benieuwd.

'Je moet het niet persoonlijk opvatten', zegt hij dan. 'Maar ik heb geen keuze. Je hebt de hele tijd de kans gehad een hand uit te steken, om te reageren op de signalen die ik je duidelijk genoeg heb gegeven. Ik heb je in feite alle kans gegeven! Want ik heb tot het laatst toe hoop gehad. Maar jij bent niet uit het goede hout gesneden, we kunnen jou er niet bij hebben, ook als je nu plotseling wel zou willen, ook als je als het ware onder de galg tot inkeer zou komen. Je hebt van die mensen, die zijn niet uit het goede hout gesneden.

Het kan discreet. Ik heb mijn trucjes, als je die oesters gewoon was gaan halen, hadden we nooit aan deze wilde rit hoeven beginnen. Hoewel ik er ook wel blij om ben, want ik heb een alibi. Ik ben eigenlijk in Kalmar, zie je, bij mijn zoon Mikael en zijn vriendin. Dus als jij, die bekendstaat als impulsief en onbe-suisd, het in je hoofd hebt gekregen om stiekem mijn sneeuw-scooter te lenen midden in de ijskoude winter, omdat jij als mens uit de grote stad niet het verstand hebt om ontzag te hebben voor de krachten van de natuur, dan kan ik het niet helpen, ook al doet het me natuurlijk verdriet.

Je hoeft niet alles rond te bazuinen. Ongelukken komen voor, mensen begaan vergissingen. Jij weet dat, kijk maar naar Bengan, hoe stom die was. Toen ging het ook zoals het ging en dat kan ik toch niet helpen, of wel?

Hij zweeg en zwijgen zul jij ook.

Je deed er goed aan om hier de berg op te rijden, om mij bij de rivier te slim af te zijn. Die variant was anders mooi geweest, net als bij onze goede Manuel Morales, zaliger nagedachtenis, maar dit is beter: nieuw en nog niet eerder uitgeprobeerd.

Dom gansje uit de grote stad, zomaar op weg gaan zonder helm! Je muts ben je ook kwijt, maar je mag helaas de mijne niet lenen, zo intiem gaan we niet worden. Je bent vast in de war geraakt na de klap op je hoofd toen je je muts kwijtraakte. Daarom schatte je je snelheid verkeerd in toen je hierboven terechtgekomen was en daarom maakte je de luchtreis die je straks mag beleven. Een mooier uitzicht heeft een verongelukte nog nooit gehad. Misschien pleeg je zelfmoord, nu ik er nog eens over nadenk. Ja, dat kan, dat zal het zijn. Pas gescheiden en ongelukkig, zonder opleiding en met ontslag bedreigd; je hebt Jan zelfs gemaild dat je depressief bent – dat mailtje zal hem weer te binnen schieten. Dat leidt weliswaar naar mij, want je hebt de mail met mijn computer verstuurd, maar ik kan helaas alleen maar getuigen hoe je keer op keer hebt gedreigd jezelf van kant te maken, daarom durfde ik het niet uit te maken, ook al was je vreselijk veeleisend en bijna psychotisch. Je meldde je ziek en ten slotte wilde je alleen zijn en ik was zo totaal óp dat ik naar mijn zoon ging, ik wilde eindelijk tot rust komen, had ik het maar geweten, dan…

Vind je dat goed klinken?

Wat is het verdomd koud. Op een avond zoals deze! Ik zal het ritje gemakkelijk maken voor je, Siv, wacht maar. Zie je de zendmast daar in de verte, dat rode licht, straks zweef je boven de afgrond, Siv, straks is het voorbij.'

Hij buigt voorover maar geen kus godzijdank. Hij draait het contactsleuteltje om en start de motor.

De koplamp verlicht lage, door de wind geteisterde, met sneeuw bedekte sparren. Daarachter is het zwart. De ruimte. Een steile afgrond, een paar honderd meter recht naar beneden. Achter de lage sparren wacht de eeuwigheid. Beneden in de diepte wacht een zee, een boszee van bevroren en verstijfde golven. Nu is het mijn beurt. Ik kan er niets, helemaal niets tegen doen.

Hij rijdt achteruit van de barbecueplaats af en begint dan rustig vooruit te rijden, naar de steile rots waar de afgrond begint, ik voel zijn lichte gewicht tegen mijn rug.

Hij gaat met me mee! Ik neem hem mee in mijn val, dat is het laatste wat ik ga doen!

Maar alsof hij mijn gedachten heeft kunnen lezen terwijl ik compleet stil en apathisch op de scooter zat, stopt hij het voertuig en laat het stationair draaien. 'Je jas is uitgezakt tijdens de val', zegt hij. 'Je armen raken erin beknel, bij de grote klap op de grond, de enorme buitelingen. Als er al iets overblijft.'

Hij trekt mijn rits een stukje naar beneden, rats, en dan trekt hij mijn jas naar beneden tot op mijn ellebogen. Ik zit nu in een bankschroef, ik moet gaan praten. Ik moet hem aan de praat houden. Ik moet iets verstandigs zeggen, hem bang maken, hem smeken, hem op de een of andere manier zien te raken. Mijn afschuw opzijzetten. En mijn waanzinnige angst. Alle sterren in de ruimte. De kleine minigolfjes in de diepte – de toppen van de bomen. Angst!

Maar ik kan geen woord uitbrengen. Ik ben verstijfd van angst.

Helemaal alleen. Terug in mijn tegeldroom, een supersnelle

clip. Ik herinner me een interview. Een overlevende zei: 'Het ergste was niet het moorden op zich. Maar het in de steek gelaten zijn. Dat het niemand iets kon schelen, niemand op de hele wereld. Dat we in de stilte verdwenen – de onverschilligheid van de rest van de mensheid, dat was het ergste.' Niels neuriet.

Plotseling heeft hij een koord in zijn hand, is hij van plan mij eerst te wurgen?

Nee, hij slaat het koord om het rechterhandvat van de scooter. Hij wil de gashendel aantrekken zodat ik wegschiet de oneindigheid in; dat heeft hij zeker zo uitgekiend. 'Zo heb je dat gedaan, zelfmoord plegen', zegt hij. 'Je was praktisch ingesteld en niet dom, je durfde niet op je eigen tegenwoordigheid van geest te vertrouwen, dus vertrouwde je op het koord. Het is blauw, jammer, want je hebt een voorliefde voor rood, heb ik begrepen. Het kan raar lopen! Nu laat ik je gaan. Dichterlijk, hè – yes, just in time!'

Hij lacht.

Doe het niet, wil ik smeken. Maar mijn stem is verdwenen. Het is knisperdroog in mijn keel, niets te horen. Ik ben al een postpakketje, ik heb geen schijn van kans.

De motor draait stationair. 'Doei, Siv,' zegt hij, 'jammer dat het zo moest aflopen.'

Dan trekt hij het koord aan om de gashendel.

Ik schiet ervandoor. Recht op de afgrond af, nog maar een paar armlengtes, ik doe mijn ogen dicht en sluit me af, zink weg in mijn wanhoop.

De motor brult

een harde knal

een vlammend licht, mijn wanhoop slaat hard tegen de bodem

van mijn wilde paniek.

Duisternis.

De muziek is grandioos, dramatisch. De grote luidsprekers braken het geluid uit over de baan, over de tribune, dat weerkaatst wordt door de lege stoelen en weergalmt tegen het ijs en het ijs is glad. Nog zonder krassen. Haar pakje is zwart met pailletten, net als dat van hem. Wat een dans!

Haar taille is smal en haar schouders zijn bloot; ze is mooi en haar benen zijn stevig, sterk. Ze zweeft over het ijs in een wijde boog, ver bij hem vandaan, maar met hem als middelpunt. Hij maakt een inleidend sprongetje, ze dansen nog ver van elkaar, met grote slagen op het gladde ijs. De schijnwerpers volgen hen, werpen zwarte schaduwen, het licht is fel, twee schijnwerpers volgen hen, geconcentreerde lichtkegels. Haar haar wappert, het hangt gedeeltelijk los, haar lichaam is één met de muziek. Ze voert het tempo op. Nog een heel eind bij hem vandaan stapt ze weg met snelle, heel snelle slagen, maar met hem als focus. Terwijl hij in de middelpuntvliedende krachten leeft en steeds vermeteler staaltjes van zijn kracht laat zien.

De muziek drijft hen naar binnen, naar het centrum. Hun vingertoppen raken elkaar net, beroeren elkaar in een muzikaal crescendo! Dan glijden ze weer uit elkaar, als gedreven door een overmaat aan energie, maar alleen om elkaar weer op te zoeken, dichterbij, dichterbij, dichterbij.

Plotseling grijpt hij haar resoluut en zonder aarzeling beet, hij tilt haar op draait met haar rond. Ze glijdt over hem heen naar beneden met haar armen en benen om hem heen. Nu dansen ze samen, hij achter haar, zij onder hem, zij boven hem, hij boven haar. Zo licht dat ze zweven, hij gooit haar omhoog en vangt haar op, weer glijdt ze over hem heen naar beneden, bedekt hem met benen, met armen, met huid en met haar. Dan buigt hij voorover en haar haar sleept over het ijs, wanneer ze met haar hoofd achterover razendsnel achteruitglijdt, haar ene been vastgehaakt aan zijn rug.

Dan pakt hij haar voet, de schaats wordt een handvat, hij slingert haar rond. Ze verdwijnt in de extase van de middelpuntvliedende kracht en de muziek nadert haar climax, wanneer ze meerdere keren achtereen onverwachte, plotselinge sprongen maakt, alsof ze over zichzelf heen stapt. Geen publiek, alleen deze twee mensen in het licht van de schijnwerpers en de lange zwarte schaduwen, en de dans is voorbij. Nat van het zweet worden ze verenigd en glijden samen, worden één daar op het ijs.

Ze zakken in elkaar. De schijnwerperkegels gaan uit en de muziek verstomt.

Totaal uitgeput kijk ik op en ik zie Jan.

Hij was het aldoor.

Het wordt donker. Zacht golvend donker.

Alles is voorbij.

Het doet pijn.

Helse pijn! Er zit een ijzeren band om mijn hoofd met scherpe schroeven die tegen mijn schedel drukken, het doet zo vreselijk veel pijn en dat gejammer, dat klaaglijke gejammer, dat monotone en gutturale geweeklaag, kan dat mens haar mond niet houden? Dat gekerm van haar is nog een extra kwelling erbij. Doe

ik dat!?

Ik kan er niets aan doen, het kwaad moet eruit.

De braakneigingen helpen mij uit mijn bewusteloosheid en ik kom bij kennis.

Ik schiet overeind en probeer op de vloer te kotsen, maar het gaat niet. De vloer? Waar ben ik? Mijn adem dampt, het is onder nul, maar ik ben ergens binnen. Ik herken de geur niet, niets.

Ik laat me weer zakken – in mijn bed? Iets zachts, onder mijn hand? Iets harigs – ik deins terug.

Maar het is een vel. Ik hoor het knetteren van een vuur. In het

331

licht ervan zie ik vaag een mij totaal onbekende kamer, een huisje, dat beweegt en zich in bochten wringt in het schijnsel van de vlammen.

Ik probeer na te denken. Dat lukt niet. Ik zak weer weg.

De volgende keer word ik wakker van het geluid van een motor. Een sneeuwscooter. Adrenaline gaat razendsnel door mijn lichaam, het doet pijn, ik word weer misselijk.

Dan gaat de motor uit. Ik hoor gevloek en gekreun en er gaat een deur open. Er schuurt iets langs de muur, er klinkt gerammel en gekletter en dan komt iemand de kamer in waar ik lig.

Ze zijn met zijn tweeën. Het doet pijn om mijn ogen te bewegen, maar voor het schijnsel van het vuur zie ik hen en ik krijg een nieuwe adrenalineschok. Het zijn Niels en Måns!

De twee makkers. Natuurlijk!

Moeizaam wordt de film teruggespoeld, er is iets vreselijks gebeurd. Ik herinner me de lijsten en Niels. Ja, ik logeerde bij hem, het was ziek, het was fout, ik was gebonden. Gebonden zonder touw, ik zat vast met mijn eigen ziel, die mij gevangenhield. Hij had mij in zijn macht, ik was willoos in zijn hand en toen?

Er is iets vreselijks gebeurd, maar ik weet niet meer wat!

Iets dreigends. Een doffe klank. Måns gooit Niels om. Die neervalt op een bed dat aan de andere kant van de kamer aan de muur vastzit. Niels jammert. Jammert?

Of ben ik dat? Iedere hartslag is een kwelling, mijn arme hoofd, mijn handen, mijn voeten. Maar ook mijn borst. In mijn borst doet het zeer. En mijn keel! Ik heb zeker iets scherps ingeslikt. Iets scherps of stekeligs, mijn slikfunctie.

Ik hoor Måns, hij is bezig met het vuur. Dan komt hij naar me toe. Zijn gezicht boven me.

Wat is er gebeurd?

Het is vreselijk? Iets is vreselijk.

Ik ben in gevaar. Ben ik geslagen? 'Hoe is het me je, Siv?' vraagt hij en hij schudt me zachtjes door elkaar, terwijl ik tegelijkertijd Niels verderop in het bed aan de andere kant van het vertrek hoor steunen.

De herinnering komt terug en slaat in als een bom. Ik ga dood. Zou doodgaan. Ik zou de afgrond in storten van de steile helling af, en landen in de zee van stijfbevroren bos.

Wat is er gebeurd? Heeft hij zich bedacht en heeft hij mij ergens anders heen gebracht en hulp gehaald – van Måns? Gaan ze het op een veiliger manier doen, zodat ik nooit word gevonden, zodat het nooit aan het licht zal komen?

Ik ben maar een postpakketje en iedere hartslag, iedere ademhaling doet pijn. Ik verwacht nergens meer iets van.

'Siv!' zegt hij weer. 'Je bent toch wakker? Er is hulp in aantocht, Siv. Je hoeft niet meer bang te zijn. Je moet warm worden, maar niet te snel, zeiden ze, dus dit is precies goed. Ik help je wel. Hier!'

Hij pakt me bij mijn schouders en trekt ergens aan achter mijn rug. Ik ben stijf. Hij tilt me op. Voorzichtig? Hij is voorzichtig!

Hij stopt een groot kussen achter mijn rug. Dat ruikt lekker en knispert als ik me beweeg, het is gestopt met hooi. Dan haalt hij de dop van – een thermosfles?

Ja, een thermosfles. En hij schenkt in en houdt het bekertje aan mijn lippen.

'Drinken', zegt hij. 'Het is gewoon warm water met suiker. Mijn oma had geen tijd om iets anders klaar te maken. Ze heeft er snel wat heet water uit de kraan in gedaan en een paar klontjes suiker zo uit de suikerpot. Ze joeg me op, zei dat er haast bij was. Ze begreep dat je er misschien wel slecht voor stond. Het was een geluk dat ze mij zo opjutte, anders was ik te laat gekomen.'

Het kan vergiftigd zijn, denk ik, zonder naar hem te luisteren. Maar ik ruik niets. Wel voel ik de warmte aan mijn lippen.

'Je moet drinken', zegt hij weer. 'Het kan nog even duren voordat ze komen. Je moet warm worden van binnen. Dat is het belangrijkste. Straks wordt het hierbinnen ook boven nul. Het was kantje boord, Siv!'

Wat bedoelt hij eigenlijk? Ik probeer een simpele vraag te stellen, maar mijn stembanden werken niet mee, ze gehoorzamen me niet. Mijn keel is op de een of andere manier verlamd, ik kan alleen mijn mond bewegen. 'Drink maar', zegt Måns.

Dan drink ik. Het is warm suikerwater.

Het loopt vreemd genoeg langs de pijn in mijn keel heen. En in mijn maag.

Het is lekker.

Ik neem nog een slok. 'Goed zo, Siv', zegt Måns. 'Je redt het, je redt het! Ze begreep meteen hoe laat het was en als ik niet net op dat moment was gekomen was ze zelf op pad gegaan, ze is er gek genoeg voor. "Ze zijn weggegaan! Elk op een sneeuwscooter! Met deze kou!" Je had moeten horen hoe ze tegen me tekeerging. "Ik ga achter ze aan," schreeuwde ze, "ik weet al zo lang waar Niels mee bezig is en ik denk dat hij Siv iets aan wil doen." Een geluk dat ik in haar plaats kon gaan, ze had het niet overleefd, het oude mensje.'

Hij geeft me nog een slok en kijkt me peinzend aan. 'Ja, het had echt weinig gescheeld, Siv. Ze zullen hier zo wel zijn. Mobiel bellen gaat hiervandaan niet, maar op de Berg had ik bereik, toen ik Niels ging halen. Ik geloof niet dat ik nog weer helemaal terug had kunnen rijden. Hij zegt dat je zelfmoord probeerde te plegen en dat hij je tegen wilde houden. Klopt dat?'

Ik schud mijn hoofd. Nee, dat klopt helemaal niet. Maar wat maakt het uit? Wat kan Måns dat schelen?

Mijn tranen komen uit innerlijke, nog hete bronnen. Ze stromen warm over mijn stijfbevroren wangen. Je leeft, troosten ze. Je krijgt uitstel.

'Dat dacht ik wel', zegt hij. 'De situatie leek me nogal duidelijk toen ik over de laatste heuvel kwam en hem daar werkeloos toe zag kijken, terwijl jij recht op de afgrond af reed. Sorry, Siv, maar ik kon maar één ding doen: jou rammen. Weet je er nog iets van?'

Ik schud weer mijn hoofd. Ik herinner me het koord om de gashendel en de wetenschap dat het gedaan was. Verder is het zwart. Mijn tranen stromen, ik kan niets zeggen. Waarom vraagt hij dat? Måns? Hij hoort immers bij de bende van Niels, hij heeft zelfs in de gevangenis gezeten voor zijn overtuiging. Heeft hij me geramd?

In het bed aan de overkant ligt Niels te jammeren alsof hij erge pijn heeft. 'Hij heeft een gebroken been', legt Måns uit. 'Wat kon ik anders, ik moest hem wel aanrijden toen hij naar zijn scooter rende, hij leek mij gevaarlijk, misschien had hij een wapen, dat kon ik niet weten. Ik reed hem aan en ik had de situatie dus helemaal juist ingeschat. Maar dan zegt hij dat het allemaal een misverstand is – wat moet je dan geloven? Maar het was dus geen misverstand. Nee, nee. Hij probeerde je echt van kant te maken? Waarom?'

Ik geef geen antwoord.

Hij legt zijn hand op mijn arm en zucht. 'Het was hem bijna gelukt. En nu kan ik die klootzak een beetje gaan verzorgen. Ik had hem daarboven moeten laten liggen, dan had hij van het uitzicht mogen genieten, dat was zijn verdiende loon geweest, maar ja, ik ben te weekhartig.'

Mijn eerste woorden: 'Waar ben ik?'

Måns glimlacht. Hij is anders dan anders. Geen pruim. 'In een kraakpand', zegt hij. 'Ik heb een zomerboerderijtje gekraakt, het dichtstbijzijnde vanaf de Berg gerekend. Een kilometer lager ongeveer. Hiervandaan loopt een weg. Die is niet sneeuwvrij, maar ze zullen hier wel kunnen komen. Hoewel, "gekraakt". De sleutel lag in een blikje. Het was een zware rit hierheen met jou als een slappe homp voor me op de scooter.'

'Ik moet lijnen', fluister ik.

'Ja', lacht hij. 'Maar nog niet, want je bent gewond geraakt toen je van de scooter af vloog en ik je niet op kon vangen. Je bent met je hoofd op een boomstronk terechtgekomen. Vandaar die sjaal als een tulband om je hoofd gewikkeld, had je het al gevoeld? Het zal wel pijn gedaan hebben. Ook al raakte je buiten westen. Doet het nu pijn?'

Ik knik. Mijn hele hoofd staat op springen. Niet knikken. 'Hoe is het mogelijk', fluister ik, 'dat je ons hebt ingehaald?'

'Dat zeg ik, dat is allemaal de verdienste van mijn oma. Ze heeft me op weg gejaagd. Ze beweerde dat er iets helemaal mis was, dat ze het allang had geweten, maar nu was het dringend. Ze had de lichtseinen begrepen, zei ze. Er was geen tijd om te discussiëren, ik moest gewoon de scootersporen volgen, droeg ze me op. En ze zorgde ervoor dat ik me goed inpakte en ze gaf me een vel mee en de thermosfles. Zoals je weet heeft ze een mooie scooter en jullie hadden als het ware een spoor getrokken. Jullie inhalen was geen probleem. Bij de rivier had ik mijn bedenkingen, maar toen dacht ik: wat zou het. Wat jullie kunnen, kan ik ook. Ik vloog als een zwaan. Ze zei niet wat er was, alleen dat je in gevaar was. En Niels spoort niet, dat wist ik al, dus het was gewoon een kwestie van plankgas geven, die man heeft totaal geen grenzen. Niet zo raar misschien, hij is immers familie van de Walles die eigenaar was van het Lisellse Huis. Die een Joods vernietigingsregister had aangelegd voor de Duitsers als ze Zweden kwamen bezetten, daar heb je vast wel over gelezen.

Ik ben je getuige', zegt hij dan. 'Ik heb gezien wat ik heb gezien. En als je denkt dat ik nog steeds geloof in de superioriteit van het blanke ras, dan heb je het mis. Ik ben tot inkeer gekomen. Mijn oma heeft me op betere gedachten gebracht.'

'Hoe?'

'Ze heeft verteld over opa. Mijn moeders vader. Hoe ze zijn nazisympathieën door de vingers zag en hem vertrouwde, maar hoe hij toen overal voor wegliep. Dat hij zei dat hij haar geld zou sturen en haar misschien kwam halen, maar dat gebeurde niet. Ze bleef alleen zitten met een dikke buik, met mijn moeder erin. Ze was gedwongen haar af te staan en net te doen of er niets aan de hand was, maar mijn moeder heeft altijd geweten wie haar vader was. En ze heeft het oma nooit vergeven. Daarentegen hechtte ze waarde aan waar zij meende dat haar vader voor stond, de man die mijn opa had moeten zijn. Oma zegt dat zij veel erger is geworden in haar haat dan haar voorbeeld. Vanuit die haat was mijn moeder er heel lang van overtuigd dat ze geen kinderen op de wereld wilde zetten. Maar toen ze mijn vader ontmoette veranderde ze van gedachten, want in hem ontmoette ze iemand die nog erger was! Dus is het misschien niet zo vreemd dat ik zo geworden ben. Mijn vader zat zelf in de gevangenis toen ik voor het eerst werd aangehouden. We hadden jaren niets van elkaar gehoord, het was allemaal niets, toch hoorden we bij dezelfde zieke elitebende! Tegenwoordig verafschuwt mijn moeder hem, mijn vader. Terwijl dat wereldje van leer en wapens en een soort jongensfantasie over brute kracht en almacht tegenover 'de anderen' haar wel aanstaat. Die anderen, die zoveel slechter zijn. Die anders, minder zijn. Het is me met de paplepel ingegoten, maar nu heb ik er genoeg van. Het leidt nergens toe. Hoe zouden we de macht kunnen overnemen en alle allochtonen eruit smijten, terwijl we niet eens voor een eigen inkomen kunnen zorgen of een gewone brief kunnen schrijven? Nee, ik heb het wel gehad daarmee.'

En zijn moeder?

'Ik heb het met mijn moeder ook wel gehad. Zij verandert niet meer. Maar ik heb oma, eindelijk. Dat was eerst niet zo. Mijn hele jeugd heb ik in een trieste flat in Ludvika doorgebracht. In goede tijden had mijn vader werk, maar meestal niet. Mijn moeder heeft wel altijd gewerkt. Hij raakte aan de drank, toen liep het echt mis, toen begon hij zijn arische afkomst te gebruiken als alibi voor zijn criminele activiteiten. Al die tijd wist ik nauwelijks dat ik een oma had. Maar ik ben niet boos op mijn moeder. Ze dacht dat ze het goed deed. Mijn moeder zei dat als iets de ene keer niet goed genoeg was, dan de tweede keer ook niet. Ik dacht dat mijn oma een soort heks was. Maar ze bedoelde zichzelf, dat ze niet goed genoeg was geweest voor mijn oma. Zoiets komt hard aan. En mijn moeder werd zelf ook hard. In dat opzicht heb ik echt met haar te doen.

Dus nu weet je hoe het zit, Siv. Ik ben geen skinhead meer, en

337

het verschil zit hem niet alleen in het haar.'

Hij glimlacht vragend naar me. In het andere bed ligt Niels te kreunen. Misschien heeft hij het gehoord.

'Zijn computer', fluister ik. 'Daar zitten bewijzen in, lijsten, dodenlijsten... Als zijn zoon Mikael ons niet voor is.'

'Laat Mikael maar aan mij over', fluistert Måns terug. 'We hebben al het een en ander met elkaar te maken gehad, we kennen elkaar. Geen probleem, Siv, echt niet.'

'Mijn verontschuldigingen', fluister ik, 'dat ik zo onaardig tegen je deed op het werk. Ik heb me in je vergist. Ik dacht dat je iets met de dood van Bengan te maken had.'

'Dat heb ik niet gedaan, Siv, je moet me geloven. Maar ik heb wel iets gedaan. Ik durfde niet te vertellen hoe het zat. Ik dacht dat Niels Bengan alleen maar bang wilde maken. Dus toen hij wilde dat ik die avond al om negen uur naar huis zou gaan, deed ik dat.'

'Dus het was Niels?'

'Ja. Ik schrok me dood toen ik de volgende ochtend door de politie uit bed werd gebeld. Niels had beloofd om middernacht aan het eind van de dienst voor mij uit te klokken. Hij wilde iets onder vier ogen bespreken met Bengan, zei hij. Maar hij heeft hem in het vat geduwd. En ik zou ervoor opdraaien als ik mijn mond opendeed, niemand zou mij geloven, met mijn strafblad.'

'Dus het was Niels.'

Måns knikt onmerkbaar. Ik zie hem schuin kijken. Hij is nog bang. Zijn nieuwe kostuum zit nog niet lekker.

We zitten zwijgend te wachten. Ik laat het allemaal bezinken. Niels jammert in zijn hoekje. Hij zou heel wat kunnen vertellen, maar hij zegt niets. Alleen door de pijn maakt hij onwillekeurig geluid.

Onze adem dampt niet meer. Mijn hoofd en mijn lichaam maken ruzie. Tegelijkertijd voel ik me licht en zweverig, in bepaalde delen van mijn lichaam heb ik helemaal geen gevoel. Die zijn bevroren. Maar ik leef nog.

Het is nu op zijn donkerst. En de kou heeft alle records gebroken.

Maar Niels heeft me niet meer in zijn macht.

In de verte zijn motoren te horen, krachtige motoren en vierwielaandrijving. Weldra speelt het licht van felle koplampen over het plafond van de oude boerderij. Er zitten beugels tegenaan, waar dekbedden en matrassen overheen hangen. Een vervlogen tijd. Een vredige streek. Had het kwaad hier echt voet aan de grond kunnen krijgen?

Het heeft al voet aan de grond. Zoals de ondergrondse gloed na een bosbrand. En nu pas weet ik waar het gloeit. Nu kan ik de plaats aanwijzen en zeggen: blussen!

De motoren zwijgen, de voordeur gaat open en een wolk van kou komt het vertrek binnen. Ik zink weer weg in een zuigende duisternis.

Ik hoor de stem van Jan. Hij roept mijn naam.

(STOCKHOLM, Nieuwsdienst TT, maart 2002)

Het onderzoek naar het geruchtmakende nazinetwerk is in een beslissende fase aangekomen en er zijn op korte termijn meer aanhoudingen en inbewaringstellingen te verwachten. Er is een groot psychologisch onderzoek aangevraagd voor de hoofdverdachte, die zijn ondergrondse activiteiten uitvoerde vanuit een klein dorp in het noordwesten van de provincie Dalarna. Alle verdachten ontkennen wat hun ten laste wordt gelegd, maar de bewijzen zijn in verscheidene gevallen zo overweldigend dat ze ondanks hun ontkenning zeer waarschijnlijk veroordeeld zullen worden voor de arrondissementsrechtbank. De officier van justitie baseert zich vooral op de bewijzen die zijn verkregen uit de computer van de hoofdverdachte, waarin onder andere een register was opgeslagen met pasfoto's en intieme persoonlijke details van meer dan duizend Zweedse burgers. De geregistreerden zijn mensen met een Joodse afkomst, met een achtergrond in het vakbondswerk, aanhangers van het socialisme en mensen met andere specifieke opvattingen of eigenschappen die de beklaagde niet welgevallig waren. Curieus is wel dat deze neonazi ook een compleet Joods register uit de Tweede Wereldoorlog heeft opgeslagen dat in die tijd door Zweedse nazi's was aangelegd om deportaties voor te bereiden bij een eventuele anschluss. De meesten van de hierin opgenomen personen zijn inmiddels overleden en het register is op zich niet onwettig, aangezien de verjaringsperiode voorbij is. Er werden echter ook kinderen geregistreerd en op het moment van zijn arrestatie was de hoofdverdachte bezig met het aanvullen van de persoonsgegevens van deze thans volwassen personen. Deze laatste registratie is wel onwettig.

Met het oprollen van de nazistische terreurgroep is de verklaring gevonden voor meerdere schijnbaar op zichzelf staande geweldsmisdrijven. Volgens officier van justitie Victor Kemp kunnen de tenlasteleggingen voor meerdere betrokkenen worden aangescherpt. Er wordt nu onder andere een nieuw onderzoek ingesteld naar een bedrijfsongeval waarvan het slachtoffer een jongeman was die eerder in Karlstad had gewoond en daar in aanvaring was gekomen met nazi's. Een eerder onbekende getuige heeft zich gemeld. Ook het overlijden van een vrouw die allang is begraven wordt nu opnieuw onderzocht. Het forensisch instituut heeft bewijzen veiliggesteld dat ze geen natuurlijke dood is gestorven, zoals eerder werd aangenomen. Volgens onze bronnen zagen de beklaagden haar als hun vijand en is ze door middel van chemicaliën om het leven gebracht.

De muren zijn betegeld, net zoals ik het me herinner, en het galmt wanneer de stemmen worden weerkaatst.

Het is warm en de waterdamp hult me in een waas als ik de deur open, ze hebben me niet gezien. Ze dragen witte jassen en ze roepen en lachen. Een verschrompeld mannetje zit op een plastic stoel met gaten in de zitting onder een douche, terwijl een ander in de badkuip ligt, die nog steeds midden in het vertrek staat, zodat je er gemakkelijk omheen kunt lopen.

Mijn vroegere collega's in hun grote, witte plastic schorten zijn druk bezig; van een derde man, die een badlaken om zich heen heeft, knipt Elisabeth de teennagels. Alles is precies zoals ik het me herinner, alleen de mannen ken ik niet.

'Nee maar, Siv!' Nu hebben ze me gezien.

Ze stormen op me af en spetteren me nat, ik kan hen niet eens wegduwen met mijn verbonden handen, we beginnen met een lachbui. 'Kijk uit', schreeuw ik – de man in de badkuip is onderuitgegleden!

Ten slotte zijn ze klaar met baden en ik loop met hen mee naar de afdeling. Het is allemaal nog precies hetzelfde. Een aantal oudjes herken ik. Sommigen van hen herkennen mij ook. We groeten elkaar.

Helga heeft een andere kamer. Ze is nu bedlegerig. Niet alleen haar verstand laat het afweten; in zekere zin is ze nu een plantje. Ze herkent niemand, mij al helemaal niet, en ze heeft al jaren geen zinnig woord meer gezegd.

Toch ga ik met veel respect en tederheid haar kamer binnen.

Ze is nog dezelfde. Ze ziet er net zo uit als vroeger, misschien wat magerder. En ze kijkt me aan als ik mijn verbonden hand op haar arm leg.

Haar leven is bijna voltooid. Zij is over een aantal dagen of maanden aan de beurt. Zo gaat dat.

Ik ben er zo blij om dat Helga in een mooie, schone kamer ligt en dat ze op vaste tijden eten krijgt en schone luiers en poeder en massage. Niemand zou het in zijn hoofd halen om haar kwaad te doen.

En ik heb een van de vaardigste handchirurgen van Zweden mogen ontmoeten. Niemand vroeg wie of wat ik was en niemand vroeg me om extra geld. Misschien heeft hij mijn bevroren vingers gered. Over een maand krijg ik zekerheid. Maar één zekerheid heb ik al – dat er kosten noch moeite gespaard zijn om mij gezond te maken. Al ben ik het maar.

Dat mechanisme werkt nog. Het stelsel puft en ademt nog. Het is als elektriciteit uit de muur, als brood op de plank, een soort natuurkracht. Dat zie ik nu en ik word er warm van.

Het is ook heel gezellig om nog even een kopje koffie met een rietje te drinken samen met Elisabeth, Monica en Maj-Lis. Monica laat me van een broodje happen. Ze leven met me mee en bewonderen me en kunnen niet begrijpen dat ik ooit terug wil. Er zijn hier banen voor als ik weer beter ben. Ik moet daar niet heen om verder te bevriezen. Hou dat huis als zomer- huisje en doe weer net als andere mensen!

Ik ben een maand in de stad en ik begin er alweer genoeg van te krijgen. De warmte van afzonderlijke mensen doet me goed, maar ik kan niet meer tegen het dicht op elkaar gepakt zitten, wat als de voornaamste deugd van de grote stad wordt gepredikt. Dat opeengepakte beneemt me de zuurstof, er is geen plaats om te denken, het zijn allemaal indrukken, consumptie en snelle be- wegingen. Dat ligt nu achter mij. Mijn leven is aan een nieuw hoofdstuk begonnen en zelfs Åsa heeft de geschiedenis niet terug kunnen draaien, dat kan niemand.

Haar tederheid was oprecht en ik zag wat het met haar deed om mijn moeder te worden, om mijn achterste af te vegen en te zien dat ik mijn neus zelf niet kon snuiten. Maar na een poosje werd ze nuchter. Ze werd rusteloos. Dat was een opluchting voor me. Haar leven gaat door, ongeacht wat mij overkomt, een leven dat belangrijk is en haar bezighoudt, we gaan als gelijken met elkaar om.

Ze droeg me over aan Jan. Ik wilde in het zorghotel blijven. Toen kwam hij daarheen om voor me te zorgen.

We zijn zo aan elkaar gewend, het voelde gewoon goed. Hij moest alles voor me doen, alles. Ik kon niet praten, had geen handen. We lachten wat af. Hij heeft een heel ander soort respect voor me gekregen. Hij had er ook niets op tegen om het officiële deel op zich te nemen; ik wilde me niet vertonen. We hebben veel gepraat, we kijken anders tegen de dingen aan, maar zien ze toch in hetzelfde licht. We zijn één vlees.

Maar ik ben niet van plan te blijven.

En ik weiger bang te zijn.

Ik wil nog steeds het echte leven leiden, uit mijn dak gaan, en niet alleen maar in de verdediging zijn of verteerd worden door ongerustheid dat echt leven zoals het zou moeten, niet kan. Tot mijn verdriet zie ik ook dat de levenslust bij Jan, zoals bij zoveel mannen van zijn leeftijd, gedeeltelijk verdwenen is; hij vegeteert. Hoe kun je zo weinig van het leven overlaten? Maar ik zie vrouwen weer puber worden; ze zijn nieuwsgierig en willen van alles ontdekken, ze zijn avontuurlijk en willen genieten.

We zijn allemaal mensen, maar we hebben heel verschillende curves. Zij starten in majeur, met wapperende banieren en hoorngeschal en de hele wereld als een racebaan, terwijl wij al jong in elkaar duiken uit angst voor geweld, kloven, ontsierende haargroei en zwangerschappen. We zijn bang dat we niet aantrekkelijk zijn of juist té en dat we iemand ongeluk brengen door aanleiding te geven tot aanrandingen. En dan begint een tussenperiode met driedubbel werk, jezelf verzorgen, de spil vormen van je gezin, en dan ook nog werk buiten de deur waar we ons iedere dag weer moeten bewijzen.

Maar daarna, als we dit allemaal overleven, worden we wakker aan de overkant – de kinderen redden zichzelf, financieel gaat het redelijk en er ontstaat een opening – de vrije keus! Dan worden we echt pubers, speels, vrolijk, niet met onszelf bezig, maar sociaal. Tegen die tijd gaat de curve van de man precies de andere kant op. Als hij vijftig wordt, loopt de vanzelfsprekende kroon op de schepping plotseling met zijn neus tegen de muur: dit is het geworden. Meer is het niet – waar zijn de overwinningen, de prijzen, de gouden medailles en de ovaties van het publiek? Het doek valt. Erover praten kunnen ze ook niet.

Het is triest, maar ik kan er weinig aan doen.

Mijn ex-collega's zijn benieuwd naar de dramatische gebeurtenissen waar ik ongewild in verzeild ben geraakt. Ik laat mijn door de vorst aangetaste oorlellen zien en ik vermaak hen met mijn galgenhumor. Maar ik vertel niet wat voor relatie ik feitelijk met Niels had. Bijna had een psychopaat, een gek, mij van het leven beroofd; het brein van een nazistisch terreurnetwerk had mij zo totaal onder de duim, dat hij met mij kon doen wat hij wilde. Ik vertel niet hoe diep ik was gezonken – gevoelsmatig. Of beter gezegd door mijn gebrek aan gevoel, gevoel van eigenwaarde. Daar maakte hij gebruik van, van mijn zwakke plek, dat ik geen respect had voor mezelf, voor wat ik was. Ik vertel daarentegen wel dat de onthulling als een bom is ingeslagen in het kleine dorpje, waar niets meer zal zijn zoals het was. De onderzoeken zijn nog maar net begonnen, maar Niels is niet de enige die nu van de zorgzame samenleving mag profiteren in de vorm van gratis kost en inwoning in het huis van bewaring in Falun.

Ik neem nog een hapje van het broodje dat me voorgehouden wordt en ik kijk in de glinsterende ogen – menselijk contact. Maar ik blijf hier niet.

Ik kom tegelijk met de kraanvogels thuis. Ze trekken schreeuwend naar het noorden, hun route loopt precies boven mijn boerderijtje. Zijn jullie niet wat aan de vroege kant? Er liggen nog hopen sneeuw.

Maar de lucht is zwoel en de zon schijnt op de witte sneeuw zodat je er tranen van in je ogen krijgt. Rondom mijn boerderijtje is het een modderboel. En die geur – rotte eieren!

Voorzichtig doe ik de deur van het slot, nadat ik tastend naar de sleutel op de deurpost heb gezocht.

Marianne heeft mijn planten regelmatig water gegeven. Alles is bij het oude. Mijn vingers doen wat zeer, het vel is dun. Ik loop nog in de ziektewet en er is alle reden om het voorzichtig aan te doen.

Het voelt net alsof Ingeborg even de deur uit is om hout te halen. Maar ze is hier niet meer, ze is dood. Eindelijk heeft ze eerherstel gekregen. Haar stoffelijk overschot is opnieuw begraven, nadat de grafrust tijdelijk was verbroken.

Ik ben alleen over. Ik ga mijn inrichting veranderen. En de keuken schilderen, dat wordt hoog tijd. De vloer moet ook gedaan worden, die moet geïsoleerd worden. Tocht over de vloer is niet gezellig en ik heb er straks geld voor als mijn eis tot schadevergoeding erdoor komt. Ik deins terug voor de gedachte.

Ik ga niet akkoord met bang zijn.

Zijn huis staat leeg. Als hij niet genoeg geld heeft, moet het worden verkocht. De kat is doodgeschoten, familie heeft zich om de hond bekommerd. Hij moet maar zien. Het zal even duren voordat hij weer wordt vrijgelaten. Wie dan leeft, wie dan zorgt. Zijn heerschappij is vernietigd, het was een minirijkje, maar toch heel beangstigend. Niemand van zijn medestanders zal hier toch komen?

Ik doe niet mee aan bang zijn.

Ik ben nog steeds in leven. Mijn vel hoeft alleen nog maar wat dikker te worden, dan ben ik weer in orde. Nu heb ik nog een tere huid.

Op de leerlooierij vallen ontslagen. De hele gemeente zit in de min en scholen moeten sluiten. Tegelijkertijd zitten de mensen in de grote steden op elkaars lip; daar kun je alleen op een menswaardige manier in het centrum wonen als je een paar miljoen op tafel kunt leggen.

Wat moet er met de rest van het land gebeuren? Zomerhuisjes op het platteland?

Ik heb ze gezien toen ik aankwam en de weg naar Sälen moest oversteken. Ik moest zo lang wachten dat ik uiteindelijk de motor maar heb uitgezet. De karavaan was dicht en compact en de onwil om er een inboorling tussen te laten was algemeen. Ik stond daar maar te wachten. Het leek één lange kronkelende karavaan van het Mälardal naar de bergen – met hun magnetische werking.

In de tussentijd bestudeerde ik de reizigers. Allemaal met bagage, ook op het dak, skihoezen of complete skiboxen. Allemaal moe en prikkelbaar, allemaal willen ze er snel zijn om maximaal te profiteren en zo veel mogelijk uit deze vakantieweek of dit lange weekend te halen, om er even helemaal uit te zijn, terwijl dit uitje hun voorlopig alleen nog maar meer stress bezorgt. Maar straks, dan zul je eens wat zien. Hun mondhoeken hangen op hun schouders – prettige vakantie.

Natuurlijk doe ik er goed aan.

Ik loop door mijn huis heen en adem de vrede in. Het zondagsgevoel. De tas met de papieren uit Ingeborgs kluis ligt nog steeds in de boekenkast. Ik blader door de oude juridische stukken. Ik haal er een van de brieven uit Amerika uit. 'Ik heb het goed hier in het nieuwe land, maar ik verlang er steeds naar om in lichte zomernachten uit te kijken over de velden, wat was dat een genot. Hier is alles anders, in het voorjaar klinkt hier nooit de roep van de kraanvogels en we horen nooit een koekoek. Maar er is grond voor nog veel meer mensen in dit dunbevolkte Minnesota. Ach, waren we maar met wat meer Zweden in dit rijke land – wat zou ik graag willen dat jullie hier waren!'

's Avonds ga ik bij Marianne langs. We zeggen niet veel over wat er is gepasseerd. Het heeft veel van ons gevergd. We drinken koffie en kijken tv.

Er is een bomaanslag gepleegd en er is iemand doodgestoken.

We zijn niet van plan bang te zijn.

We weigeren bang te zijn.

Want zodra we onze angst tonen en maar niets meer zeggen hebben zij gewonnen.

Voorbehoud

Als het hart nog slaat is van begin tot eind fictie. Het journalistenechtpaar, het gemeenteraadslid, de beroemde acteur en de activist Morales verkeren nog in blakende welstand en, trouwens, ze bestaan niet eens. Hilma Borge is nog steeds eigenaresse van de leerlooierij in Malung, waar nooit nare voorvallen hebben plaatsgevonden. Die leerlooierij is vroeger ook nooit gekocht door een dubieuze Noor, maar ze is groot gemaakt door een arme boerenjongen uit Gärdås, het dorp waar ikzelf vandaan kom.

Siv werkt nog steeds in het verpleeghuis in Göteborg en is nog steeds getrouwd met haar Jan en ik hoop echt dat dat huwelijk stand zal houden en dat ze lang en gelukkig zullen leven, of ze nu bestaan of niet.

Het is nog maar een spel. Dit was nog niet voor het echie.

Maar de lijsten zijn wel echt, helaas. Ze zijn in 1997 gevonden in het Lisellse Huis.

Het eerste deel van A-K is in werkelijkheid nooit weergevonden.

Aino Trosell bij De Geus

Onder druk

Als enige vrouw maakt Ingrid Larsen deel uit van een vijf-
koppig duikteam dat een olielek bij een platform moet
onderzoeken. Het wordt haar eerste duik. Terwijl het team
zich in de duikkamer van het schip voorbereidt, komt een
onderzeeër in aanvaring met het platform. Het duikteam
krijgt opdracht de bemanning te redden. Ze slagen erin drie
opvarenden uit de onderzeeër te halen. Het blijken Russen
te zijn, die zich bezighouden met oliepiraterij. Met twee
ampullen zeer besmettelijk gemuteerd pokkenvirus chante-
ren ze de duikers in de duikkamer. Onder water bewijst
Ingrid hoe koelbloedig ze kan zijn.

Vijf vrouwen

Eli gaat als zevenjarig meisje met haar tante Hildur van
vijftien mee om een plek als dienstmeid te zoeken. De
meisjes stappen in een onbekende wereld, er is niemand
die hen beschermt. Trosell beschrijft de overlevingdrift
waarmee haar overgrootmoeder Eli, haar grootmoeder Sti-
na en haar moeder Edit zich door het leven slaan. En ze
schetst vervolgens haar eigen jeugd.